ЧИТАТЬ [МОДНО]

ИСААК БАШЕВИС ЗИНГЕР

ШОША

САНКТ-ПЕТЕРБУРГ
АМФОРА
2007

УДК 82/89
ББК 84(7Сое)
З 63

ISAAC BASHEVIS SINGER
Shosha

Перевела с английского Н. Р. Брумберг

Издательство выражает благодарность литературному агентству Andrew Nurnberg за содействие в приобретении прав

Зингер, И. Б.

З 63 Шоша : [роман] / Исаак Башевис Зингер ; [пер. с англ. Н. Брумберг]. — СПб. : Амфора. ТИД Амфора, 2007. — 350 с. — (Серия «Амфора 2007»).

ISBN 978-5-367-00591-2

Американский прозаик польского происхождения Исаак Башевис Зингер (1904–1991), писавший на идиш, пользуется славой бесподобного рассказчика и стилиста. В 1978 г. ему была присуждена Нобелевская премия по литературе. Роман «Шоша», своего рода визитная карточка писателя, представляет его как истинного мастера слова.

УДК 82/89
ББК 84(7Сое)

ISBN 978-5-367-00591-2

ЧАСТЬ ПЕРВАЯ

ГЛАВА ПЕРВАЯ

1

С детства знал я три мертвых языка: древнееврейский, арамейский и идиш (последний некоторые вообще не считают языком) и воспитывался на культуре еврейского Вавилона — на Талмуде. Хедер, где я учился, — это была просто комната, в которой ели и спали, а жена учителя готовила еду. Меня не учили ни арифметике, ни географии, истории, физике или химии, но зато нас учили, как поступить с яйцом, если оно снесено в субботу, и как следует совершать жертвоприношение в храме, разрушенном два тысячелетия тому назад. Предки мои поселились в Польше за шесть или семь столетий до моего рождения, однако по-польски я знал лишь несколько слов. Мы жили в Варшаве на Крохмальной улице. Этот район Варшавы можно было бы назвать еврейским гетто, хотя на самом деле евреи той части Польши, которая отошла к России, могли жить где угодно. Я представлял собой анахронизм во всех отношениях, но не знал этого, как не знал и того, что моя дружба с Шошей, дочерью нашей соседки Баси, — что-то вроде влюбленности. Влюбляться, любить — это для тех молодых людей, которые позволяют себе курить в субботу, для девушек, которые носят открытые блузки с короткими рукавами. Все эти глупости не для восьмилетнего мальчика из хасидской семьи.

Однако меня тянуло к Шоше, и я сбегал из наших комнат и несся к Басе, минуя темные сени, очень часто — так часто, как только мог. Шоша моя ровесница. Но я был вундеркинд, знал многие тексты Мишны и Гемары наизусть, мог одинаково хорошо читать на идиш и на древнееврейском, начинал задумываться о Боге, о провидении, времени и пространстве, о бесконечности. А на Шошу в нашем доме смотрели как на маленькую дурочку. В девять лет ее можно было принять за шестилетнюю. Родители отдали ее в городскую школу, и она сидела по два года в каждом классе. Светлые волосы Шоши, когда она не заплетала косички, рассыпались по плечам. У нее были голубые глаза, прямой носик, стройная шея. Она походила на мать, а та в юности слыла красавицей. Сестра ее Ипе — моложе Шоши на два года — была темноволосой, как отец. В левой ноге у нее была спица, и она хромала. Тайбеле, самая младшая, была еще совсем крошкой, когда я начал ходить в дом к Басе. Ее только-только отняли от груди, и она все время спала в своей колыбельке.

Однажды Шоша пришла из школы в слезах: учительница прогнала ее и прислала с ней письмо. В письме говорилось, что этой девочке не место в школе. Шоша принесла домой пенал с карандашами и ручками и еще две книжки, польскую и русскую. Это были учебники. Шоша не научилась читать по-русски, но по-польски все же читала по складам. В польском учебнике были картинки: сцена охоты, корова, петух, кошка, собака, заяц; мать-аистиха, которая кормит вылупившегося птенца. Несколько стихотворений из этой книжки Шоша знала наизусть.

Зелиг, ее отец, работал в обувной лавке. Из дома он уходил рано утром и приходил только поздно вечером. У него была черная окладистая борода, и хасиды в нашем доме поговаривали, что он подстригает ее — нарушение, недопустимое для хасида. Он носил короткий пиджак, крахмальный воротничок, галстук, шевровые ботинки на каучуковой подошве. По субботам Зелиг ходил в синагогу, которую посещали большей частью лавочники да рабочий люд.

Хотя Бася и носила парик, она не брила голову, как моя мать, жена реб Менахем-Мендла Грейдингера. Мать часто внушала мне, что негоже сыну раввина, изучающему Гемару, водить компанию с девочкой, да еще из такой простой семьи. Она предостерегала, чтобы я никогда ничего не ел у Баси: вдруг та накормит меня мясом, которое окажется не строго кошерным. Предками Грейдингеров были раввины, авторы священных книг, и не в одном поколении. А у Баси отец был меховщиком, да и Зелиг служил в русской армии до женитьбы. Мальчишки с нашего двора дразнили Шошу. Она даже на идиш говорила с ошибками. Шоша начинала фразу и редко когда могла ее закончить. Если ее посылали за покупками в бакалейную лавку, теряла деньги. Соседи говорили Басе, что надо показать Шошу доктору: похоже, что мозги ее не развиваются. Но у Баси не было ни времени, ни денег на докторов. Да и что могли сделать доктора? Бася и сама была наивна, как дитя. Михель-сапожник сказал как-то, что Басю можно убедить в чем угодно: например, что она беременна кошкой или что корова взлетела на крышу и снесла там золотое яйцо.

Как отличались комнаты Баси от наших! У нас почти не было мебели. От пола до потолка вдоль стен стояли книги. Игрушек у меня и Мойше, моего брата, совсем не было. Мы играли отцовскими книгами, сломанными перьями, пустыми пузырьками из-под чернил, обрывками бумаги. В большой комнате — ни дивана, ни мягких стульев, ни комода. Только кивот для свитков Торы, длинный стол, скамьи. Здесь по субботам молились. Отец весь день проводил стоя перед кафедрой, смотрел в толстую книгу, что лежала раскрытой на стопке других. Он писал комментарии, пытаясь разобраться в противоречиях, которые один автор находил в работах другого. Невысокий, с рыжей бородой и голубыми глазами, отец всегда курил длинную трубку. С тех самых пор, как я себя помню, вижу отца повторяющим одну фразу: «Это запрещено». Все, что мне хотелось делать, было нарушением. Мне не дозволяли рисовать людей — это нарушало вторую заповедь. Нельзя было пожаловаться на кого-то — это означало злословить. Нельзя подшутить над кем-нибудь — это издевательство. Нельзя сочинить сказку — такое называлось ложью.

По субботам нам не позволяли прикасаться к подсвечникам, монетам и другим интересным для нас вещам. Отец постоянно напоминал нам, что этот мир — юдоль плача, путь к загробной жизни. Человек должен читать Тору, совершать подвиги добродетели. А награды за это следует ожидать на том свете. Он часто говаривал: «Долго ли живет человек? Не успеешь оглядеться вокруг, как все уже кончено. Когда человек грешит, грехи его превращаются в чертей, демонов и прочую нечисть. После смерти они находят тело и волокут его в дикие дебри или в пустыню, куда не приходят ни люди, ни звери».

Мать сердилась на отца за такие разговоры, но и сама частенько любила порассуждать о том же. Худая, со впалыми щеками, большими серыми глазами, резко очерченным носом — такой помню я свою мать. Она часто задумывалась, и тогда взгляд ее был и суров, и печален: к тому времени, как я родился, мои родители потеряли уже троих детей.

А у Баси еще прежде, чем я успевал открыть дверь, было слышно, что там что-то жарят или пекут. Блестели медные кастрюли, чугунки и сковородки, стояли красивые тарелки, ступка с пестиком, кофейная мельница, какие-то картинки, разные безделушки. У детей была корзинка, а там куклы, мячи, цветные карандаши, краски. На кроватях — красивые покрывала, на диване — подушки с вышивкой.

Ипе и Тайбеле были значительно младше меня, но Шоша и я — одного возраста. Мы не ходили играть во двор, потому что там верховодили хулиганы. Они обижали всех, кто послабее. Меня выбрали еще и потому, что я был сыном раввина, ходил в длинном лапсердаке и бархатной ермолке. Придумывали мне клички: Раввинчик, Клоунские Штаны и разные другие. Если услышат, что говорю с Шошей, то передразнивают и обзывают:

«маменькин сынок». Надо мной потешались и из-за моей внешности: за то, что у меня рыжие волосы, голубые глаза и необычайно белая кожа. Иногда в мою сторону летело что-нибудь: булыжник, чурка или ком грязи. А то еще кто-нибудь ставил подножку, да так, что я летел в сточную канаву. Или могли натравить на меня собаку часовщика: знали, что я ее боюсь.

У Баси же никто меня не обижал. Бывало, только я приду к ним, Бася ставит передо мной тарелку борща или овсяной каши, либо угощает печеньем. Шоша достает из своей корзинки с игрушками кукол, кукольную посуду, одежду для кукол, блестящие пуговицы, лоскутки. Мы играли в жмурки, в прятки, в «мужа и жену». Я изображал, будто ухожу в синагогу, а когда возвращаюсь, Шоша готовит мне еду. Один раз я играл слепого, и Шоша позволила мне дотронуться до ее лба, щек и губ. Она поцеловала мою ладонь и сказала: «Не говори только мамеле».

Я пересказывал Шоше истории, которые прочел или услыхал от отца с матерью, позволяя себе всячески приукрашивать их. Я рассказывал ей о дремучих лесах Сибири, о мексиканских разбойниках, о каннибалах, которые едят даже собственных детей. Иногда Бася присаживалась к нам и слушала мою болтовню. Я хвастался, что уже освоил каббалу и знаю такие тайные слова, с помощью которых можно добыть вино из стены, сотворить живых голубей, даже улететь на Мадагаскар. Я знаю такое имя Бога, которое содержит семьдесят две буквы, и если его произнести, небеса окрасятся в красный цвет, луна упадет на землю, и Вселенная разлетится на куски.

Глаза Шоши наполнялись ужасом:

— Ареле, не произноси это слово никогда!

— Да не бойся ты, Шошеле: я сделаю так, что ты будешь жить вечно.

2

Мне нравилось играть с Шошей. И не только играть. Нравилось разговаривать с ней о таком, о чем я не смел сказать никому. Я пересказывал ей все свои фантазии и выдумки. Признался, что пишу книгу. Я часто видел эту книгу во сне: она была написана мною и в то же время рукой какого-то древнего писца, шрифтом Раши, на пергаменте. Я воображал, что сделал это в прошлой жизни. Отец запрещал мне интересоваться каббалой: «Кто погружается в каббалу раньше тридцати лет, может впасть в ересь или сойти с ума», — предостерегал он. Меня, по-видимому, уже можно считать еретиком или полусумасшедшим. У нас в шкафах стояли книги «Зогар», «Древо жизни», «Книга творения», «Гранатовый сад», много других каббалистических сочинений. Имелся календарь, где содержались сведения о королях, государственных деятелях и ученых. Мать часто читала «Книгу завета» — антологию, содержащую научные факты и сведения. Там я прочел про Архимеда, Коперника, Ньютона, а также узнал о философах: Аристотеле, Декарте, Лейбнице. Автор, реб Эля из Вильны, вел бурную полемику с теми, кто отрицал существование Бога, — и вот я познакомился с другой точкой зрения. Хотя мне запрещали читать эту книгу, я использовал любую возможность, чтобы заглянуть в нее. Однажды отец упомянул Спинозу — имя это следовало тут же забыть! — и его теорию, согласно которой Бог есть Вселенная и Вселенная есть Бог. Эти слова все перевернули в моем сознании. Если Вселенная — это Бог, значит, я, мальчик Ареле, мой лапсердак, моя ермолка, мои рыжие волосы, мои ботинки — это часть Бога? И Бася, и Шоша, и даже мои мысли?

В тот же день я прочитал Шоше такую лекцию по философии Спинозы, как будто изучил все его труды. Шоша слушала и одновременно раскладывала свою коллекцию пуговиц. Я был уверен, что она не уловила ни единого слова. Как вдруг она спросила: «А Лейбеле Бонч — он тоже Бог?»

Лейбеле Бонч — известный во дворе хулиган и вор. Играя с мальчишками в карты, он всегда жульничал. Лейбл знал тысячи способов поизмываться над тем, кто слабее него. Он мог подойти к маленькому и сказать: «Тут говорят, мой локоть воняет, — ну-ка, будь любезен, понюхай». И когда малыш делал это, Лейбл бил его локтем по носу. Мысль, что он тоже может быть частью Бога, охладила мой энтузиазм, и я немедленно развил перед Шошей теорию таким образом, что существуют два Бога — добрый и злой — и Лейбл относится, конечно, к злому. Шоша охотно согласилась с моей концепцией философии Спинозы.

В Радзиминскую синагогу, где молился отец, каждый день приходил человек по имени Шике, торговец селедками. Прозвище ему было — Шике-философ. Маленький, худой, с пестрой бородкой, в которой были волосы всех цветов: рыжие, черные, седые. Он торговал маринованной и копченой селедкой, а жена и дочь солили огурцы. Шике приходил позже всех и торопливо молился уже после того, как все разойдутся. Вот он надевает талес и филактерии, а в следующую минуту — так мне, во всяком случае, казалось — он их уже снимает. Я не ходил в хедер — отец был не в состоянии платить за обучение. Кроме того, я мог прочесть страницу-другую из Гемары самостоятельно. Зато я часто ходил в Радзиминскую синагогу, чтобы поговорить с этим человеком, Шике-философом. Он немного разбирался в логике и рассказал мне про парадокс Зенона. От него же я узнал, что, хотя и думают, будто атом — наименьшая из частиц, с математической точки зрения он делим бесконечно. Он же объяснил мне значение слов «микрокосм» и «макрокосм».

На следующий день все это я пересказал Шоше. Я объяснил ей, что каждый атом — это целый мир, с мириадами крошечных человечков, зверей и птиц. И там тоже есть евреи и неевреи. Люди строят дома, замки, башни, мосты, не подозревая, как они малы. Говорят они на разных языках. В капле воды может поместиться несколько таких миров.

— И они еще не утонули? — спросила Шоша.

Чтобы не усложнять объяснений, я ответил:

— Все они умеют плавать.

Дня не проходило без того, чтобы я не прибежал к Шоше с новой историей. То вдруг я придумывал такой напиток, что, если выпить его, станешь сильным, как Самсон. Я уже выпил, поэтому могу выгнать турок из Святой земли и стать царем евреев. То оказывалось, что я нашел шапку-невидимку. Когда вырасту, стану мудрым и сильным, как царь Соломон, а он понимал даже язык птиц. Рассказал я Шоше и о царице Савской: она пришла к царю Соломону, чтобы научиться у него мудрости, и привела с собой множество рабов, верблюдов, ослов, нагруженных дарами для израильского царя. Перед ее приходом Соломон приказал сделать во дворце пол из стекла. Царица вошла, приняла стекло за воду и приподняла юбку. Соломон сидел на золотом троне и видел это. Он увидел ноги царицы и сказал ей: «Ты славишься своей красотой, но ноги твои волосаты, как ноги мужчины».

— Это правда? — спросила Шоша.

— Да, правда.

Шоша приподняла юбочку и посмотрела на свои ножки, а я сказал:

— Шоша, ты прекраснее царицы Савской.

И еще я сказал ей, что если бы я был помазан и восседал на Соломоновом троне, то взял бы ее в жены. Она была бы царицей и носила на голове корону из бриллиантов, изумрудов и сапфиров. Другие жены и наложницы склонялись бы перед ней до земли.

— И много жен у тебя тогда было бы? — спросила Шоша.

— Вместе с тобой — тысяча.

— А зачем тебе так много?

— У царя Соломона была тысяча жен. Об этом говорится в Песне песней.

— А разве это разрешено?

— Царь может делать все что хочет.

— Если бы у тебя была тысяча жен, не осталось бы времени для меня.

— Шошеле, для тебя у меня всегда найдется время. Ты сидела бы рядом со мной на троне, а ноги твои покоились бы на подножии из топазов. Когда придет Мессия, все евреи будут перенесены в Святую землю. Остальные народы станут рабами евреев. Дочь генерала будет мыть тебе ноги.

— Ой, это будет щекотно, — рассмеялась Шоша и показала ряд ровных белых зубов.

День, когда Зелиг и Бася переехали из дома № 10 в дом № 7 по Крохмальной улице, был для меня подобен дню Девятого аба*. Случилось это неожиданно для меня. Перед тем я украл грош из кошелька у матери и купил шоколадку для Шоши в цукерне у Эстер. А днем позже пришли грузчики, растворили двери Басиных комнат, начали выносить диваны, шкафы, кровати, посуду, пасхальную утварь. Я даже не мог попрощаться. Я слишком вырос и уже не смел дружить с девочкой. Я изучал теперь не только Гемару, но и Тосефту. В это утро я читал с отцом сочинение рабби Ханины, то и дело поглядывая в окно. Басины пожитки уже погрузили на телегу, запряженную парой кляч. Бася несла Тайбеле. Ипе и Шоша шли следом. Расстояние от дома № 10 до дома № 7 — всего два квартала, но я знал, что это — конец. Одно дело — выбраться из своей квартиры, пробежать через сени и постучаться в дверь к Шоше, и совсем другое — прийти в чужой дом. Члены общины, что платили жалкие гроши моему отцу, были весьма наблюдательны и всегда готовы отыскать хоть какие-нибудь признаки дурного поведения его детей.

Шло лето четырнадцатого года. Через месяц сербский террорист застрелил кронпринца и его

---

* День поста и траура по разрушению Иерусалимского Храма (как Первого, так и Второго). — *Здесь и далее примеч. пер.*

жену. Вскоре царь объявил тотальную мобилизацию. Я разглядывал людей, которые по субботам приходили к нам молиться. У них на лацканах были блестящие крупные пуговицы. Это означало, что их призвали в армию и они должны идти воевать против немцев, австрийцев и итальянцев. В винную лавку к Элиезеру пришел городовой и вылил всю водку в сточную канаву: ведь время военное — все должны быть трезвые. Лавочники отказывались брать бумажные деньги: требовали только золотые или серебряные монеты. Двери лавок были лишь приоткрыты, и только тех, у кого были такие монеты, пускали внутрь.

Очень скоро мы начали голодать. За время между убийством в Сараево и началом войны многие хозяйки запасли муку, рис, горох и овсянку, но моя мать была занята чтением благочестивых книг. Евреи с нашей улицы перестали платить отцу. Так не стало у нас и денег. Не было больше свадеб, разводов на нашем дворе. У булочных стояли длинные очереди за хлебом. Мясо вздорожало. На базаре Яноша резники стояли без дела, с ножами в руках, высматривая женщину с курицей, уткой или гусем. Цена на домашнюю птицу росла день ото дня. Даже селедку мы не могли покупать. Многие хозяйки стали использовать масло какао. Оно пахло керосином. После праздника Кущей начались дожди, снег, морозы, но у нас не было даже угля, чтобы растопить печь. Брат Мойше перестал ходить в хедер — у него порвались ботинки. И с ним отец стал заниматься сам. Проходили недели, а мяса у нас совсем не было, даже в субботу. Мы пили жидкий чай без сахара. Из газет стало известно, что австрийцы заняли много городов и местечек на территории Польши,— среди них были и те, где жили наши родные. Великий князь Николай Николаевич, командующий армией, дядя царя, заявил, что всех евреев надо выселить за линию фронта: их подозревали в шпионаже в пользу немцев. Еврейские кварталы Варшавы запрудили толпы беженцев. Они спали в молельнях, даже в синагогах. Прошло еще немного времени, гул артиллерии стал слышен и у нас. Немцы начали наступление на реке Бзуре — русские пошли в контратаку. Наши оконные стекла тряслись день и ночь.

3

Мы покинули Варшаву летом семнадцатого года. Наша семья переселилась в деревню, занятую австрийскими войсками. Здесь жизнь была дешевле. Кроме того, в этой части Польши жили наши родные со стороны матери. А Варшава, казалось, была разрушена до основания. Война продолжалась уже три года. Оставляя Варшаву, русские взорвали Пражский мост. Теперь немцы хозяйничали в Польше. Они несли потери на Западном фронте. Население голодало. Мы никогда не ели досыта. Перед отъездом Мойше заболел, и его взяли в инфекционную больницу на Покорной улице. Нас с матерью забрали на дезинфекционный пункт на улице Счастливой, возле еврейского кладбища. Мне сбрили пейсы и давали суп со свининой. Для меня, сына раввина, это было истинным бедствием. Санитарка приказала раздеться догола и посадила в ванну. Когда она дотронулась до меня, стало щекотно и захотелось сразу и плакать, и смеяться. Казалось, я попал в руки Лилит, посланной мужем своим Асмодеем, чтобы совращать учеников ешибота и тащить их прямо в преисподнюю. В зеркале: с бритым лицом, в больничном халате, в обуви на деревянной подошве, без пейсов, без привычного еврейского платья — я себя не узнал. Уже нельзя было сказать, что создан я по образу и подобию Бога.

То, что случилось со мной в этот день, говорил я себе, не было следствием войны или распоряжения германских властей. Это было наказанием за мои грехи — за сомнения в вере. Я уже прочел тайком книги Менделе Мойхер-Сфорима, Шолом-Алейхема, Перетца, а также Толстого, Достоевского, Стриндберга, Кнута Гамсуна в переводе на идиш и древнееврейский. Уже заглядывал в «Этику» Спинозы (в переводе на древнееврейский доктора Рубина) и прочел популярную историю философии. Сам выучил немецкий (это почти идиш!) и читал в оригинале братьев Гримм, Гейне — вообще все, что попадалось под руку. Но мои родители не знали об этом. Одновременно с немецкими солдатами вторглось на Крохмальную Просвещение. Слыхал я также о Дарвине и уже не был уверен, что чудеса, описанные в Святых Книгах, действительно происходили. Когда началась война, мы стали получать газеты на идиш, и я прочел там о сионизме, социализме, а после того, как русские оставили Польшу и была снята цензура, появилась серия статей о Распутине.

В России произошла революция. Царя свергли. Газеты писали о митингах, о партийной борьбе между социалистами-революционерами, меньшевиками, большевиками, анархистами — новые имена и группировки появились как грибы после дождя. Я поглощал все это с необычайным рвением и интересом. В эти годы, между 1914-м и 1917-м, я не видел Шошу и ни разу не встретил ее на улице: ни ее, ни Басю, ни других детей. Я достиг совершеннолетия, проучился один семестр в Сохачевском ешиботе, еще один — в Радзимине. Отец стал раввином в галицийском местечке, и мне приходилось зарабатывать самому.

Но никогда я не забывал Шошу. Она снилась мне по ночам. В моих снах она была одновременно и живой, и мертвой. Я гулял с ней по саду. Сад этот был еще и кладбищем. Умершие девушки, одетые в саваны, сопровождали нас. Они водили хороводы и пели. Девушки кружились, скользили, иногда парили в воздухе. Я прогуливался с Шошей по лесу среди деревьев, достигавших неба. Диковинные птицы, большие как орлы и пестрые как попугаи, водились в этом лесу. Они говорили на идиш. В сад заглядывали какие-то чудища с человеческими лицами. Шоша была как дома в этом саду, и не я приказывал ей и объяснял, что делать, как когда-то, а она рассказывала мне о чем-то, чего я не знал, шептала какие-то тайны на ухо. Волосы у нее теперь доходили до пояса, а тело светилось, будто жемчуг. Я всегда просыпался после такого сна со сладким вкусом во рту и с ощущением, что Шоши больше нет на свете.

Несколько лет я скитался по деревням и местечкам Польши, пытаясь зарабатывать преподаванием древнееврейского языка. Я редко теперь думал о Шоше, когда просыпался. Влюбился в девушку. А родители ее не позволяли мне и приблизиться к ней. Я начал писать по-древнееврейски, позже — на идиш, но издатели отвергали все, что бы я ни предлагал. Я никак не мог найти свой стиль и свое место в литературе. Сдался и занялся философией, но и здесь мне не везло. Я чувствовал, что надо вернуться в Варшаву, но снова и снова неведомые силы, что правят человеческой судьбой, влекли меня вспять, на грязные сельские проселки. Не раз я был на грани самоубийства. В конце концов мне удалось устроиться в Варшаве, получив работу корректора и переводчика. Затем меня пригласили в Писательский клуб: сначала как гостя, а позже — приняли в члены клуба. И я ощутил тогда, как чувствует себя человек, выведенный из состояния комы.

Проходили годы. Писатели моего возраста достигали известности и даже славы, но я по-прежнему был начинающим писателем. Отец умер. Его рукописи, как и мои, валялись где-то или были потеряны, хотя ему и удалось издать одну небольшую книгу.

В Варшаве у меня началась связь с Дорой Штольниц — девушкой, у которой была одна цель в жизни: поехать в Советский Союз, страну социализма. Как я узнал потом, она была членом компартии, активным партработником. Ее несколько раз арестовывали и сажали в тюрьму. Я же был антикоммунистом и вообще противником любых «измов», но пребывал в постоянном страхе быть арестованным за связь с этой девушкой. Потом я даже возненавидел Дору с ее напыщенными и трескучими лозунгами вроде «светлого завтра» или «счастливого будущего». Те еврейские кварталы, где я бывал теперь, находились недалеко от Крохмальной улицы, но ни разу не прошел я по Крохмальной. Я говорил себе, что у меня просто не было повода пойти в эту часть города. На самом же деле причины были другие. Я слыхал, что многие из прежних обитателей умерли от эпидемий тифа, от инфлуэнцы, от голода. Мальчишки, с которыми я бегал в хедер, были мобилизованы в польскую армию в двадцатом году и погибли в войне с большевиками. Затем Крохмальная стала очагом коммунизма. Там происходили все коммунистические митинги и демонстрации. Юные коммунисты стремились водрузить красные флаги всюду: на телефонных будках, на трамваях, даже в окне полицейского участка. На площади, между домами № 9 и № 13, раньше обитали воры, наводчики, проститутки. Теперь там мечтали о диктатуре товарища Сталина. Как и в прежние времена, здесь часто бывали полицейские облавы. Это не была больше моя улица. Никто не помнил здесь ни меня, ни моих отца и мать, ни наших родных. Размышляя об этом, я думал, что живу не так, как все, что моя жизнь проходит в стороне от жизни всего мира. Мне не было еще и тридцати, но я ощущал себя древним стариком. Крохмальная улица представлялась мне глубоко лежащим пластом археологических раскопок, до которого я, вероятно, никогда не смогу добраться. И в то же самое время я помнил каждый дом, каждый дворик, помнил хедер, хасидскую молельню, лавки; мог представить себе каждую девушку, каждого уличного зеваку, женщин с Крохмальной улицы: их голоса, их манеру говорить, их жесты.

Я полагал, что задача литературы — запечатлеть уходящее время, но мое собственное время текло между пальцев. Прошли двадцатые годы, и пришли тридцатые. В Германии хозяйничал Гитлер. В России начались массовые чистки. В Польше Пилсудский установил военную диктатуру. За несколько лет до этого Америка ввела иммиграционную квоту. Консульства почти всех стран отказывали евреям во въездных визах. Я жил в стране, стиснутой двумя враждующими державами, и был связан с языком и культурой, неизвестными никому, кроме узкого круга идишистов и радикалов. Слава богу, что у меня нашлось несколько друзей среди членов Писательского клуба. Лучшим из всех был доктор Морис Файтельзон. Среди нас он считался необычным человеком, выдающейся личностью.

ГЛАВА ВТОРАЯ

1

Доктор Морис Файтельзон не был широко известен. Некоторые из его философских работ написаны по-немецки, другие — на идиш и на древнееврейском. Ни на французский, ни на английский его не переводили. Ни в одном из философских словарей его имя не фигурировало. На его книгу «Духовные гормоны» появились отрицательные отзывы в Германии и Швейцарии. Со мной Файтельзон дружил, хотя и был старше меня на двадцать пять лет. Он мог бы стать знаменитым, если бы не растрачивал попусту свои силы. Какое-то время он читал лекции в университете Берна. Он буквально создал всю терминологию по философии на древнееврейском. Если Файтельзон и являлся дилетантом, как назвал его однажды один из критиков, то это был дилетантизм высшего класса. Он был также блестящим собеседником и имел феноменальный успех у женщин.

Но этот же самый Файтельзон частенько перехватывал у меня пять злотых. В еврейской прессе ему не слишком-то везло. Издатели принимали его статьи, а потом держали неделями, внося исправления и искажая стиль. Постоянно находили недостатки в его работах. Про него ходило много сплетен. Сын раввина, он рано ушел из дома, стал агностиком. Розошелся с тремя женами, постоянно менял любовниц. Рассказывали, будто Файтельзон продал свою возлюбленную богатому американскому туристу за пятьсот злотых. Но человеком, больше других прочих злословившим о Файтельзоне, был сам Файтельзон. Он прямо-таки хвастал своими приключениями. Однажды я сказал, что, если бы можно было соединить в одном лице Артура Шопенгауэра, Оскара Уайльда и Соломона Маймона*, получился бы Морис Файтельзон. Следовало бы еще немного добавить от рабби из Коцка**, потому что на свой собственный манер Файтельзон был мистиком и хасидом.

Среднего роста, широкоплечий, с густыми сросшимися бровями, толстым носом, полными губами, он всегда держал во рту сигару. В клубе шутили, что он даже спит с сигарой во рту. Глаза у него были почти черные, но иногда казались зелеными. Черные волосы уже начинали редеть.

---

* Соломон Маймон (1754–1800) — еврейский философ, родился в Несвиже (Белоруссия). В юности порвал с местечком и ушел странствовать. После многих авантюрных путешествий по Польше и Германии поселился в Берлине, где изучал философию под руководством Моисея Мендельсона. Стал известен критическим анализом философской системы Канта. С. Маймон — первый восточноевропейский еврей, сделавший себе имя в Европе в области светского знания.

** Рабби Менахем-Мендл из Коцка (1787–1859) — знаменитый хасидский ученый, ученик рабби Симхи Бунема. Развивал вслед за своим учителем интровертистскую, индивидуалистическую концепцию служения Богу. Имя рабби Менахем-Мендла в хасидской традиции окружено ореолом таинственности.

Несмотря на бедность, Файтельзон носил английские костюмы и дорогие галстуки. Он осмеивал всех и вся, ни в грош не ставил никого из всемирно известных личностей. И вот такой жестокий критик отыскал талант во мне. Когда он говорил об этом, во мне возникало и росло чувство симпатии к нему, переходящее в обожание, даже обожествление. Однако это не мешало мне видеть его слабые стороны. Временами, бывало, я пытался выговаривать ему. Он только повторял: «Это ни к чему не приведет. Я умру авантюристом».

Подобно любому юбочнику, Морис не мог не рассказывать о своих победах. Как-то я пришел к нему, он указал на софу и сказал:

— Если бы вы только знали, кто лежал тут вчера, вас хватил бы удар.

— Я скоро это узнаю, — сказал я.

— Каким образом?

— Вы мне сами расскажете.

— О, вы еще больший циник, чем я, — сказал Морис. И тотчас же рассказал.

Может показаться странным, но Файтельзон готов был с энтузиазмом рассуждать о мудрости, заключенной в «Обязанностях сердец», «Ступенях праведности» и других хасидских книгах. Он написал работу о каббале. На свой собственный лад он даже любил религиозных евреев и преклонялся перед их верой, их стойкостью перед искушениями. Он сказал как-то: «Я люблю евреев, хотя сам и не могу стать таким, как они. Эволюция не сумела бы создать их. Они для меня — единственное доказательство существования Бога».

Одной из поклонниц Файтельзона была Селия Ченчинер. Муж ее, Геймл, был потомком знаменитого Шмуэля Збытковера, богача, который во время восстания Костюшки отдал все состояние, чтобы спасти евреев Праги* от царских казаков. Отец Геймла, реб Габриэль, владел домами в Варшаве и Лодзи. В юности Геймл первую половину дня тратил на занятия Талмудом, а вторую — на изучение языков: русского — до 1915 года, немецкого — до 1919-го, польского — после освобождения Польши. Но хорошо знал только один язык — идиш. Он любил поговорить с Файтельзоном о Дарвине, Марксе, Эйнштейне — и о них читал он на идиш.

Геймлу никогда не приходилось зарабатывать самому. Он был очень хрупок, маленького роста, почти карлик. Иногда казалось: нет вообще такого дела, для которого он был бы пригоден. Даже пить чай являлось для него тяжкой работой. Он не умел отрезать себе ломтик лимона, и Селия делала это за него. Геймл был способен только на ребяческую любовь к своему отцу и своей жене. У него рано умерла мать. Отец женился второй раз, и имя мачехи нельзя было упомянуть в присутствии Геймла. Я только однажды спросил его о мачехе. Он побелел, закрыл маленькой ручкой мой рот и воскликнул: «Замолчите! Замолчите! Замолчите! Мать моя жива!»

Невысокого роста была и Селия, но все-таки выше своего мужа. Она приходилась ему родственницей с материнской стороны и воспитывалась в доме реб Габриэля, так как была сиротой. Геймл влюбился в нее, еще когда ходил в хедер. Если он хотел есть, Селия кормила его. Когда же он учился языкам: сначала русскому, а затем не-

---

* Прага — *здесь*: предместье Варшавы.

мецкому и польскому, Селия училась вместе с ним. Геймл не выучил ни одного из этих языков, а Селия — все три. Поженились они, когда мать Геймла лежала при смерти.

Ко времени нашего знакомства им обоим было уже под сорок. Геймл выглядел как мальчишка из хедера, которого одели в костюм взрослого мужчины, дали крахмальную сорочку и повязали галстук: высокий голос, заливистый смех и способность легко разрыдаться, если что-нибудь шло не так, как ему хотелось. У него были темные глаза, маленький носик и большой рот, полный плохих зубов. Лысину окружали пряди темных волос, свисавшие вниз. Он грыз ногти. Селия сама стригла его, потому что Геймл боялся парикмахеров.

Селия считала себя атеисткой, но хасидское воспитание наложило на нее свой отпечаток. Она носила платья с длинным рукавом и высоким воротом, а длинные темные волосы собирала в старомодный пучок. Бледное лицо, карие глаза, прямой нос, тонкие губы. Движения легкие, как у девушки. Геймл называл ее: «Моя царица». Селия родила Геймлу дочь, но малышка умерла в возрасте двух лет. Файтельзон сказал ей однажды, что и в этой смерти виден Божий промысел: ведь у Селии уже есть ребенок — Геймл. Для этой четы Файтельзон представлял большой мир европейской культуры. Файтельзону совсем не обязательно было жить в нужде. Они постоянно предлагали ему переехать в их большую квартиру на Злотой, но Морис неизменно отказывался.

Он сказал мне как-то: «Все мои слабости и заблуждения проистекают из моего стремления быть абсолютно свободным. Эта ложная свобода превратила меня в раба».

2

Ченчинеры охотно приглашали меня к себе: и к обеду, и к ужину, и на чашку чая, потому что Файтельзон постоянно меня расхваливал. Когда же приходил Файтельзон, поговорить не удавалось никому. Но все мы были только рады его послушать. Он знал практически каждого знаменитого еврея, равно как и нееврейских ученых, писателей, деятелей искусства. Много путешествовал. Геймл любил повторять, что Морис — живая энциклопедия. Время от времени Файтельзон читал лекции в Писательском клубе в Варшаве, а иногда и в провинции и даже предпринимал короткие поездки за границу. Когда его не было, Геймл, Селия и я могли беседовать. Геймл увлекался оперой, интересовался живописью. Он следил за выставками и покупал картины. В те годы были в моде кубизм и импрессионизм. Но Геймл любил пасторальные ландшафты с деревьями, лугами, ручейками и сельскими домиками, почти незаметными среди деревьев, где, как полагал Геймл, можно было бы укрыться от Гитлера, грозившего Польше оккупацией. Я сам мечтал о доме в глухом лесу или на острове, чтобы было где спастись от нацистов.

Страстью Селии была литература. Она покупала и читала почти все книги, выходившие на идиш и на польском, в том числе и переводную литературу. Селия обладала точным критическим вкусом. Я постоянно поражался, как женщина, которая не получила никакого образования, может так верно судить не только о беллетристике, но и о литературоведческих работах. Сам я всегда считался с ее мнением, когда ей случалось говорить о моей работе: ее замечания были неизменно тактичны, умны и по существу дела.

Как-то раз вечером, когда Геймл ушел на конференцию поалей-сионистов*, Селия пригласила меня. Мы долго болтали с ней, и Селия открыла мне тайну: у нее роман с Морисом Файтельзоном. В этот вечер я понял, что Селии, как и каждому человеку, бывает необходимо выговориться. Она откровенно рассказала, что Геймл в таких вещах неопытен, как дитя. Ему нужна мать, а не жена, а у нее, Селии, горячая кровь. Она сказала: «Я люблю благовоспитанность, но не в постели».

Услышать такое замечание от женщины, которая и одевалась, и вела себя так старомодно, — это поразило меня даже больше, чем сам факт ее неверности Геймлу. Наша беседа стала слишком интимной. Селия говорила, что литература, театр, музыка, даже газетные репортажи возбуждают ее; что она может отдаться только тому, кого уважает. Если мужчина скажет глупость или проявит слабость, этого уже достаточно, чтобы ее оттолкнуть.

«Я могла бы быть счастлива с Файтельзоном, — сказала Селия, — но это худший из лжецов, которых я когда-либо встречала. Он дурачил меня столько раз, что я потеряла к себе уважение. Он обладает гипнотической силой. Он мог бы быть Месмером** или Свенгали*** нашего

---

* Поалей Сион (Рабочие Сиона) — левая социалистическая еврейская партия.

** Франц Месмер (1734–1814) — врач, открывший явление гипноза.

*** Свенгали — персонаж романа английского писателя и художника Джорджа Дюморье (1834–1896) «Трильби», гипнотизер, таинственная и безнравственная личность, музыкант-виртуоз.

времени. Если вы думаете, что знаете Мориса, то заблуждаетесь. Каждый раз, когда я полагаю, что этот человек уже не сможет удивить меня, я получаю новый удар. Знаете ли вы, что Морис суеверен до абсурда? Он страшно боится черных котов. Если по дороге на лекцию Морис встречает человека с пустым ведром, возвращается. У него всегда с собой самые разные амулеты. Когда чихает, обязательно держит себя за руку. Некоторые слова нельзя произносить в его присутствии. Вы не пытались говорить с ним о смерти? У него больше предрассудков, чем косточек в гранате. Морис считает, что все женщины — ведьмы. Ходит к гадалкам, и те за злотый пророчат ему дальнюю дорогу и встречу с брюнеткой. А его противоречия! Он нарушает все законы „Шулхан Аруха“ и в то же время превозносит „Идишкайт“, то есть еврейский характер и чувство „еврейскости“. У него есть жена, с которой он никогда не разведется, и дочь, которую он не видел много лет. Он не пошел на похороны своей матери».

Я понимал, что сейчас, вечером, когда Селия мне все это рассказывает, что-то должно произойти. Видимо, Селия собирается взять реванш с моей помощью за то, что у Файтельзона есть другие женщины. Но я был убежден, что Файтельзон обладает даром ясновидения. Часто, лишь только я соберусь что-то сказать, он буквально «вырывает слова у меня изо рта». Я перевел разговор на другое. Глаза ее, казалось, спрашивают: «Ты боишься? О, я понимаю».

Через минуту раздался звонок. Это был Геймл. Конференция не состоялась, так как не было кворума. Зима уже наступила, и Геймл был в шубе, меховых сапогах, а его меховая шапка удивительно напоминала раввинский «штреймл». Это было так забавно, что я едва удержался от смеха.

— Геймл, — сказала Селия, — наш юный друг так застенчив, будто оставил ешибот только вчера. Я пыталась обольстить его, но он не поддается.

— Что это еще за застенчивость такая? — сказал Геймл. — Все мы сделаны из одного теста. У всех одни желания. Как по-вашему, Селия хорошенькая?

— И хороша, и умна.

— Так в чем же дело? Вы можете поцеловать ее.

— Подойди сюда, ешиботник! — сказала Селия и поцеловала меня. — Он пишет как взрослый, но он еще дитя. Поистине загадка. — И потом добавила: — Я придумала для него имя — Цуцик. Теперь только так и буду называть его.

3

С 1920-го по 1926 год Морис Файтельзон жил в Америке. Он был штатным сотрудником одной из еврейских газет Нью-Йорка и читал курс лекций в каком-то частном колледже. Я так и не смог выяснить, почему же он оставил «ди голдене медине» — Золотую страну. Когда я спрашивал его об этом, он отвечал то так, то этак. Один раз говорил, что в нью-йоркском климате страдает сенной лихорадкой. В другой — что не может выносить меркантильность американцев и их преклонение перед долларом. Он намекал также на запутанные романические обстоятельства. Рассказывали также, что газетные писаки ополчились против него и ему пришлось туго. Были у него свои сложности и в колледже, где он читал лекции. В разговорах он часто упоминал еврейский театр, «Кафе-Ройял», где собирались еврейские интеллектуалы Нью-Йорка и такие сионистские лидеры, как Стефен Вейс, Лео Липский, Самарий Левин.

Несмотря на антипатию к Америке и американцам, Морис никогда не порывал с ними окончательно. Он дружил с директором ХИАСа* в Варшаве и был известен в американском консульстве. Время от времени в Польшу наезжали американские туристы, которые знавали Файтельзона еще в Нью-Йорке, или их друзья, которым они рекомендовали обратиться к нему. Он приводил их с собой в Писательский клуб, таскал по городу. Файтельзон уверял меня, что денег у них не берет. Но он водил их в театры, в перворазрядные рестораны, на концерты, в музеи, а они часто дарили ему галстуки и другие мелочи. Он рассказал мне, что одного из влиятельных чиновников американского консульства можно подкупить, чтобы помочь получить визы сверх квоты: отставным раввинам, безработным ученым, артистам и мнимым родственникам. Нужно только во время игры в покер проиграть ему крупную сумму. Посредником был некий иностранный журналист в Варшаве, который брал за это проценты. Но тот факт, что сам Файтельзон оставался нищим и мог попросить в долг пять злотых у такого бедолаги, как я, говорил, несомненно, что он честен и неподкупен.

---

* ХИАС — американская еврейская благотворительная организация, занимающаяся помощью эмигрантам.

Шли тридцатые годы. С тех пор как я ушел из родительского дома, не было для меня более тяжелой зимы, чем эта зима в Варшаве. Журнал, для которого я вычитывал корректуры два раза в неделю, должен был вот-вот закрыться. Издатель, печатавший мои переводы, был на грани банкротства. Хозяева квартиры, где я жил, теперь хотели от меня избавиться. Меня не подзывали к телефону — говорили, что меня нет дома, хотя я был рядом, в своей комнате. Чтобы пройти в ванную, надо было идти через гостиную, и теперь эту дверь стали запирать на ночь. Недели шли, я все собирался съехать, но не мог найти комнату за ту нищенскую плату, которая была бы мне по карману. У меня продолжалась связь с Дорой Штольниц — я не хотел жениться на ней, но и порвать с ней не мог.

Когда мы с Дорой встретились, она говорила, что смотрит на брак как на проявление религиозного фанатизма. Как можно заключить контракт на всю жизнь? Только капиталисты и клерикалы могут верить в незыблемость таких сделок. Хотя сам я никогда не был слишком левым, тут я с ней соглашался. Все, что я видел и о чем читал, говорило, что современный мужчина не относится к семье достаточно серьезно. Отец Доры, вдовец, обанкротился в Варшаве и, скрываясь от тюрьмы, уехал во Францию с замужней женщиной. Сестра жила с журналистом, женатым человеком, я знал его по клубу. Благодаря ему я и познакомился с Дорой. Но в первые же месяцы нашей связи Дора начала настаивать, чтобы мы поженились. Она говорила, что хочет этого ради своей тетки, религиозной женщины, сестры своей покойной матери.

2 Зак. № 655

В этот зимний день я искал себе жилье с десяти утра и до темноты. Если комната нравилась мне, она стоила слишком дорого. Другие были слишком малы или кишели клопами. На самом же деле по тому, как складывались мои дела, я не мог снять никакой, даже самой дешевой комнаты. Около пяти вечера я отправился в Писательский клуб. Там хотя бы тепло. И можно поесть в кредит. Но мне было стыдно идти туда. Какой я писатель? Я не издал ни одной книги.

Был холодный дождливый день. К вечеру пошел снег. Я медленно брел по Лешно, дрожа от холода и воображая, будто я написал книгу, которая изумила весь мир. Но что может изумить его? Преступление, нищета, сексуальные извращения, безумие — этим уже никого не удивишь. Двадцать миллионов погибло на войне, и мир готовится к новой бойне. Что я могу написать такого, что не было бы уже известно? Новый стиль? Любой эксперимент с языком быстро превращается в манерность и фальшь.

Только я открыл дверь клуба, как сразу же увидел Файтельзона и рядом с ним американцев. Небольшого роста мужчина, плотный, с широким румяным лицом, густой шевелюрой, белой как пена, и выпирающим животом, был одет в плащ умопомрачительного желтого цвета, невиданного в Польше. Рядом стояла женщина, тоже невысокая, но стройная и молодая. На ней была короткая меховая шубка, вероятно из соболя, и черный бархатный берет на рыжих волосах. Мне не хотелось встречаться с американцами, и я попытался проскользнуть мимо. Однако Файтельзон уже увидал меня и крикнул: «Цуцик, куда это вы направляетесь?»

Никогда прежде он не называл меня так. Видимо, уже успел поговорить с Селией. Я подошел. Глаза слезились от холода, и я пытался обтереть влажные ладони полой промокшего пальто.

— Куда это вы убегаете? — сказал он. — Я хочу познакомить вас со своими американскими друзьями. Это мистер Сэм Дрейман и мисс Бетти Слоним, актриса. А этот молодой человек — писатель.

Лицо Сэма Дреймана казалось вылепленным из цельного куска: широкий нос, толстые губы, высокие скулы и маленькие глазки под густыми белыми бровями. Желто-красно-золотистый галстук скрепляла бриллиантовая булавка. Он держал сигару двумя пальцами и говорил громким скрипучим голосом.

— Цуцик? — проревел он. — Что это еще за имя? Прозвище, вероятно?

Из-за фигуры Бетти могла бы показаться девочкой, но лицо принадлежало взрослой женщине: впалые щеки, прямой нос, а глаза при вечернем освещении казались желтоватыми. Голос же походил на голос мальчика. Она напоминала мне гимнастку, работающую на трапеции под самым куполом цирка.

Сэм Дрейман кричал, будто я глухой:

— Вы пишете для газет, да?

— Для журналов, и притом от случая к случаю.

— Какая разница? В этом мире все сгодится. На пароходе я играл в карты с одним пассажиром и разговорился с ним. Он рассказал, что едет в Африку ловить диких зверей для зоопарков в Штатах. С ним было несколько охотников, клетки, сети и черт знает что еще. Эта пани, Бетти

Слоним, великая актриса. Она приехала в Польшу играть в еврейском театре. Если у вас есть пьеса, мы можем сделать дело немедленно…

— Сэм, не болтай глупостей, — перебила Бетти.

— Но у этого молодого человека, может быть, есть пьеса, какая нам нужна. Почему бы и нет? Прежде чем заниматься делами, пойдемте куда-нибудь перекусим. Идемте же, молодой человек. Как ваше настоящее имя?

— Аарон Грейдингер.

— Аарон что? Это слишком трудное имя. У нас в Америке нет таких длинных имен, как здесь, в Европе. Однажды к нам в контору пришел русский. Его звали Сергей Иванович Метрополитанский. Можно заработать астму, прежде чем произнесешь такое имя. Мы назвали его Мет, и так и пошло. Он водопроводчик, хороший специалист. Он прикладывает ухо к трубе и понимает, что происходит на нижнем и верхнем этажах. Я сегодня не обедал и голоден как собака.

— Вы можете перехватить чего-нибудь здесь, — сказал Файтельзон, указывая на стойку буфета.

— Я хочу сказать знаете что? Мне никогда не нравились писательские рестораны. Я заказал как-то обед в «Кафе-Ройял», и мне принесли кусок мяса, жесткий как подошва. Я приметил тут парочку ресторанов вниз по улице, и оба выглядят вполне сносно. Пойдемте, молодой человек, пойдемте с нами. Могу я называть вас Цуциком?

— Да, конечно. Но я не голоден, — соврал я.

— Что это вы там ели? Вы не похожи на человека, который съел слишком много. Выпьем виски, может быть, даже шампанского…

— В самом деле, я не...

— Не будьте так упрямы! — воскликнул Файтельзон. — Идемте с нами. Кажется, вы говорили, что пишете пьесу? — продолжал он уже другим тоном.

— У меня есть только первый акт, и то в черновиках.

— А что за пьеса? — спросила Бетти Слоним.

Я уже перестал краснеть, когда женщины заговаривали со мной, но сейчас кровь прилила к щекам.

— О, это не для театра.

— Не для театра? — опять оглушил меня Сэм Дрейман. — Но тогда для кого же? Для фараона Тутанхамона?

— Она не соберет публику.

— А о чем она? — спросил Файтельзон.

— О девушке из Людомира*. Это была девушка, которая хотела жить как мужчина. Она изучала Тору, носила тфилн, надевала талес. Стала раввином, и у нее был свой хасидский двор. Она закрывала лицо покрывалом и читала Тору.

— Если написано хорошо, то это как раз то, что я ищу, — сказала Бетти Слоним. — Можно мне посмотреть первый акт?

— Что-то может выйти из этой встречи, — заметил Файтельзон как бы про себя. — Пойдемте же. Будем есть, пить и делать бизнес, как говорят у вас в Америке.

— Да, да! Пойдемте же, молодой человек! — снова загрохотал Сэм Дрейман. — Если ваши мозги на месте, вы будете купаться в золоте.

---

* Людомир — еврейское название города Владимира-Волынского.

4

Мы сидели в ресторане Гертнера, и Сэм Дрейман рассказывал о себе и о своих вместе с Бетти Слоним планах. Он потерял больше миллиона долларов во время краха на Уолл-стрит, но только в бумагах. Рано или поздно акции поднимутся вновь. В стране дяди Сэма экономика в добром здравии. С большинства акций все-таки идут дивиденды. Кроме того, у него есть доходные дома, и он совладелец фабрики, которой управляет Билл, внук его брата, адвокат. Сам он далеко не молод, так что стоит ли волноваться. Бог послал ему большую любовь на старости лет — он взглянул на Бетти, — и все, чего он теперь хочет, — радоваться самому и доставлять удовольствие ей. Она потрясающая актриса, но эти голодранцы со Второй авеню ненавидят ее за талант. Они даже отказались принять ее в Ассоциацию еврейских актеров. Но несколько раз ей удавалось выступить, и отзывы были сногсшибательные, причем не только в еврейской прессе. Она могла бы выступать и на Бродвее, но Бетти предпочитает играть на идиш. Этот язык действительно стоит ее таланта. Не в деньгах дело. Он наймет для нее театр в Варшаве. Главное — найти стоящую пьесу. Для Бетти нужны драматические роли. Она не комедийная актриса и презирает все эти «песенки, пляски и ужимки» американского еврейского театра.

Сэм Дрейман повернулся ко мне:

— Если вы принесли хороший товар, молодой человек, я дам вам аванс в пятьсот долларов. Если пьеса хорошо пойдет, заплачу по-королевски. Если она будет иметь успех в Варшаве, возьму вас в Америку. Первый акт готов, говорите вы. А когда вы возьметесь за второй? Бетти, поговори с ним. Ты лучше знаешь, что спросить.

Бетти собралась было открыть рот, но Файтельзон перебил ее:

— Аарон, быть тебе миллионером. Станешь моим патроном и издателем. Не забудь тогда, что именно я — тот маклер, который тебе все это устроил.

— Если дело выгорит, вы тоже получите свои комиссионные! — проревел Сэм Дрейман. Он размахивал руками, когда говорил. Я разглядел бриллиант у него на пальце. Еще и запонки с драгоценными камнями, и золотые часы.

Бетти сняла меховое манто и оказалась в черном платье без рукавов. Стало видно теперь, до чего же она худа. У нее, как у мальчика, выпирал кадык; а руки были тонки как палки. В Варшаве уже шли разговоры, что полезно для здоровья и модно быть худым, но Бетти была просто кожа да кости. Варшавские модницы отращивали длинные ногти и покрывали их красным лаком, а у Бетти ногти были коротко острижены, и, по-видимому, она их грызла. Стрижка под мальчика уже вышла из моды, но Бетти была острижена очень коротко. Она едва притрагивалась к еде, что стояла перед ней, однако все время попыхивала папиросой. На левой руке у нее был браслет, а на шее — ожерелье из маленьких жемчужин.

Бетти наклонилась и спросила:

— Когда жила эта девушка? В каком веке?

— В девятнадцатом. Она только недавно умерла в Иерусалиме. Ей сейчас, наверно, было бы лет сто.

— Я никогда о ней не слыхала. Она была религиозна?

— О да, чрезвычайно. Многие хасиды считали, что в ней говорит голос древнего рабби, который читает Тору ее устами.

— Чем еще она занималась? И есть ли в пьесе действие?

— Очень мало.

— В драме должно быть действие. Героиня не может читать из Торы на протяжении трех или четырех актов. Что-то должно происходить. Есть у нее муж?

— Если я не ошибаюсь, она вышла замуж позже, но потом развелась.

— Почему вам не ввести любовную интригу? Если женщина влюблена, это придает пьесе драматичность.

— Пожалуй, это мысль. Стоит подумать.

— Пусть она влюбится не в еврея. В христианина.

— В христианина? Это невозможно!

— Почему бы и нет? Для любви нет препятствий. Предположим, она больна и вынуждена пойти к доктору-христианину. Они могли бы полюбить друг друга.

— Почему бы ей не влюбиться в кого-нибудь из своих? — предложил Файтельзон. — Я уверен, что все эти хасиды, что сидят у нее за столом, лопают объедки и слушают Тору, просто без ума от этой девицы.

— Еще бы! — оглушительно расхохотался Сэм Дрейман. — Будь я одним из этих хасидов и не будь у меня моей Бетти — дай ей Бог пережить меня! — я бы сам в нее втюрился по уши! Знаю сам, что круглый невежда, но люблю образованных женщин. Бетти училась в гимназии. Книги читает прямо тыщами. Она играла в театре у Станиславского. Расскажи им, Бетти, с кем ты играла. Пускай они знают, кто ты такая.

— Тут нечего рассказывать, — Бетти покачала головой. — Я играла в России в еврейском театре и в русском тоже, но уж такая моя судьба: только соберусь что-нибудь сделать, как вокруг меня образуется целая сеть интриг. Не знаю, почему это так. Не хочу ни власти, ни богатства. Я никогда не пыталась отбить у кого-нибудь мужа или любовника. Поначалу мужчины любезны со мной, но потом, когда они видят, что я держу их на расстоянии, становятся моими злейшими врагами. Женщины же готовы утопить меня в ложке воды. Так было в России, так было в Америке, так будет и здесь — если только уже нет заговора против меня.

— Если кто посмеет сказать слово против моей Бетти, я тому выцарапаю глаза! — опять заорал Сэм Дрейман. — Они должны ноги ей целовать!

— Не надо вовсе, чтобы кто-то целовал мне ноги. Хочу только, чтобы меня оставили в покое и чтобы я могла играть в пьесе, какая мне по душе.

— Ты будешь играть, Бетти, дорогая, и весь мир узнает, какая ты великая актриса. Так было всегда: все великие актеры вышли из низов. Ты думаешь, Сара Бернар шла по пути, усыпанному розами? А другие? Вот эта, из Италии, как там ее звали? А Айседора Дункан? Думаете, ей не мешали? Даже у Анны Павловой были неприятности. Когда люди чувствуют талант, они звереют. Я читал что-то в газетах — не помню, как звали писателя, — про Рашель и как антисемиты пытались вышвырнуть ее из...

— Сэм, я хочу поговорить с молодым человеком о пьесе.

— Пожалуйста, дорогая. Мне уже заранее нравится эта пьеса. Я чувствую, что она просто для тебя. Держу пари, что внутри у тебя тоже сидит кто-то, какой-нибудь диббук*, дорогая моя. — Он повернулся ко мне. — Каждый раз, когда она начинает кричать на меня, она действует как одержимая.

— Ты прекратишь или нет? Хватит уже.

— Сейчас, сейчас. Я только еще об одном хочу сказать молодому человеку. Я вам дам пятьсот долларов, чтобы вы могли спокойно работать и не думать, где и когда придется поесть в следующий раз. Напишите пьесу, в которой все это случается. Пусть она влюбится в доктора или в хасида, пусть даже в гицеля**, если хотите. Главное, чтобы публике было интересно, что произойдет в следующую минуту. Я не писатель, но мне кажется, пусть она ждет ребенка...

— Сэм, если не перестанешь, я ухожу.

— Ладно, ладно. Больше не пророню ни звука до самого дома.

— Только я хочу сказать что-нибудь, он вмешивается, — пожаловалась Бетти, — и я уже едва понимаю, на каком я свете. Действие, конечно, должно быть. Но ведь это вы писатель, а не я.

---

* Диббук — в еврейском фольклоре: странствующая душа, которая вселяется в тело и управляет всеми его поступками до тех пор, пока ее не изгонят с помощью специального религиозного обряда.

** Гицель — живодер (ловит собак и отправляет их на живодерню).

— Да, но я не драматург. Я начал писать эту пьесу для себя. Мне хотелось показать трагедию интеллектуальной женщины в еврейской среде, которая...

— Я не считаю себя интеллектуалкой, но это и моя трагедия. Как вы думаете, почему они ополчились против меня? Потому что мне противны их интриги, их сплетни, их глупость. С самого детства я была чужой среди женщин. Родные сестры не понимали меня. Мать относилась ко мне как курица, которая высидела утенка и ненавидит его за то, что он рвется к воде. Мой отец был ученый, хасид, ученик рабби Гусятинера — и большевики расстреляли его. Почему? Он был богат когда-то, а война его разорила. Люди выдумывали разные небылицы и возводили на него ложные обвинения. Вся моя семья живет в России, но я не смогла оставаться среди убийц моего отца. Зло царит везде, и злодеи правят миром.

— Беттеле, не говори так. Если бы мне давали по миллиону за каждого хорошего человека, Рокфеллеру пришлось бы работать у меня истопником.

— Вы первая женщина-пессимистка, которую я встречаю, — заметил Файтельзон. — Пессимизм обычно мужская черта. Я могу представить себе женщину с мужскими чертами характера или мужским дарованием, так сказать Моцарта, даже Эдисона в юбке, но Шопенгауэр в образе женщины — это выше моего понимания. Слепой оптимизм — вот сущность каждой женщины. Не ожидал я, что услышу от женщины такие слова.

— Стало быть, я не женщина?

— Это уж позволь решать мне, — заорал Сэм. — Ты на сто процентов женщина, нет, не на сто, на тысячу! Я много перевидал женщин в своей жизни, но эта...

— Сэм!!!

— Ладно, ладно. Я уже молчу. Начните ваш завтрашний день с пьесы, молодой человек, и не думайте о деньгах. Бетти, душечка, не кури так много. Сегодня это уже третья пачка.

— Сэм, не лезь не в свое дело.

5

Было слегка за полночь, когда мы с Файтельзоном откланялись и ушли. При прощании Бетти несколько раз сжала мою руку. Она наклонилась ко мне, и я уловил запах алкоголя и табака. Ела Бетти мало, но за вечер выпила несколько рюмок коньяку. Она и Сэм остановились в отеле «Бристоль». Они взяли такси. Файтельзон жил на Длуге, но он проводил меня до Новолипок, к Доре. Морис был в курсе моих дел. Он редко ложился спать раньше двух пополуночи.

Морис взял меня за руку и сказал:

— Мой мальчик, Бетти поверила в вас. О-го-го! Если в вашей пьесе есть хоть что-то, вы станете человеком. Сэм Дрейман при деньгах, и он без ума от Бетти. Возьмите вашу писанину и напихайте туда столько любви и секса, сколько сможете.

— Я не хочу превращать ее в кучу дерьма.

— Не будьте ослом. Театр — дерьмо по определению. Это не то же самое, что содержательное литературное произведение. Литература должна состоять из слов, как музыка из звуков. Если же вы произносите слова со сцены или даже декламируете, это уже подержанный товар.

— Публика не придет.

— Придет, придет. Парень вроде Сэма не остановится ни перед чем, чтобы купить критику. Если есть что жарить, нечего экономить на смальце. Сегодня евреям нравятся три вещи — секс, Тора и революция, и чтобы обязательно все сразу. Дайте им все это, и они вознесут вас до небес. Кстати, у вас найдется злотый?

— Даже два.

— Прекрасно. Вы уже ведете себя как миллионер.

— У нее, кажется, мания преследования.

— Вероятно, к тому же и актриса паршивая. Но у меня странная фантазия. Мы говорили сегодня о диббуке. У меня тоже есть диббук. Он приказывает мне основать институт чистого гедонизма.

— А разве сама жизнь — не такой институт?

— И да, и нет. Конечно, все люди гедонисты. От колыбели и до могилы человек думает только об удовольствии. Чего хочет правоверный еврей? Удовольствия на том свете. Чего хочет аскет? Духовного удовлетворения или чего-то в этом роде. Я пойду даже дальше. Для меня удовольствие — это не только жизнь, но и вся Вселенная. Спиноза утверждает, что у Бога есть два атрибута: мысль и бытие. Я же говорю, что Бог — это удовольствие. Если удовольствие — атрибут, то оно должно состоять из бесконечного числа моделей. Видимо, существуют мириады еще не известных моделей. Если же у Бога есть атрибут зла, то горе нам. Быть может, Он не так уж всемогущ и нуждается в нашем содействии. Мой дибук открыл мне, что все мы — частицы Всевышнего, и так как люди — величайшие эгоисты среди всех Божьих созданий (Спиноза утверждает, что любовь человека к себе — то же самое, что любовь Бога к человеку), то следовать своим желаниям — наш долг. И если Он ошибается в этом, то Он ошибается и во всем остальном.

— А не говорит ли ваш диббук, что человек уже оказался банкротом? И не доказательство ли тому — мировая война?

— Это можно было бы доказать мне, но не моему диббуку. Он же говорит мне, что Бог страдает чем-то вроде потери способности предвидения и Он потерял теперь цель Своего Творения. Мой диббук подозревает, что Всевышний старался сделать слишком много за такое короткое время, как вечность. И вот Он утратил оба критерия: и контроль, и способность помочь, когда это нужно.

— Вы, конечно, шутите?

— Конечно же шучу. Но даже когда я несу этот бред, я серьезен. Я смотрю на Всевышнего как на больного Бога, так ошарашенного этими Его галактиками и множеством законов, которые Он же и установил, что Он не знает уже, чего хотел, когда все это затеял. Иногда я смотрю на свои собственные каракули и вижу, что я начинал одно, а получилось совсем другое, противоположное тому, что я собирался сделать. Так как считается, что мы — Его образ и подобие, почему такое не могло произойти и с Ним?

— Так вы собираетесь освежить Его память? Это тема вашей следующей статьи?

— Могла бы быть, но эти идиоты издатели ничего у меня не берут. Недавно они вернули мне все. Они даже не дают себе труда прочесть. Кстати, это вашу память следует освежить. Вы обещали мне два злотых.

— Вы правы. Вот они. Виноват.

— Благодарю. Пожалуйста, не смейтесь надо мной. Во-первых, этот сумасшедший Сэм напоил меня. А во-вторых, после полуночи я выбрасываю из головы все, что там было. Я не отвечаю за то, что я наплел или даже подумал. С тех пор как у меня бессонница, я могу бредить с открытыми глазами. Быть может, Он, как и я, страдает бессонницей. В самом деле, Тора учит нас, что Он или не дремлет, или спит, но видит детей Израиля. Вот это страж! Доброй ночи.

— Доброй ночи. И спасибо вам за все.

— Попытайтесь написать эту паршивую пьесу. Я разочаровался во всем и теперь поклоняюсь только Маммоне. Если мы когда-нибудь вернемся к язычеству, моим храмом будет банк. Мы пришли.

Дойдя до Новолипок, Файтельзон отпустил мою руку и ушел. Я позвонил. Дворник отпер ворота. Всюду было темно, лишь в окне четвертого этажа горел свет. Провести ночь с Дорой было для меня одновременно и опасно, и унизительно — мы уже разошлись. Она собиралась тайно перебраться через русскую границу, чтобы поступить на курсы пропагандистов. Каждого коммуниста, который переходил границу из Польши, арестовывали (хотя Дора страстно отрицала это). Их обвиняли в шпионаже, саботаже, троцкизме. Сколько раз я говорил ей, что такое путешествие равносильно самоубийству, но в ответ слышал: «Фашисты, социал-фашисты и всякого рода прислужники капитала должны быть ликвидированы, и чем скорее, тем лучше».

— Разве Герцке Гольдшлаг был фашистом? А Берл Гутман? А твоя подруга Ирка? — спрашивал я.

— Невинных не арестовывают в Советском Союзе. Такое происходит только в Варшаве, Риме, Нью-Йорке.

Ни факты, ни доводы не убеждали ее. Она гипнотизировала других и сама была в плену своих иллюзий. Я видел в своем воображении, как она пересекает границу в Несвиже, падает на траву, чтобы поцеловать землю страны социализма, и тут же ее тащат в тюрьму красногвардейцы. Ей придется сидеть там среди множества таких же голодных, умирающих от жажды, рядом с парашей. Она будет спрашивать: «Разве это возможно? И в чем меня обвиняют? Меня, отдавшую лучшие годы борьбе за социалистические идеалы».

Я медленно поднимался. Уже давал я торжественную клятву не возвращаться сюда. Однако Дора была нужна мне. Конечно, нам предстоит расстаться навсегда. Но быть может, она сама запуталась и сомневается. Ведь даже у ортодоксов бывают еретические мысли. На минуту я остановился на темной лестнице и снизошел до краткого самоанализа: что, если меня арестуют с нею вместе этой ночью? Какие оправдания представлю я? Почему я тащусь, как говорят, со здоровой головой да в постель больного? И должен ли я переделывать пьесу в угоду капризам Бетти? Чего же в самом деле хочет Файтельзон? Очень странно, но последнее время снова и снова слышал я, что в клубе кто-то устраивает оргии. В клубе был стол, прозванный молодыми писателями «столом импотентов». Здесь каждый вечер, после окончания спектаклей и кинофильмов, собирались старые писатели-классики, газетчики, журналисты и их жены — собирались, чтобы поговорить о политике, обсудить еврейский вопрос, эротические темы, входившие тогда в моду благодаря Фрейду, и сексуальную революцию в России, Германии да и вообще в Европе. Фриц Бандер, известный актер, приехал в Польшу из Германии. Нацисты и консервативные немецкие газеты ополчились на Бандера: за то, что он портит немецкий язык («мойшелинг» — так это у них называлось), за то, что он плохо отозвался о Людендорфе, а также за то, что обольстил немецкую девушку из аристократической семьи и довел ее до самоубийства. Бандер, галицийский еврей, был так разозлен всем этим, да заодно и плохими отзывами о нем в прессе, что уехал из Берлина в Варшаву. Его одолевало раскаяние, и он хотел снова вернуться в еврейский театр. Он привез с собой Гретель, христианку, жену немецкого кинопродюсера. Муж вызвал Бандера на дуэль и грозился застрелить его из ружья. Теперь Бандер тоже сидел за этим столом и каждый вечер рассказывал анекдоты на своем галицийском жаргоне. Берлину были широко известны его любовные похождения. В «Романском кафе» на Гренадирштрассе рассказывали о его приключениях необыкновенные истории. А в Варшавском Писательском клубе бытовала даже шутка, будто бы бандеровская похвальба пробудила у старого больного писателя Рошбаума надежду стать вторым Казановой.

Прежде чем постучать в дверь, я остановился и прислушался. Может быть, там происходит заседание окружного комитета партии? Или полиция проводит обыск? Все возможно в этой квартире. Однако было тихо. Я стукнул три раза — наш с Дорой условный стук — и немного подождал. Вскоре послышались ее шаги. Я никогда не спрашивал, почему у нее нет телефона, но догадывался — чтобы полиция не могла перехватывать телефонные разговоры. У Доры были широкие бедра и высокая грудь, но сама она была маленького роста, курносенькая. Привлекали в ней только большие, трепетные, мерцающие глаза. В них смешивалось лукавство с сознанием значительности собственной миссии: спасти человечество. Дора стояла в дверях — в ночной сорочке, с папиросой в зубах.

— Я думала, ты уехал из Варшавы, — сказала она.

— Куда же? И не простившись?

— Чего же мне было ждать после всего?

6

Хотя коммунистам запрещалось выдавать партийные тайны классово чуждым элементам, Дора сказала мне, что все уже готово для ее отъезда. Теперь это дело нескольких дней. Часть мебели она уже продала соседям. Партийное руководство должно было принять у нее квартиру. Тут же валялась связка моих рукописей, и Дора напомнила, чтобы утром я не забыл их забрать. Хотя я плотно поужинал, Дора настояла, чтобы я поужинал и с ней: выпил чаю, съел булочку с маринованной селедкой.

— Ты сам поставил себя в такое положение, — сказала она прокурорским тоном. — Если бы мы жили вместе, я бы никуда не уехала. Партия не заставляет разлучаться мужа и жену, особенно если у них есть ребенок. А у нас могло бы быть уже двое.

— А кто бы их содержал? Товарищ Сталин? Я остался без работы. Задолжал за квартиру. За два месяца.

— Нашим детям не пришлось бы голодать. Конечно, глупо теперь говорить об этом, да и слишком поздно. У тебя будут дети от другой женщины.

— Я вообще не хочу никаких детей, — сказал я.

— Типичная вырожденческая психология капиталистических марионеток. Это крах Запада, конец цивилизации. Ничего не остается, как оплакивать катастрофу. Но ничего, Муссолини и Гитлер наведут порядок. Праматерь Рахиль встанет из могилы и поведет своих детей назад, в Сион. Махатма Ганди и его овечки восторжествуют над английским империализмом...

— Дора, хватит!

— Идем в постель. Может, мы сегодня вместе в последний раз.

Пружины в кровати были продавлены, и мы не смогли бы лежать врозь, даже если бы этого хотели. Мы лежали, прижавшись друг к другу, и слушали, как возникает и растет в нас желание. Дора была маленькая, гладкая, теплая. Каждый раз, когда мы были с ней, меня поражали ее огромные груди — как она, такая маленькая, могла носить эту тяжесть? Дора прижала свои круглые коленки к моим. Стала жаловаться, что я обидел ее. Наши души (или как это там называется) не ладили между собой, но тела наши были по-прежнему в ладу. Я уже умел обуздывать свое желание. Нам было хорошо и до начала, и все время, что мы были вместе, а иногда даже потом.

Дора положила руку мне на бедро:

— Ты уже подыскал мне замену?

— Разумеется. А ты?

— Там будет так много дел, что не останется времени думать обо всем таком. Это трудный курс. Не так-то легко приспосабливаться к новым условиям. Для меня любовь — не игра. Прежде я должна уважать человека, верить ему, доверять его мыслям и чувствам.

— Давай-давай. Русский Иван со всеми этими достоинствами уже ждет тебя там.

— Посмотрите-ка на него! Кто бы говорил! Сам всегда был готов бросить меня ради первой попавшейся Енты.

Мы целовались и ссорились. Я перечислял всех ее прежних любовников, а она называла всех подряд женщин, с которыми я предположительно мог бы ей изменить.

— Ты даже не знаешь, что это такое — верность! — сказала она. Потом поцеловала меня и ущипнула.

Уснули мы удовлетворенные, и утром я снова желал ее.

Дора промурлыкала нараспев:

— Я никогда, никогда не забуду тебя. Мои последние мысли на смертном одре будут о тебе, негодник ты этакой!

— Дора, я боюсь за тебя.

— О чем это ты, паршивый эгоист?

— Твой товарищ Сталин — сумасшедший.

— Ты недостоин даже произносить это имя. Убери руки! Лучше умереть в свободной стране, чем жить среди фашистских псов.

— Ты напишешь мне?

— Ты не заслужил, но первое мое письмо будет тебе.

Снова я задремал и во сне оказался в Москве и Варшаве одновременно. Пришел на площадь, где были одни только могилы. Постучал в какую-то дверь. На стук отозвался дюжий русский мужик. Он был в чем мать родила и к тому же не обрезан. Я спросил, где Дора. «В Сибири», — ответил он. В доме собралась буйная компания. Мужчины наигрывали на гармошках, балалайках, гитарах. Отплясывали голые бабы. На улицу вышла рыжая собака. Я узнал ее — это была Елка, собака солтиса* из Миндзешина. Но Елка давно умерла. Что же она делала здесь, в Москве? «Такие пустые сны ничего не значат», — сказал я сам себе во сне.

Я открыл глаза, за окном было пасмурно, едва брезжил рассвет, и казалось: утро никогда не наступит. Дора гремела в кухне кастрюлями. Из крана лилась вода. Она тихонько напевала песенку про Чарли Чаплина. Я лежал не шевелясь, размышляя о мире, его противоречиях и нелепостях. Дора появилась в дверях:

— Завтрак готов.

— Как на улице?

---

* Солтис — сельский староста в польской деревне.

— Идет снег.

Я умывался на кухне. Вода была ледяная.

— Тут валялись твои кальсоны. Я их постирала.

— Хорошо. Спасибо.

— Надень их. И не забудь забрать свою фашистскую писанину.

Она швырнула мне кальсоны и выбросила из-под кровати пачку рукописей, перевязанную бечевкой.

Пока мы завтракали, Дора не переставала поучать меня:

— Никогда не поздно понять, где правда. Наплюй на всю эту муть и идем со мной. Кончай писать про этих твоих раввинов и диббуков. Пойми, что такое реальный мир. Здесь все прогнило насквозь. Там жизнь только начинается.

— Везде все прогнило.

— Вот как ты смотришь на мир? Может, мы последний раз сидим вместе за столом. Кстати, у тебя не найдется три злотых?

Я отсчитал три злотых и протянул ей. У меня самого оставалось теперь три злотых и немного мелочи. В журнале и в издательстве мне задолжали немного, но стало невозможно вытянуть из них хоть что-нибудь. Единственной моей надеждой был аванс, который обещал Сэм Дрейман. Я попрощался с Дорой и пообещал прийти сегодня вечером. Взял связку рукописей и вышел. Падал сухой, колючий снег. На мусорном ящике сидела кошка. Она уставилась на меня зелеными, как крыжовник, глазами и мяукнула. Может, она голодная? Прости меня, киска, нет у меня ничего.

Проси у того злодея, что сотворил тебя. Я вышел за ворота. Рядом помещался лазарет, и в этом здании больные оплачивали счета за визит к доктору. Какие-то старухи, кутаясь в шали, вошли внутрь. Казалось, от них пахнет зубной болью и йодом. Все они говорили одновременно, каждая о своих болезнях. Низко висели облака. Дул ледяной ветер. Я отправился к себе. В комнате моей помещались только кровать и единственный стул — так она была велика, а холод стоял почти как снаружи. В связке рукописей, что валялись у Доры, я вдруг обнаружил начало второго акта моей пьесы. Что это? Воля Провидения? Каким-то образом причинность и случайность крепко связаны между собой. Я начал читать. Людомирская девица возмущалась тем, что Бог все милости предпочел предоставить мужчинам, а женщинам оставил самую малость: обряды, связанные с рождением ребенка, ритуальным омовением и возжиганием свечей на субботу. Она называла Моисея женоненавистником и утверждала, что все зло в мире происходит оттого, что Бог — мужчина. Напихать сюда еще любви и секса? Кого она должна любить? Доктора? Казака? Девицу можно бы сделать лесбиянкой, но варшавские евреи еще не созрели для таких тем. Она могла бы влюбиться в диббука, который сидит в ней. Ведь он мужчина. Сделаю-ка его музыкантом, атеистом, циником, распутником. Девушка будет говорить его голосом. Она может представлять себе его внешность до мельчайших подробностей. Может даже обручиться с ним. Он станет обижать ее, разочарует, и она разведется с ним.

Я почувствовал, что должен все это немедленно обсудить с Бетти. Я знал, что она живет в «Бристоле». Но нельзя же ввалиться к женщине в гостиницу без предупреждения. А у меня не хватало храбрости позвонить ей. Надо пойти в клуб. Может, Файтельзон уже там. Тогда я смогу с ним все обсудить. Хотя я ужасно устал, искорка интереса к Бетти все же тлела во мне. Я принялся фантазировать, как мы станем знамениты вместе: она как актриса, а я как драматург. Но Файтельзона в клубе не было. Два безработных журналиста играли в шахматы. Я остановился поглазеть. Выигрывал Пиня Махтей, маленький человечек с одной ногой. Он раскачивался, теребил усы и пел русскую песню:

Была бы водка
Да хвост селедки,
А остальное —
Трын-трава.

Он сказал:

— Можешь посмотреть, только не лезь с советами.

Пиня выигрывал. Он пошел конем так, что вынудил своего противника, Зораха Лейбкеса, разменять королеву на ладью. Иначе Лейбкес получал мат в два хода. Лейбкес заменял корректоров в еврейской прессе, когда они были в отпуске. Маленький, кругленький, он тоже склонился над доской и сказал:

— Махтей, твоя ладья просто дура. Она опасна мне не больше, чем прошлогодний снег. А ты халтурщик и останешься им до десятого колена.

— Куда же пойдет королева? — спросил Махтей.

— Пойдет. Пойдет она. Пусть твою дурацкую башку это не волнует. Уж если пойдет, все твои дурацкие фигуры разнесет вдребезги.

Я прошел в следующую комнату. Там сидели трое. За маленьким столиком — Шлоймеле, народный поэт. Он подписывал свои поэмы только именем. Стихи писал набело в бухгалтерской книге, вроде тех, что используют в бакалейных лавках. Писал мелкими буковками, которые только сам и мог разобрать. А когда писал, напевал себе под нос что-то заунывное. За другим столом сидел Даниэль Липчин по прозвищу Мессия. Он участвовал в первой русской революции 1905 года, был сослан в Сибирь. Там он стал религиозным и начал писать мистические рассказы. Наум Зеликович — тощий, длинный, черный как цыган — расхаживал по комнате. Он принадлежал к тому меньшинству Писательского клуба, которое полагало, что Гитлера скинут и войны не будет. Зеликович опубликовал десятка два рассказов, и все об одном — о своей любви к Фане Эфрос, которая обманула его и вышла замуж за профсоюзного лидера. Фаня Эфрос уже лет десять как умерла, а Зеликович все переживал ее неверность. Он постоянно воевал с варшавскими критиками, а они его дружно ругали. Одному из них он дал пощечину. На мое приветствие Зеликович не ответил: он недолюбливал молодых писателей, считал их выскочками, непрошеными захватчиками.

Я повернулся и вышел. Может, у девушки должно быть два диббука? Один — просто озорник, а другой пусть будет распутником? Я уже написал рассказ о девушке, у которой было их два — сутенер и слепой музыкант. Вдруг я решился. Из телефонной будки позвонил в справочное, узнал номер «Бристоля», позвонил туда и попросил соединить с мисс Бетти Слоним. Через минуту раздался ее голос: «Хэлло!»

Я тут же потерял дар речи. Потом сказал:

— Это тот молодой человек, который имел честь обедать с вами вчера в ресторане Гертнера.

— Цуцик?!

— Да.

— А я тут сижу и думаю про вас. Что нового насчет пьесы?

— У меня есть одна идея, и мне хотелось бы обсудить ее с вами и Сэмом Дрейманом.

— Сэм ушел в американское консульство. Но вы приходите, и мы с вами обо всем поговорим.

— А я вам не помешаю?

— Приходите же! — И она назвала номер.

Я был в восторге от собственной храбрости. Какие-то высшие силы распоряжались мною. Захотелось взять извозчика, но я побоялся, что моих трех злотых не хватит. Вдруг я вспомнил, что не побрился сегодня, и провел пальцем по щетине. Надо бы зайти в парикмахерскую. Нельзя же заявиться к американской леди небритым.

7

Швейцар в ливрее стоял у дверей. Казалось, входишь в полицейский участок или здание суда. Никто меня не остановил. В отеле был лифт, но я поднялся на пятый этаж по лестнице — мраморной лестнице, покрытой посередине ковровой дорожкой. Постучал. Бетти сразу открыла. Такой большой комнаты, как эта, и с таким огромным окном я до сих пор не видывал. Снегопад прекратился. Выглянуло солнце. Казалось, и погода здесь другая.

На Бетти был длинный домашний халат и шлепанцы с помпонами. Из-за своих рыжих волос и всех тех прозвищ, которыми меня изводили в детстве: Рыжий Пес, Рыжий Жулик, Морковка — я испытывал ко всем рыжеволосым антипатию. Но рыжие волосы Бетти почему-то не отталкивали меня. При солнечном свете голова выглядела огненно-золотой. Только теперь я заметил, какая белая у нее кожа. Совсем как у меня. Но брови и ресницы темные. Зазвонил телефон, и Бетти заговорила по-английски. Как благородно и величаво звучит этот язык! Бетти была ниже меня ростом, но до чего же легко и свободно она двигалась! Повесив трубку, предложила мне снять пальто и устраиваться поудобнее. Даже идиш у нее звучал по-другому — более возвышенно и утонченно. Бетти взяла мое пальто и повесила его на плечики. Это снова поразило меня — такое почтение к старой тряпке, да еще без пуговиц. С Дорой я чувствовал себя мужчиной, а тут снова превратился в мальчишку. Усадив меня на диван, сама Бетти села на маленький стульчик лицом ко мне. Полы халата слегка разошлись, и было видно, как хороши ее ножки. Она предложила мне папиросу. Я не курил, но отказаться не хватило духу. Бетти поднесла зажигалку. Я затянулся и сразу закашлялся от дыма.

— Расскажите же о пьесе, — попросила Бетти.

Я начал рассказывать. Она слушала. Сначала смотрела на меня с опаской, потом с интересом.

— Это означает, что у меня будут любовные дела со мною же?

— Да. Но в каком-то смысле у всех так.

— Верно. Я могу легко играть и мужчину, и женщину. Вы принесли хоть что-то?

— У меня все пока лишь в набросках.

— А не сможете ли припомнить несколько строчек? Я дам вам бумагу и перо, и вы напишете несколько строк — для музыканта и для проститутки! Подождите! — Она встала, взяла со столика сумочку и достала оттуда маленькую самописку и блокнот.

Я записывал почти машинально:

М у з ы к а н т. Иди же, девушка, будь моей. Ты труп, и я труп, а когда танцуют два трупа, клопы пускаются в пляс. Я подарю тебе сумочку, а в сумочке — горсть праха из Святой земли и черепки, что лежат на моих глазах. С миртовой ветвью в руке я вырою канаву от Тишвица до Масличной горы. По дороге мы будем делать то же, что Зимри, сын Солу, и Козби, дочь Цура.

П р о с т и т у т к а. Придержи язык, ты, грязный щенок! Я оставлю мир невинной девушкой, а ты валяешься с каждой шлюхой от Люблина до Лейпцига. Сонмы ангелов ожидают меня, а тебя мириады демонов потащат в преисподнюю.

Я отдал Бетти блокнот и ручку, и она начала не спеша читать. Тонкие брови поднимались и снова опускались. Губы насмешливо изогнулись. Дочитав до конца, она спросила:

— Это из вашей пьесы?

— Не совсем.

— Вы сочинили это прямо здесь, сейчас?

— Более или менее.

— Вы очень странный молодой человек. У вас необычайная фантазия.

— Это все, что у меня есть.

— А вам нужно еще что-нибудь? Подождите-ка, я попробую это сейчас сыграть.

Она начала что-то бормотать, глядя в записную книжку, прерываясь почти на каждом слове. Вдруг начала говорить на два голоса. Меня затрясло. Я еле сдерживался, чтобы не стучать зубами. Силы, которые правят миром, даровали мне встречу с великой актрисой. Это просто немыслимо, что такой талант пропадает, растрачивает ночь за ночью в постели с Сэмом. Моя сигарета погасла. Бетти ходила взад и вперед по комнате, повторяя диалог снова и снова. Меня осенило: она лучше в роли музыканта, чем в роли девушки. Голос девушки звучал наполовину как мужской. Каждый раз, заканчивая фразу, Бетти смотрела на меня, и я кивал одобрительно.

Наконец она подошла ко мне:

— Это все хорошо для декламации, но в пьесе должен быть сюжет. Какой-нибудь хасид, богач, должен влюбиться в нее.

— Я попробую.

— У него, должно быть, есть жена, дети?

— Конечно.

— Пусть он разведется с женой и женится на девушке.

— Разумеется.

— Но она не будет в состоянии выбрать между мертвым музыкантом и живым хасидом.

— Правильно.

— И что тогда? — спросила Бетти.

— Она выйдет замуж за хасида.

— Ага.

— Но в ночь свадьбы музыкант не даст ей быть со своим мужем.

— Да.

— И она убежит с музыкантом.

— Куда же?

— Чтобы быть с ним в могиле.

— Сколько вам понадобится времени, чтобы написать пьесу? Мистер Дрейман готов снять театр. Вы можете стать знаменитым драматургом. За один вечер!

— Если это предопределено, то так и будет.

— Вы верите в судьбу?

— Конечно.

— Я тоже. Я не религиозна: вы же видите, как я живу, но я верю в Бога. Перед сном я читаю молитву. На корабле я каждый вечер молила у Бога, чтобы Он послал мне хорошую пьесу. Все так неожиданно. Вдруг появляется молодой человек, Цуцик, с пьесой, которая способна выразить мою душу. Ну разве это не чудо? Вы не верите в себя?

— Как можно верить во что бы то ни было?

— Вы должны поверить. Это и моя трагедия — у меня такой веры нет. Только начинает происходить что-то хорошее, я уже предвижу трудности, несчастный случай, и так все оно и происходит. Так было с моей любовью. С моей карьерой. А режиссер есть у вас на примете?

— Нет смысла искать режиссера, пока пьеса не кончена.

— На этот раз я не позволю сомневаться. Пьеса должна у вас пойти хорошо. Основную линию мы сейчас наметили. Сэм Дрейман даст вам аванс — пятьсот долларов, а здесь, в Польше, это большие деньги. Вы женаты?

— Нет.

— Вы живете один?

— У меня была девушка, но мы поссорились.

— Можно мне спросить почему?

— Она коммунистка и собирается ехать в сталинскую Россию.

— Почему вы не женитесь?

— Я не верю, что два человека могут любить друг друга вечно.

— У вас хорошая комната?

— Я должен съехать оттуда. Меня выгоняют.

— Снимите хорошую комнату. Отложите другую работу и сосредоточьтесь на нашей пьесе. Как она будет называться?

— Девушка из Людомира и два ее диббука.

— Слишком длинно. Предоставьте это мне. Сколько вам понадобится времени, чтобы написать пьесу?

— Если все пойдет хорошо, недели три. По одному акту в неделю.

— Как вы себе представляете эти три акта?

— В первом акте девушка и богатый хасид полюбят друг друга. Во втором акте должен неожиданно появиться мертвый музыкант — создается конфликт.

— По-моему, музыканту лучше бы появиться в первом акте.

— Вы совершенно правы.

— Не соглашайтесь со мной так уж сразу. Автору не следует быть таким уступчивым.

— Но ведь я не драматург.

— Раз вы пишете пьесу, вы и есть драматург. Если вы сами не принимаете себя всерьез, то никто этого не будет делать. Простите, что я говорю в таком тоне. Ведь все, что я вам говорю, я могла бы сказать и себе. Сэм Дрейман верит в меня, даже слишком. Быть может, только он один и верит в меня и мой талант. И вот почему...

— Я тоже верю в вас!

— И вы тоже? О! Благодарю. Чем же я заслужила? Видимо, кто-то там не хочет, чтобы со мной было уже покончено. Наверно, Провидение привело вас ко мне.

ГЛАВА ТРЕТЬЯ

1

Сэм Дрейман, как и обещал, предложил мне аванс в пятьсот долларов, но я отказался взять сразу такую большую сумму. Мы договорились, что я возьму пока двести долларов. По валютному курсу их обменяли на тысячу восемьсот злотых. Мне начинало везти. Нашлась хорошая комната на Лешно, и стоило это восемьдесят злотых в месяц. Заплатив за три месяца вперед, я стал обладателем большой комнаты, оклеенной светлыми обоями, с центральным отоплением, добротной мебелью и ковром. Владелец квартиры Исидор Каценберг прежде был фабрикантом, но разорился из-за непомерных налогов. Дом этот, относительно новый и современный, находился недалеко от Желязной. Первый этаж занимала гимназия. Прямо против входа располагался лифт, и мне вручили ключ от него.

Все произошло необычайно быстро: только вчера Сэм Дрейман дал мне денег, и вот сегодня я уже переезжаю. Имущество мое поместилось в двух чемоданах, я упаковал их и сам отнес на новую квартиру. Горничная хозяев, Текла, молодая крестьяночка, уже натерла пол до зеркального блеска. В комнате стояли кровать, диван, мягкие стулья, а в конце длинного широкого коридора — телефон, и я мог им пользоваться за плату: восемь грошей за каждый разговор.

Боже милостивый! И в какой же роскоши я оказался! Я заказал костюм у портного. Одолжил Файтельзону пятьдесят злотых. Он пытался было возражать, но я насильно всучил ему деньги и пригласил пообедать в кафе на Белянской. Рассказал ему о пьесе, и он дал несколько полезных советов. Файтельзон и сам собирался зарабатывать — Сэм Дрейман просил его сделать паблисити. Мне не приходилось раньше слышать это слово, и Файтельзон объяснил, что оно значит.

Морис не спеша пил чай и рассуждал:

— Ну какое там паблисити я могу сделать? Не буду же я хвалить пьесу, если она мне не понравится. Наверно, Сэм Дрейман — мультимиллионер. У него противная, злющая жена и взрослые дети, для которых он — чужой. Они богаты и сами зарабатывают. Что ему делать со своим богатством? Он хочет тратить как можно больше. Эта Бетти — она, должно быть, вернула ему потенцию. В Америке я не был с ними знаком, только слыхал про них. Кажется, даже видел его как-то раз в «Кафе-Ройял». По профессии он плотник. Приехал в Америку после 1880 года, стал строительным подрядчиком в Детройте. А когда Форд построил автомобильный завод и начал платить рабочим по пять долларов в день, толпы стали стекаться в Детройт со всей Америки; Сэм Дрейман строил жилые дома, а в Америке, если ты удачно начал, деньги уже сами идут к тебе, и этому нет конца. В 1929 году он потерял состояние, но и осталось у него порядочно. Следовало бы все-таки взять у него эти пятьсот долларов. Он теперь будет думать, что вы просто шлемиль*.

— Я не могу брать деньги за то, чего нет.

— Ну почему же нет? Напишете хорошую пьесу. Американец воображает, что если хорошо заплачено, то вещь стоит того. Дайте ему кусок дерьма, но сдерите с него за это побольше, и он вообразит, что это золото!

Я собрался было пойти домой и засесть за работу, но Файтельзон пустился в рассуждения о «путешествиях души».

— Психоанализ бессилен, — сказал он. — Пациент приходит к психоаналитику, чтобы его вылечили, другими словами, чтобы стать как все. Он хочет избавиться от своих комплексов, и психоаналитик должен помочь ему в этом. Но кто сказал, что быть здоровым лучше? Те, кто вместе с нами участвует в путешествиях души, не знают границ. Мы собираемся вечером в комнате, гасим свет и даем волю нашим душам. Человеку надо дать возможность быть самим собой, чтобы он смог понять, чего же он в действительности хочет. Настоящий тиран вовсе не тот, кто

---

* Шлемиль — герой повести Шамиссо «Приключения Петера Шлемиля» (повесть о человеке, утратившем свою тень; этот сюжет заимствовал Андерсен, а затем — Евгений Шварц). Вот что пишет Шамиссо брату, переводчику повести на французский язык: «Шлемиль, или, вернее, Шлемиель — еврейское имя; оно значит то же, что Теофиль, Готлиб или Амадео. В обиходной речи евреев это имя служит для обозначения неловких или неудачливых людей, которым в жизни не везет. Такой Шлемиль ломает палец, сунув его в жилетный карман, он падает навзничь и ухитряется сломать себе переносицу. Он всегда является некстати и т. д.». В общем, Шлемиль — человек, который должен дорого платить за то, что другому сошло бы безнаказанно.

доставляет другим физические мучения, а тот, кто порабощает душу. Эти так называемые гуманисты — воистину поработители душ. Моисей и Иисус, автор Бхагавадгиты и Спиноза, Карл Маркс и Фрейд. Дух есть игра, не подчиняющаяся ни правилам, ни законам. Если прав Шопенгауэр, если слепая сила — действительно вещь в себе, все сущее, то почему же не позволить тому, кто хочет, хотеть.

— Так что же, цель всего — это желать?

— А где это написано, что цель должна быть? Быть может, хаос — это и есть цель. Вы немного интересовались каббалой и наверняка знаете, что до того, как Эйн Соф* создал Вселенную, он погасил свет и образовал пустоту. Вот в этой пустоте и начиналось Сотворение.

Файтельзон проговорил до самого вечера. Когда мы выходили из кафе, было совсем темно. На Белянской горели фонари. Тихо падал снежок. Как всегда после подобного разговора, Файтельзон был совершенно разбит. Он молчал и, казалось, стыдился своей болтливости. Молча пожал мне руку и пошел домой. Я медленно шел по улице. Это так необыкновенно, что у меня есть хорошая комната, даже горничная стелет мне постель, подает завтрак. И в кармане у меня бумажник, набитый деньгами. То, о чем говорил Файтельзон, взбудоражило меня. Так чего же я на самом деле хочу? Меня влекло к Бетти Слоним. Поцелуй Селии и ее признание сулили но-

---

* Эйн Соф (*древнеевр., букв.* «бесконечность») — одно из эвфемических обозначений Бога и изначальной сущности в каббалистической литературе.

вые приключения. И в то же время я не хотел, чтобы Дора уезжала. Но любил ли я этих женщин? И чего еще я хочу? Хотелось написать хорошую книгу. А теперь еще и хорошую пьесу. Снегопад усилился. Ресницы так запорошило снегом, что вместо уличных фонарей и витрин я видел только пучки светящихся стрел. Постоянные намеки Файтельзона насчет того, что Селия ко мне расположена, смущали меня. То ли он пытается всучить меня ей? То ли хочет поссорить? Я уже слышал, как он говорил, что у человека, доведенного до предела, чувство ревности сменяется чувством причастности.

Я намеревался сразу же засесть за работу, но когда поднялся к себе в комнату, усталость свалила меня. Дверь открыла Текла. На ней был короткий белый передник и кружевная наколка. Она приветливо улыбнулась и показала, какие она повесила занавески у меня в комнате. Постель уже была застелена. Текла предложила принести чаю. Я поблагодарил и отказался.

Пытаясь преодолеть усталость, я сел дописывать первый акт «Девушки из Людомира», но вместо этого начал писать как будто совершенно заново. Я потерял контроль над собой. Казалось, какие-то посторонние силы водят моею рукой. На письменном столе было зеленое сукно и стояла зеленая лампа. Но свет, казалось, бьет прямо в глаза. Ага, это мой внутренний враг и саботажник напустился на меня. Теперь я знаю все его штучки. Мне надо добиться успеха, а он хочет, чтобы я провалился. Я обратил внимание, что пропускаю буквы и даже целые слова. Стал листать книги, которые, казалось, могли бы вывести меня из этого состояния: «Воспитание воли» Пэйо*, работу Болдуина** по аутотренингу, свою записную книжку, куда я заносил правила жизни и духовной гигиены. Усталость пересилила, и я заснул прямо в одежде.

Сразу начались какие-то видения и кошмары. Когда я открыл глаза, часы показывали четверть второго. Едва заставив себя раздеться, я снова заснул. Во сне уже стало понятно, что я собираюсь делать. Да, сны мои были именно такими, о каких говорил Файтельзон: бесцельные, сумбурные, причудливые, противоречивые до безумия. Во сне Бетти и Селия были одно, и в то же время врозь. Я спал с несколькими женщинами, а Геймл стоял и подбадривал нас. Даже совокупление было связано с пьесой. Ведь это Селия — девушка из Людомира? А Бетти — олицетворенное прелюбодеяние? А сам я — разве не слепой музыкант? Но ведь я никогда ничего не понимал в музыке.

Мое знакомство с Бетти продолжалось не более двух дней, но она уже присутствовала в моих ночных кошмарах. Она была как будто бы со мной и в то же время отдельно, руководила моими мыслями и делами. Файтельзон хотел, чтобы душа вернулась к первоначальному хаосу, из которого все сотворено, но как может хаос сотворить что-нибудь? Быть может, то была не цель, а первопричина всего сущего? Но правы ли тогда телеологи?

---

* Этот труд французского психолога Жюля Пэйо (1859–1940) считается классическим, книга помогла становлению многих выдающихся людей XX века.

** Джеймс Марк Болдуин (1861–1934), американский психолог, социолог и историк.

2

Я собирался встать в семь, но когда проснулся, часы в гостиной били девять. В дверь тихонько постучали, и вошла Текла с подносом, накрытым салфеткой. Она принесла яичницу, сыр, кофе, булочки. Я проспал больше семи часов. Мне снились сны, но запомнился только один: я съезжаю с ледяной горы, а внизу меня ждет дикая толпа с дрекольем, топорами, дубинами. Все то ли пели, то ли выкрикивали что-то, и мелодия еще продолжала звучать во мне — заунывная песнь безумия и страсти.

— Простите, — извинилась Текла, — я думала, вы уже встали.

— Я проспал.

— Унести завтрак обратно?

— Не надо, сейчас я умоюсь.

— Так и кувшин с водой у вас прямо здесь, в комнате.

— Благодарю тебя, Текла. Большое спасибо.

Мне казалось, что мне дано слишком много и я этого не заслуживаю. Почему эта деревенская девушка должна прислуживать мне? Она, конечно, на ногах с шести утра. Вчера, я видел, она стирала. Мне хотелось отблагодарить ее, но я не мог дотянуться до стула, где висел мой пиджак. Текла улыбнулась, и стало видно, какие у нее ровные белые зубы, без единого изъяна. Ладно сбитая, с мускулистыми ногами и крепкой грудью, Текла осторожно поставила поднос на стол. Она внимательно смотрела на меня и, казалось, старалась прочесть мои мысли.

— Приятного аппетита.

— Спасибо, Текла. Ты славная девушка.

— Дай вам Бог здоровья, — сказала она, и на левой щеке обозначилась ямочка. Текла не спеша направилась к двери.

Вот они, эти простые люди, на которых держится мир, подумал я. Они — явное доказательство того, что правы каббалисты, а не Файтельзон. Бесчувственный Бог, безумный Бог не смог бы сотворить Теклу. Я почувствовал, что готов влюбиться в эту девушку. Такие как она придают смысл всему, что связано с землей, небом, жизнью, всей Вселенной. Она не хочет улучшить мир, как Дора, не хочет испытать все на свете, как Селия, ей не требуется главная роль в пьесе и слава, как Бетти. Она хочет давать, а не брать. Если даже польский народ произвел на свет только одну такую Теклу, он, без сомнения, выполнил свою миссию. Я налил в таз воды из кувшина, вымыл руки, вытер их полотенцем. Отхлебнул кофе. Откусил кусок свежей булочки. Мне вдруг захотелось произнести благословение — поблагодарить ту силу, которая помогла вырасти пшенице и кофейному дереву, поблагодарить кур, которые снесли эти яйца. Уснул я несчастным, а проснулся почти счастливым.

В дверь постучали, потом она открылась. Вошел Владек, сын хозяина, про которого отец уже успел мне кое-что рассказать: он бросил занятия юриспруденцией в Варшавском университете и теперь проводил целые дни дома, читая все подряд, слушая музыку или бесчисленные радиопередачи. Тощий, бледный, долговязый, с высоким лбом, длинным носом, он производил на меня впечатление человека, больного и физически, и психически. В отличие от отца, говорившего по-польски с еврейским акцентом, у Владека была правильная литературная речь. «Пшепрашам пана, — сказал Владек, — я мешаю вам завтракать. Пана просят к телефону».

Я вскочил, едва не опрокинув кофе. Мне звонили сюда в первый раз! Пройдя через коридор, я взял трубку.

Звонила Селия.

— Я знаю, что если гора не идет к Магомету, то Магомет идет к горе, — сказала она. — Только вот загвоздка, никак не могу считать себя горой. Я уже наслышана про ваши успехи. Примите мои поздравления. Я-то думала, что мы друзья, но раз вы предпочитаете уединяться, это ваше право. Однако знайте, я восхищаюсь вами.

— Я не только ваш друг, я вас люблю! — неожиданно для себя воскликнул я, воскликнул с легкомыслием человека, который позволяет себе говорить все, что придет в голову.

— О, в самом деле? Это приятно слышать. Но если так, то куда же вы исчезли? Когда вы бываете у нас, вас принимают по-дружески, запросто. И вдруг вы пропадаете — и все, молчание. Это что, у вас характер такой или это ваша система?

— Никакой системы. Ничего подобного. Просто я знаю, как вы заняты.

— Занята? Чем же это? Наша Марианна делает абсолютно все. А я сижу и читаю. Но сколько можно читать? К Морису опять приехала целая куча американцев, так что я его и не вижу. Американский посланник в Польше номер два, так я его называю. А кроме вас двоих, в Варшаве нет никого, с кем можно было бы хоть словечком перекинуться. Геймл, храни его Господь, связался с поалей-сионистами. Конечно, я верю в Палестину и всякое такое, но Англия делает со своим мандатом все, что ей вздумается. Дни проходят, и мне не с кем слова сказать.

— Пани Ченчинер, когда бы вы ни захотели видеть меня, вам стоит только слово сказать. Я тоскую по вам, — произнес мой голос помимо воли.

Селия помолчала немного.

— Если вы соскучились, почему же вы не приходите? И называйте меня Селией, а не пани Ченчинер. Приходите, и мы поболтаем. Можно встретиться в кондитерской, если вам так удобнее. Ведь вы, вероятно, очень заняты. Морис все рассказал мне. Но не сидите же вы над этой пьесой по десять часов в день! Что за женщина эта Бетти Слоним? Вы, конечно, уже влюблены в нее!

— Нет, нисколько.

— Иногда я завидую таким женщинам. Подцепила в любовники богатого старика, и теперь он все делает, чтобы она прославилась. По мне так это называется проституцией, но когда женщины не продавали себя? Если ей платят два злотых, она просто шлюха, а если тысячи, да еще меха и бриллианты в придачу, тогда она — леди. Не знала я, что вы и пьесы пишете. Морис рассказал, о чем она. Интересный сюжет! Так когда же вы придете?

— А когда можно прийти?

— Приходите сегодня к обеду. Геймл уехал к отцу в Лодзь. Я совершенно одна.

— В котором часу?

— В три.

— Отлично. Я буду у вас ровно в три.

— Не опаздывайте!

Я положил трубку. Она одинока! Скажите пожалуйста! Я многие годы страдал от одиночества. Но вдруг все переменилось. Надолго ли? Внутренний голос, который никогда не ошибается, говорил мне, что долго это продолжаться не может. Все кончится катастрофой. Но почему бы не порадоваться, пока можно? Выспавшись как следует, я было успокоился. Но сейчас напряжение вернулось вновь. «Не сделаю ни одного движения навстречу Селии, — решил я, — предоставлю ей инициативу». Вернулся к прерванному завтраку. Да, я должен узнать какие-то радости, прежде чем умру и превращусь в ничто. Вдруг я вспомнил, что не пересчитал деньги, которые оставил накануне в кармане пиджака. Меня могли ограбить, пока я спал! Даже Текла могла залезть в карман и все взять. Я вскочил и ощупал карман. Никто меня не ограбил. Текла — честная девушка. Когда же я пересчитал банкноты, мне стало очень стыдно.

В дверь снова постучали. Пришла Текла узнать, не хочу ли я еще кофе.

— Нет, милая Текла! Достаточно. — Я дал ей злотый, и щеки ее залила краска.

3

Ровно к трем часам я был перед домом Ченчинеров на Злотой. Чтобы туда попасть, прошел по Желязной до пересечения Твардой и Злотой, затем повернул налево. Злотая была пустынна. Тут не было ни контор, ни магазинов. Только жилые дома. Геймл жил в пятиэтажном доме темного, грязно-серого цвета, с балконами, которые поддерживали кариатиды. Тут жили состоятельные, солидные люди, либо без детей, либо те, чьи дети давно уже выросли и жили отдельно. Когда входили в подъезд, звонил колокольчик. Наверх вела мраморная лестница с потертыми ступенями, на каждой лестничной площадке стояла урна. Из окон на лестничной клетке был виден дворик — маленький, прямоугольный, с переполненным мусорным ящиком — и крошечный садик с несколькими деревьями. Деревья заледенели и под морозным зимним солнцем отсвечивали всеми цветами радуги. Я позвонил. Тотчас же открыла сама Селия. Марианна, горничная, ушла в гости к сестре, объяснила она и пригласила войти. Квартира блестела чистотой. В столовой был накрыт стол. В массивном буфете переливался хрусталь, сверкало серебро. На стенах — портреты белобородых евреев и женщин в париках и драгоценностях.

Селия сказала:

— Я приготовила ваши любимые блюда — картошку, борщ, мясные кнедлики.

Она указала, чтобы я сел на место Геймла, во главе стола. По тому, каким тоном Селия разговаривала по телефону, я ожидал поцелуев прямо с порога и немедленной близости. Но сейчас она была настроена иначе. Селия вдруг стала церемонной. Мы сели за стол друг против друга, не рядом. Селия ухаживала за мной. Я подозревал, что она сама отослала служанку, чтобы мы остались одни. Прогулка по морозцу пробудила аппетит, я много ел. Селия спросила о пьесе. Я стал излагать сюжет и вдруг неожиданно для себя внес изменения. Это была магическая тема.

Казалось, подобно Торе, она обладает семьюдесятью лицами.

— Где вы найдете актеров для такой пьесы? — спросила Селия. — И кто будет режиссером? Если это не будет сделано превосходно, то обязательно окажется страшно вульгарным. У еврейских актеров и актрис в Варшаве дурные манеры. Вы сами это знаете. На протяжении многих лет я не видела на нашей сцене ничего стоящего.

— Да я и сам боюсь провала.

— Не показывайте им пьесу, пока не будете уверены, что сделали в точности то, что хотели. Вот мой совет.

— Сэм Дрейман собирается снять театр и набрать труппу.

— Не позволяйте ему этого делать. По словам Мориса, это простоватый тип, бывший плотник. Если дело обернется плохо, пострадает именно ваша репутация, а не его.

Сегодня Селия была не такой, какой я знал ее по прежним посещениям. Но я привык к внезапным переменам и в себе, и в других. Современный мужчина стыдится быть чувствительным, он весь — действие и темперамент. Он сгорает от любви, он становится холодным как лед, сейчас он нежен, в следующую минуту держится замкнуто, отчужденно. В действительности же, как я подозревал, на меня влияли те, с кем я был рядом, и мне часто передавалось чужое настроение.

После обеда прошли в гостиную. Селия предложила кофе, ликер и сласти. Здесь по стенам висели картины еврейских художников: Либермана, Минковского, Глиценштейна, Шагала, Рыбака, Рубенлихта, Барлеви. За стеклом — еврейские антики: годес — разнообразной формы коробочки для пряностей, оправленный в золото кубок для благословения вина, ханукальная лампада, пасхальный бокал, футляр для свитка с книгой Эсфири, субботний хлебный нож с ручкой из перламутра. Там же лежала разрисованная кетуба*, йад**, корона для свитка Торы. Трудно было поверить, что такая пылкая любовь к еврейству — всего лишь декорация, а внутренний смысл, сущность всего этого, давно утеряны большинством из нас.

Мы немного поговорили об искусстве — кубизме, футуризме, экспрессионизме. Селия недавно посетила выставку современного искусства и была совершенно разочарована. Каким образом с помощью квадратной головы или носа в форме трапеции можно показать человека с его проблемами? И что выражают эти резкие, кричащие краски, в которых нет ни гармонии, ни смысла? А литература? Стихи Готфрида Бенна, Тракля, Доблера, равно как и переводы современных американских и французских поэтов, не трогали ее.

— Все они хотят удивлять или даже эпатировать, — сказала Селия. — Но мы уже к этому привыкли.

Селия посмотрела на меня испытующе. Казалось, ее тоже удивляет, почему мы ведем себя так сдержанно.

— Не сомневаюсь, вы без ума от этой Бетти Слоним. Расскажите же мне о ней.

---

* Кетуба — брачный контракт.

** Йад — указка, которой пользуются при чтении Торы.

— Ну что тут рассказывать? Она хочет того же, что и все, — урвать немного удовольствий, прежде чем обратиться в ничто.

— Что вы называете удовольствием? Спать, простите меня, с семидесятилетним плотником?

— Это плата за другие удовольствия, которые у нее есть.

— За что же, к примеру? Я знаю женщин, которые отдали бы все, чтобы играть на сцене. Эта страсть мне непонятна. Напротив, написать хорошую книгу — вот это я хотела бы. Но очень скоро поняла, что у меня не хватит таланта. Вот почему я так восхищаюсь писателями.

— А кто такие писатели? В своем роде фигляры и обманщики. По мне так более достоин восхищения тот, кто удерживает равновесие на канате, а вовсе не поэт.

— О, я не верю вам. Притворяетесь циником, а на самом деле вы серьезный молодой человек. Порою мне кажется, что я вижу вас насквозь.

— И что же вы видите?

— Вы постоянно тоскуете. Все люди скучны для вас, кроме, может, Файтельзона. Вы с ним похожи. Он нигде не находит себе места. Ему хочется быть философом, но он артист. Это ребенок, который ломает игрушки, а потом плачет и просит, чтобы их сделали опять целыми. Я страдаю от той же болезни. Между нами могла бы быть большая любовь, но Морис не хочет этого. Он рассказывает мне, как флиртует со служанками. Непрерывно то разжигает меня, то окатывает холодной водой. Обещайте, что не передадите Морису мои слова. Он намеренно толкает меня прямо в ваши объятия и делает это хладнокровно. Его игра состоит в том, чтобы разжечь женщину, а потом бросить ее. Однако у него есть сердце, и когда он видит, что тому, с кем он был близок, плохо, это его трогает. Морис болезненно любопытен. Ужасно боится, что где-то еще осталась эмоция, которой он не испытал.

— Он хочет основать школу гедонизма.

— Дурацкие фантазии. Много лет слышу я об оргиях. Уверена, они не дают никакого удовлетворения. Это развлечение для шестнадцатилетних подростков и уличных девок, не для взрослых людей. Нужно вдрызг напиться или быть ненормальным, чтобы в этом участвовать. В Париже за пять франков вам покажут любое извращение. Писатели, которые шепчутся обо всем таком в вашем клубе, — просто старые и больные люди. Они едва в состоянии держаться на ногах.

Мы помолчали немного. Потом Селия спросила:

— А что слышно про вашу возлюбленную, коммунистку? Она уже уехала в сталинскую Россию?

— Вам и про нее известно?

— Морис постоянно про вас говорит.

— Она должна уехать через несколько дней. Все между нами кончено.

— Как кончаются такие вещи? Я никогда не могу покончить с чем-нибудь. У вас теперь хорошая комната?

— Да. Благодаря деньгам Сэма Дреймана.

— Есть и балкон?

— Нет.

— А вы как-то говорили, что вам нравится, когда есть балкон.

— Нельзя же иметь все.

— Мне иногда кажется, что тем людям, у которых чего-то нет, просто не хватает храбрости протянуть руку и достать это. Я сама из таких.

— А что будет, если я протяну руку? — спросил я.

— А вы попытайтесь. — И она покачалась на стуле.

Я встал, подошел, обнял ее за плечи. Она посмотрела насмешливо. Поднялась со стула.

— Можете поцеловать меня!

Мы обнялись и поцеловались. Губы ее шевелились, будто она хочет что-то сказать. Но она не произнесла ни слова. Потом сказала:

— Не говорите Файтельзону. Он ревнивый маленький мальчик.

4

Наступили сумерки. Короткий зимний день из тех, что кончаются, едва успев начаться, сгорел, как свеча. Красный отблеск на стене гостиной. Значит, на западе небо очистилось, проглянуло солнце. Селия не зажигала огня. Ее лицо было в тени, и глаза как будто излучали собственный свет. Совсем стемнело. Среди облаков появилась одинокая звезда. Я попытался запечатлеть эту звезду в собственном сознании, пока она не исчезла. Я забавлялся, пытаясь представить себе, что было бы, если бы небо всегда было затянуто облаками и только раз в сто лет на одну секунду кто-нибудь случайно, мельком мог увидеть звезду. Он стал бы рассказывать всем об этом событии, но никто бы ему не верил. Должно быть, его обвинили бы во лжи или сказали, что он страдает галлюцинациями. Среди какого множества облаков скрыта правда? И что я знаю о той звезде, на которую теперь гляжу? Это настоящая звезда, не планета. Быть может, она больше, чем наше Солнце. Кто знает, сколько планет вращается вокруг нее, сколько миров получают от нее энергию? Кто может вообразить, какие там растения, что за существа там живут, о чем они думают? Да миллиарды таких звезд содержит один только Млечный Путь. Это не может быть простой случайностью. Должен же быть кто-то, кто повелевает этим бесконечным универсумом. Его приказы летят быстрее света. Тот, Всемогущий и Всеведущий, управляет жизнью каждого атома, каждой молекулы, каждой пылинки, каждой клетки. Он знает даже, что Аарон Грейдингер вступил в связь с Селией Ченчинер.

Зазвонил телефон. Селия, до сих пор сидевшая молча, протянула руку к маленькому столику и взяла трубку. Она заговорила тем певучим монотонным голосом, который принят в Варшаве исключительно для телефонных разговоров.

— Геймл? Почему так поздно? Я думала, ты раньше позвонишь... Что?.. Все прекрасно. Геймл, а у нас гость — наш юный друг пришел к обеду... Нет, это я позвала его. Если ему охота позадаваться, пожалуйста, я разрешаю. Кто я такая? Просто домашняя хозяйка. А он у нас писатель, драматург, и кто знает, кто знает... Да, мы пообедали, и я уговорила его остаться до ужина... О, у него теперь знаменитая актриса, молодая и, вероятно, хорошенькая. Зачем ему нужна женщина моего возраста? А что твой отец? Вот как?!.

Ну хорошо, пусть лечится, как сам считает нужным... Завтра? Почему завтра?.. Двенадцатичасовым? Хорошо. Я тебя встречу... Ну что же мне еще делать? Целые сутки прошли, и ни разу никто не позвонил мне. Тогда я спрятала свою гордость и сама ему позвонила... Кто? Руководить? Не говори чепуху. Он так же много понимает в театре, как я в астрономии. Можешь смеяться надо мной, но мне кажется, что даже гой в качестве режиссера справится лучше, чем любой из этих хамов. Они по крайней мере учились и знают театр... Морис? Он вообще не появлялся. И он тоже забыл нас... Ой, Геймл, ты один из этих типов, которые... Хочешь поболтать с ним? Я передаю трубку. Вот он!

Селия протянула мне трубку. У телефона был длинный шнур. Все в этом доме было устроено так, чтобы не делать лишних усилий. Послышался голос Геймла. По телефону он был еще более высоким и визгливым, чем обычно:

— Цуцик? Как вы там? Я слыхал, вы работаете над пьесой? Хорошо. Отлично. Для нашего театра очень хорошо, что пьесу напишет молодой автор. Мир идет вперед, а у нас все не могут оторваться от одних и тех же пьес: «Чинке-Пинке», «Дос Пинтеле Жид». Когда мы с Селией ходим в еврейский театр, то каждый раз клянемся, что это в последний раз. Да, но не ходить — тоже нехорошо. Наши ортодоксальные сионисты отвергают диаспору. Все лучшее будет в Палестине, говорят они. Но не надо забывать, что мы выросли, возмужали за эти две тысячи лет. Игнорируя изгнание, они способствуют ассимиляции. Вы так добры, что проводите время с Селией... Что еще ей может быть интересно? С женщинами нашего круга у нее нет общего языка. Все у них одно и то же — платье, еще платье, новая шляпка, еще что-нибудь... Сплетни. Не спешите уходить. Не смущайтесь!.. Кто говорит о ревности? Чушь! Кто это сказал, что, когда люди радуются, они радуют Творца? Когда я только женился на Селии и даже раньше, когда мы только были помолвлены, я ужасно ревновал. Если она разговаривала с каким-нибудь мужчиной или даже только улыбалась ему, я был готов стереть в порошок их обоих. Но как-то я прочел в одной из хасидских книг, что если причинишь вред кому-нибудь, то это может обернуться против тебя же самого. Теперь я знаю, что если я люблю женщину, то ее друг может стать моим другом, ее радость — моей, ее удовольствия — моими. Цуцик, я хочу еще кое-что сказать Селии. Будьте добры...

Передав трубку Селии, я вышел в соседнюю комнату, которую Ченчинеры называли библиотекой. Там было темно, только слабый отсвет из дома напротив, через улицу, падал в окно. Счастлив ли я теперь? Я ждал ответа из глубины своего подсознания, эго, альтер эго, души, или как там это называется. Но ответа не было. Вошла Селия.

— Что вы здесь стоите в темноте, потерянная душа? У нас с Геймлом нет от вас секретов, — сказала она.

Я не нашелся что ответить, и Селия продолжала:

— Как я могу начать роман, если я всерьез думаю о самоубийстве? Люди в определенном возрасте приходят к естественному концу — все слова сказаны, все дела сделаны, и ничего не осталось, кроме смерти. Каждое утро я начинаю, надеясь на что-то. Сегодня я больше ничего не жду.

— Почему, Селия, почему?

— О, я никуда не гожусь. Геймл — хороший человек, и я люблю его, но прежде, чем он откроет рот, я уже знаю, что он скажет. Морис — полная противоположность, но никогда не известно, как с ним себя вести. Вы слишком молоды для меня и непостоянны, у меня такое чувство, что долго вы в Варшаве не задержитесь. В один прекрасный день вы просто соберетесь и исчезнете. Морис говорил, что Сэм Дрейман предлагает взять вас в Америку.

— Он ужасный болтун.

— Такое не часто бывает. Если можете вырваться отсюда, не медлите. Мы зажаты между Гитлером и Сталиным. Кто бы ни занял страну, ее ждет катастрофа.

— Почему же вы не уезжаете?

— Куда? У меня никого нет в Америке.

— А как насчет Палестины?

— Я как-то не представляю там себя. Это просто страна, куда всех нас перенесут на облаке, когда придет Мессия.

— И вы в это верите?

— Нет, мой дорогой.

ГЛАВА ЧЕТВЕРТАЯ

I

Весна началась рано в этом году. В Саксонском саду уже в марте деревья были в цвету. Пьеса моя не была еще готова, но даже если бы и была, ставить ее было бы поздно. Уже в мае те, кто мог себе это позволить, выезжали на лето в Отвоцк, Швидер, Михалин и Юзефов. Но дело было не только в пьесе. Снять театр тоже оказалось хлопотно для Сэма. Таким образом, премьера откладывалась до праздника Кущей, когда постоянные еврейские труппы открывали сезон. Сэм заплатил мне еще триста долларов, и я рассчитывал, что продержусь на эти деньги до самого провала. Он хотел снять дачу в Отвоцке на все лето, причем для меня там тоже предполагалась комната, чтобы работать над пьесой вместе с Бетти. Сэм уверял, что, даже когда находится здесь, в Варшаве, ничего не делая, все равно загребает кучу денег. Он сказал мне: «Возьмите столько, сколько вам надобно. Я все равно не в состоянии истратить все свои деньги».

Теперь я был накоротке с Сэмом и Бетти, называл их по имени, а они оба называли меня Цуциком. Я прекрасно понимал, что все зависит от пьесы. Сэм Дрейман часто повторял слово «успех». Он принимал все меры, чтобы пьеса собрала широкую публику как здесь, в Варшаве, так и в Нью-Йорке, куда он собирался везти пьесу, а заодно и меня, ее автора.

— Я знаю еврейский театр в Америке как свои пять пальцев, — говорил Сэм. — Что еще остается нам, эмигрантам, кроме нашего театра и еврейских газет? Когда я приезжаю из Детройта в Нью-Йорк, всегда хожу в наш театр. Всех их я знаю — Адлеров, мадам Липкину, Кесслера, Томашевского, не говоря уже о его жене, Бесс. Они говорят на правильном идиш — в отличие от этих напыщенных индюков, которые со сцены призывают толпу умереть за идею. Люди приходят в театр поразвлечься, а вовсе не для того, чтобы восставать против рокфеллеровских миллионов.

Мы с Бетти уже целовались — и в присутствии Сэма, и за его спиной. Когда мы работали над рукописью, Бетти брала мою руку и клала ее себе на колено. По утверждению Файтельзона, чувство ревности — атавизм, подобно аппендиксу или копчику. Для такой пары, как Геймл и Селия, это, пожалуй, было верно. А Сэм Дрейман улыбался и даже выражал одобрение, когда Бетти целовала меня. Он часто оставлял нас одних — уходил играть в карты к приятелям в американское консульство.

Файтельзон тоже часто ходил туда. Не так давно он прочел в клубе лекцию на тему «Духовные витамины» и теперь опять готовился к серии «путешествий души». В Варшаву приехал из Парижа его друг, гипнотизер Марк Элбингер. Об этом человеке Файтельзон рассказывал поразительные вещи. Он мог гипнотизировать своих пациентов даже по телефону или с помощью телепатии. Это был ясновидец. Он проводил сеансы в Берлине, Лондоне, Париже, Южной Америке. Элбингер тоже собирался принимать участие в «странствованиях души».

Сэм предпочитал играть в карты, а не тратить время на поиски летнего домика. Он поручил нам с Бетти найти подходящую дачу. Сэму хотелось, чтобы репетиции проходили прямо там. Да и Файтельзон обещал проводить путешествия души «на лоне природы». За «столом импотента» шли толки об оргиях, которые будто бы устраивал Фриц Бандер, любитель пирушек и разгула.

И вот мы с Бетти встретились на Данцигском железнодорожном вокзале. Она купила билеты. Мы стояли на платформе, ожидая поезда. Пахло пивом, сосисками, паровозной гарью, потным человеческим телом. Солдаты в полном полевом обмундировании тоже ждали поезд. Они коротали время за кружкой пива. Девушка в тесной блузке, плотно охватившей крепкие груди, с румяными щеками, наливала им пиво из бочки. Солдаты шутили с ней, говорили непристойности. А голубые глаза девушки улыбались полувопросительно-полусмущенно, как бы говоря: «Я только одна — не могу же я принадлежать всем».

Газеты писали, что современная германская армия полностью оснащена новейшим вооружением, заново снабжена обмундированием. Польские же солдаты напоминали русских солдат в 1914 году. На них были толстые серые шинели, и пот градом катился по лицам. Винтовки у них были тяжелые, громоздкие. А сейчас они занимались тем, что высмеивали евреев в длиннополых лапсердаках. Кто-то из них даже дернул еврея за бороду, и было слышно злобное шипение: «Жи́ды, жи́ды, жи́ды».

Я не ездил поездом уже несколько лет. Никогда в жизни не ездил вторым классом, только третьим или даже четвертым. А теперь я сидел на мягком диване, рядом с американской леди, актрисой, и смотрел в окно на Цитадель, старую крепость из красного кирпича, крыши которой поросли травой. Считалось, что эта древняя крепость сможет защитить Варшаву в случае нападения. А сейчас там была тюрьма. Поезд взбирался на мост. Блестела гладь реки, сильный ветер дул со стороны Вислы. Огромное красное солнце отражалось в воде. Был предрассветный час, но в небе еще висела бледная луна. Мы проехали Вавер, Миджешин, Фаленицу, Михалин. С каждым из этих местечек у меня были связаны какие-нибудь воспоминания. В Миджешине я спал с девушкой в первый раз — только спал, и больше ничего, так как она хотела сохранить невинность для своего будущего мужа. В Фаленице я читал лекцию и с треском провалился. В Юзефове у Геймла и Селии был летний домик. Мы сошли в Швидере, на следующей остановке. На станции ждал маклер. Мы брели по песку, пока не пришли к дому, который показался мне верхом роскоши: с верандами, балконами, цветочными клумбами, в окружении деревьев. Бетти, видимо, так стремилась побыстрее отделаться от маклера, что немедленно всучила ему двести злотых в качестве задатка. Только тогда он сообщил, что в доме нет света, нет простыней на кроватях, а ближайшие рестораны или кафе находятся в нескольких километрах отсюда. Летние отели еще не открылись. Нам надо было вернуться в Варшаву и ждать, пока контракт будет оформлен и его отошлют Сэму Дрейману. Маклер, маленький человечек с желтой бородкой и желтыми глазами, вероятно, подозревал нас в дурных намерениях. Потому что он сказал: «Слишком рано. Ночи холодные и темные. Лето еще не наступило. Всему свое время».

Из сторожки вышел привратник, за ним с громким лаем выбежали две собаки. Он попросил маклера вернуть ключи. Нам посоветовали сразу возвратиться на станцию, так как в это время года поезда ходят не очень часто. Но Бетти настаивала, чтобы мы пошли на речку Швидерек полюбоваться каскадом, о котором ей и Сэму говорил варшавский маклер. Только мы двинулись к реке, ледяной зимний ветер подхватил нас. Буквально за несколько минут небо заволокли тучи, луна исчезла, и на нас обрушился дождь, смешанный с градом. Бетти что-то говорила, но из-за ветра нельзя было расслышать ни слова. Мы подошли к Швидереку. Перед нами простирался мокрый пустой пляж. Вода неслась сверху с громоподобным рычанием. Узкая струя блестела необычным и таинственным светом. Над водой летали две птицы, криками предупреждая друг друга об опасности, а может быть, чтобы не потеряться в сумерках. Соломенная шляпка Бетти неожиданно поднялась в воздух, перелетела через скамейку и приземлилась. Затем она покатилась, сделала сальто и исчезла в кустах. Бетти прижала обеими руками растрепанные волосы, будто это был парик, и запричитала: «Пусть ее! Демоны преследуют меня! Стоит хоть искорке удачи блеснуть, как всегда случается что-нибудь подобное». Бросила сумочку на песок, обвила меня руками, прижалась ко мне и возопила: «Прочь от меня! Я проклята, проклята, проклята!»

2

Снова ударили морозы, и Бетти пришлось надеть свою соболевую шубку. Но весна наступала неудержимо. Теплый ветер со стороны Пражского леса врывался в открытое окно моей комнаты, неся с собой аромат свежей травы, распускающихся почек, прелой земли. В Германии власть Гитлера еще больше окрепла, но варшавские евреи праздновали Исход из Египта четыре тысячи лет назад. Сегодня я не пошел в «Бристоль», к Бетти. Вместо этого она сама пришла ко мне. Сэм Дрейман уехал во Млаву на похороны родственницы. Бетти отказалась поехать с ним. Она сказала мне: «Я хочу получать удовольствие от жизни, а не оплакивать смерть какой-то незнакомой женщины». Она была опять одета по-летнему: светло-голубой костюм и соломенная шляпка. Бетти принесла цветы. Текла поставила их в вазу. Никогда прежде я не слыхал, чтобы женщина приносила цветы мужчине.

Весна не давала нам работать. За окном щебетали птицы. Рукопись осталась лежать на столе, а мы подошли к окну. Узкие тротуары так и кишели людьми. «Варшавская весна сводит меня с ума, — сказала Бетти. — В Нью-Йорке нет такого понятия, как весна».

Немного погодя мы вышли на улицу. Бетти взяла меня за руку, и мы бесцельно побрели по тротуару. «Вы постоянно рассказываете про Крохмальную улицу, — напомнила мне Бетти. — Почему бы вам не отвести меня туда?»

Я помолчал.

— Эта улица целиком связана с моей юностью. Вам она покажется просто грязной трущобой.

— Все равно. Мне хочется увидеть ее. Можно взять извозчика.

— Нет, это не так уж далеко. Мне даже не верится, что я не был на Крохмальной с семнадцатого года, с тех самых пор, как мы уехали из Варшавы.

Можно было пройти по Желязной, но я предпочел прогуляться по Пшеязду и уже оттуда повернуть на юг. На Банковской площади мы постояли немного перед зданием банка со старинными массивными колоннами. Как и во времена моего детства, машины с деньгами въезжали и выезжали из ворот под охраной вооруженных полицейских. На Жабьей располагались магазины дамских шляп — в витринах были выставлены модные шляпки, старомодные шляпы для пожилых женщин: с вуалями, страусовыми перьями, выточенными из дерева вишнями, виноградинами. Были там и шляпы с черным крепом — для похорон. За чугунной оградой Саксонского сада цвели каштаны. На площади Желязной Брамы стояли скамейки, утомленные прохожие грелись на солнышке. Боже милосердный! Отец наш небесный! Эта прогулка пробудила во мне воспоминания детства. Мы остановились перед зданием, которое называлось Венским залом. Тут устраивались свадьбы, когда какой-нибудь богач выдавал замуж свою дочь. В глубине, за колоннадой, по-прежнему торговали вразнос платками, иголками, пуговицами, булавками, предлагали коленкор, льняное полотно, даже куски шелка и бархата. Мы вышли на Навозную*, и в нос ударила привычная вонь дешевого мыла, смальца и лошадиной мочи. Недалеко отсюда располагались хедеры, синагоги, хасидские молельни, где я учил Тору. Мы дошли до Крохмальной, и возникли памятные с детства запахи: горящего на сковороде масла, гниющих фруктов, печной сажи. Ничего не изменилось — ни булыжная мостовая, ни грязные сточные канавы. Все так же сушилось на веревках белье. Прошли мимо фабрики. Окна, забранные железными решетками. Глухой брандмауэр и деревянные ворота, которые, сколько я себя помнил, были закрыты. Здесь каждый дом пробуждал воспоминания. В доме № 5 была иешива, в которой я некоторое время учился. Во дворе этого дома находилась миква, куда женщины ходили совершать ритуальные омовения. Я часто видел, как они выходят оттуда, распаренные и чистые. Кто-то говорил мне, что давным-давно в этом доме жил реб Иче-Меир Алтер, основатель Гурской династии. В мое время иешива принадлежала хасидам из Гродзиска. Шамес был всегда пьян. Когда он слишком уж закладывал, то рассказывал нам разные истории: про святых, про диббуков, про выживших из ума панов, про колдунов.

---

* Это единственное название улицы, которое я позволила себе перевести на русский язык, так как по-польски это звучит: «гнойная», и это совершенно меняет смысл («гной» — навоз).

Во дворе дома № 4 находился большой рынок, Двор Яноша, одни ворота вели на Крохмальную, а другие выходили на Мировскую. Здесь можно было купить все: овощи, фрукты, молоко, сметану, творог, рыбу, гусей. Тут же располагались лавки, где торговали всевозможным тряпьем и поношенной обувью.

Мы вышли на Базарную площадь. Здесь всегда толкались извозчики, проститутки, мелкие воришки в драных пиджаках и кепках, надвинутых по самые глаза. В мое время тут правил Иче-слепой, предводитель карманников, владелец борделей, невыносимый хвастун. Где-то в доме № 11 или 13 жила Рейзл-толстуха, весом в триста фунтов. Подозревали, что Рейзл поставляет белых рабынь в Буэнос-Айрес. Она же поставляла и служанок. Прямо здесь играли в азартные игры. Тут можно было вытянуть номера из мешка и выиграть полицейский свисток или шоколадку, а то еще картинку с видом Кракова или же куклу, которая умела садиться и говорить «мама».

Мы с Бетти стояли, глазея по сторонам. Те же грубые шутки, тот же певучий выговор, те же игры. Я побаивался, что все это будет ей противно, но ей передалась моя ностальгия.

— Вы должны были привести меня сюда прямо в первый же день нашей встречи, — сказала она.

— Бетти, я напишу пьесу под названием «Крохмальная улица», и вы получите в ней главную роль.

— Ну и мастер же вы давать обещания!

Я раздумывал, что показать ей теперь: притон в доме № 4, где воры играли в карты, в кости и куда приходили скупщики краденого. Или показать ей молельню в доме № 10, где мы жили раньше? Радзиминскую синагогу в доме № 12, куда мы переехали потом? Двор дома, куда я ходил в хедер? Или лавки, куда нас посылала мать покупать еду или керосин? Все было как прежде. Только еще больше потрескалась и облупилась штукатурка на стенах домов, да и сами дома потемнели от копоти. То там, то здесь стены домов подпирали жерди. Канавы, казалось, стали глубже, а их вонь еще резче. Я останавливался перед каждыми воротами и заходил внутрь. Мусорные ящики всюду переполнены. Красильщики перекрашивали одежду, лудильщики чинили дырявые кастрюли, старьевщик с мешком за плечами кричал: «Старье берем! Старье берем! Покупаю старые брюки, старые ботинки, старые шляпы, старые тряпки! Старье берем! Старье берем!» Уличные попрошайки там и сям затягивали песню — то о гибели «Титаника», который пошел ко дну в 1914 году, то про Баруха Шульмана, который в 1905 году бросил бомбу и его повесили. Фокусники показывали те же фокусы, что и во времена моего детства, — они глотали огонь, катали бочку, стоя на ней ногами, ложились голой спиной прямо на острые гвозди. Мне показалось даже, будто я узнаю девушку, которая била в бубен, собирая монетки после представления. На ней были те же бархатные штаны с серебряными блестками, и стрижка под мальчика. Была она тоненькая и стройная, плоскогрудая, с блестящими глазами. Попугай со сломанным клювом пристроился на ее плече.

— Если бы все это можно было увезти в Америку! — вздохнула Бетти.

Я попросил Бетти подождать и открыл дверь Новогрудского молитвенного дома. Было пусто, но кивот с двумя золотыми львами наверху, возвышение, стол, скамьи свидетельствовали, что евреи еще приходят сюда молиться. В шкафах стояли и лежали священные книги, старые, порванные. Я окликнул Бетти. Эхо отозвалось на мой крик. Откинул занавеску перед кивотом, открыл дверь, бросил взгляд на свитки в бархатных покровах с золотой каймой, потускневшей с годами. Бетти тоже заглянула внутрь. Мы столкнулись. Лицо ее горело. Мы оба почувствовали греховное желание осквернить святое место и поцеловались. В ту же минуту я попросил прощения у свитков и напомнил им, что Бетти еще не замужем. Мы вышли во двор, и я оглянулся кругом. Шмерл-сапожник жил здесь когда-то, и мастерская его была здесь же, в подвале. Его прозвали Шмерл-не-сегодня. Если ему приносили в починку туфли или сапоги, он всегда говорил: «Не сегодня!» Он умер, когда мы еще жили в Варшаве. Во двор въехала двуколка и увезла его в инфекционный госпиталь. На Крохмальной считалось, что там отравляют людей. Острословы на нашем дворе шутили, что когда пришел за Шмерлом тысячеглазый Ангел Смерти с острым мечом в руке, то Шмерл сказал ему: «Не сегодня!», но Ангел ответил: «Нет, сегодня».

В доме № 10, где мы жили когда-то, на балконе были развешены простыни. Балкон казался мне раньше очень высоким, а теперь я доставал до него вытянутой рукой. Я глянул на лавчонки. Где-то здесь жили Эля-бакалейщик и его жена Зелда. Эля — высокий, быстрый, проворный, острослов и любитель порассуждать. Зелделе — маленькая, вялая, добродушная, медлительная. Ей нужно было повторить не один раз, что вам требуется. Протянуть руку, отрезать кусок сыру, взвесить его — это отнимало у нее примерно четверть часа. Если у нее спрашивали о цене, Зелда долго размышляла и почесывала шпилькой под париком. А уж если покупатель брал в кредит и надо было записать покупку на его счет, то когда писала Зелда, никто не мог потом разобрать, что там написано, даже она сама. Началась война, в обращение вошли немецкие марки и пфенниги, и Зелда вообще перестала что-либо понимать. Эля осыпал ее оскорблениями прямо при покупателях и называл коровой. Во время войны Зелда заболела, но в госпиталь ее не смогли устроить. Она легла в постель и тихо уснула. Эля плакал, рыдал, бился головой о стену. А три месяца спустя он женился на толстенной тетке, спокойной и медлительной, как Зелда.

3

Мы вошли во Двор Яноша и пошли к резницкой. Те же стены, забрызганные кровью, те же предсмертные крики петухов и кур: «Что я такого сделал? Чем я заслужил это? Убийцы!!» Наступил вечер, зажгли лампы, их тусклый свет отражался на лезвиях ножей. Женщины по очереди выходили вперед, каждая со своей курицей. Битую птицу клали в корзины и выносили из резницкой. Этот ад представлял собой насмешку над болтовней о гуманизме. Я давно собирался стать вегетарианцем и именно в этот момент дал себе клятву никогда больше не брать в рот ни куска мяса или рыбы.

Снаружи резницкой горели фонари, но от них темень как бы еще сгущалась. Мы прошли мимо чанов, где плавали карпы, лини, щуки. Торговки чистили и потрошили рыбу к субботней трапезе. Мы пробирались не спеша, наступая на солому, перья, чешую. Лавочники бранились между собой. Слышались те же проклятья, что и в прежние времена: «Черная чума на тебя!», «Лихоманка на твои кишки!», «Пусть твою дочь поведут под черный венец!».

Уйдя с рынка, мы снова вышли на улицу. В подворотнях у фонарных столбов стояли уличные проститутки — толстухи с огромными грудями и пышными бедрами, тощие женщины, кутающиеся в шали. Шли рабочие фабрик с Воли и служащие магазинов с Желязной. Они останавливались поболтать с проститутками и условиться о цене.

— Уйдем отсюда, — сказала Бетти. — Да я и проголодалась уже.

И тут вдруг я увидел дом № 7, куда переехала Бася со своими тремя дочерьми. Даже если они живы, говорил я себе, то могли уже давно переехать отсюда. Ну а вдруг нет? Помнит ли еще Шоша те истории, которые я рассказывал ей? Наш игрушечный домик, игру в прятки, наши словечки? Я остановился перед воротами.

— Что вы стали здесь? Идемте, — сказала Бетти.

— Бетти, мне надо узнать, живет ли здесь еще Бася.

— Кто это — Бася?

— Мать Шоши.

— А кто такая Шоша?

— Подождите, сейчас объясню.

Какая-то женщина направилась к воротам, и я спросил у нее, живет ли в этом дворе Башеле.

— Башеле? А муж у нее есть? Как ее фамилия? — спросила женщина.

Я не смог вспомнить фамилию, а может быть, никогда и не знал.

— У ее мужа окладистая борода, — ответил я. — Он, вероятно, служит в каком-нибудь магазине. У нее есть дочь, Шоша. Надеюсь, они живы.

Женщина всплеснула руками:

— Знаю, знаю, про кого вы спрашиваете! Это Бася Шульдинер. Они живут на втором этаже, прямо против ворот и налево. Вы американцы, да?

Я показал на Бетти:

— Она американка.

— Это ваши родственники?

— Просто знакомые. Я не видел их почти двадцать лет.

— Двадцать лет? Надо же! Идите прямо, только осторожнее. Ребятишки вырыли яму прямо посреди двора. Можно упасть и сломать ногу. Там темно. Хозяин деньги за квартиру берет, а чтобы лампу ввернуть, так нет его.

Бетти была недовольна и снова начала роптать и говорить, что она голодна и пора идти.

— Это чудо! — воскликнул я. — Это просто чудо! Большое вам спасибо.

Я стоял во дворе дома № 7 и через двор смотрел в какое-то окно. Может быть, именно там я сейчас увижу и Басю, и Шошу. Бетти наконец замолчала. Она поняла, что я не уйду. Я взял

Бетти за руку и повел за собой. Хотя было совершенно темно, я все же заметил яму, и мы сумели обойти ее. Одолев короткий пролет в несколько ступенек, мы поднялись по неосвещенной лестнице. И вот мы на втором этаже. Я нащупал дверную ручку, нажал на нее. Дверь была не заперта. И тут свершилось второе чудо: я увидел Басю. Она стояла у кухонного стола и чистила лук. На ней был светлый парик. Бася немного постарела. На широком добром лице появились морщины, но глаза по-прежнему лучились приветливой полуулыбкой, которую я помнил еще с детства. Даже платье на ней было, вероятно, то же самое. Она увидела меня и приоткрыла рот. У нее сохранились все зубы. Ступка с пестиком, тарелки, чашки, вся кухонная утварь, шкафчик с резными завитушками, стол, стулья — все было мне знакомо с самого детства.

— Башеле, вы, конечно, не узнаете меня, но я вас узнал, — сказал я.

Она отложила луковицу и ножик:

— Я узнала тебя. Ты Ареле.

В Пятикнижии, когда Иосиф узнал своих братьев, они обнялись и поцеловались. Но Бася была не такая женщина, которая будет целовать чужого мужчину, даже если она знала его еще ребенком.

Брови у Бетти полезли вверх.

— Это правда, что вы не виделись почти двадцать лет?

— Погодите-ка, да, почти так, — сказала Бася своим всегдашним голосом, добрым, ласковым и единственным на свете. Я узнал бы этот голос из тысячи других. — Много лет прошло, — добавила она.

— Но ведь тогда он был ребенком, — возразила Бетти.

— Да. Они с Шошей ровесники.

— Как можно узнать человека, если не видел его с самого детства?

Бася пожала плечами:

— Как только он заговорил, я его сразу узнала. Я слышала, он пишет в газетах. Проходите и будьте как дома. Это, наверно, ваша жена, — сказала она, кивнув на Бетти.

Бетти улыбнулась:

— Нет, я не жена ему. Я актриса из Америки, а он пишет для меня пьесу.

— Знаю. Тут есть сосед, он читает ваши рассказы и все-все про вас. Каждый раз, когда ваше имя появляется в газете, он приходит к нам и читает. И он рассказал, что вашу пьесу будут представлять в театре.

— А где Шоша?

— Пошла в лавку купить сахару. Сейчас вернется.

И в этот момент вошла Шоша. Господи боже! Отец наш небесный! Сколько сюрпризов принес этот день, один удивительнее другого. Или глаза мои обманывают меня? Шоша не выросла и не повзрослела. Я изумленно взирал на это чудо. Нет, все же немного она изменилась. Подросла на один-два вершка и внешне переменилась немного. На ней была стираная-перестираная юбка, а кацавейка, я мог бы в этом поклясться, была та же самая, что и двадцать лет назад. Шоша стояла в дверях с фунтиком сахару в руках и смотрела на нас. То же изумление было в ее глазах, как в детстве, когда я рассказывал ей свои фантастические истории.

— Шоша, ты узнаешь, кто это?

Шоша молчала.

— Это Ареле, сын реб Менахем-Мендла Грейдингера.

— Ареле, — повторила Шоша, и это был ее голос, хотя и не совсем тот же.

— Положи сахар и сними жакетку, — сказала Бася.

Шоша положила кулек на стол и сняла свою кацавейку. Фигура девочки, лишь слегка обозначались груди. Юбка была ей коротка, и при свете газовой лампы невозможно было определить, какого она цвета: то ли серая, то ли голубая. В таком виде во время войны возвращали одежду после дезинфекции: застиранную, блеклую, сморщенную, будто ее жевали. В Варшаве все женщины носили тонкие чулки «паутинка», а на Шоше были простые бумажные чулки в резинку.

Бася принялась рассказывать:

— Война и нужда доконали нас. Ипе умерла вскорости после того, как вы уехали в деревню. Она простудилась, у нее был жар, и она лежала в постели. Кто-то донес, тогда приехала карета скорой помощи и увезла ее в госпиталь. Восемь дней ее трепала лихорадка. Нас к ней не пускали. В последний раз, когда я пришла к госпиталю, привратник сказал мне: «Bardzo kiepsko»*, и я поняла, что она умерла. Зелига не было тогда в Варшаве. Он не приехал даже на похороны дочери. Только через четыре года удалось поставить камень на могилу Ипе. А Тайбеле выросла, храни ее Господь! Она умница, хорошенькая, об-

---

* «Плохо дело» (*польск.*).

разованная — чего еще желать? И ходила в гимназию. Теперь работает бухгалтером на матрацной фабрике. У них там оптовая торговля. По четвергам она подсчитывает, сколько должен получить каждый, и отдает списки кассиру. Если она не подпишет, никому не заплатят. Молодые люди бегают за ней, но она говорит: «У меня еще есть время». Тайбл не живет с нами, только приходит на субботу и праздники. Она снимает квартиру вместе со своей подругой на Гжибовской. Если людям сказать, что живешь на Крохмальной, никто не возьмет замуж. Шоша дома живет, сам видишь. Ареле, и вы, милая пани, снимайте пальто. Шоша, что ты стоишь как чурка! Пани приехала из Америки.

— Из Америки, — повторила Шоша.

— Присаживайтесь. Сейчас будем чай пить. Может, поужинаете?

— Благодарю вас, мы не голодны, — сказала Бетти и подмигнула мне.

— Ареле, твои родители так и живут в местечке?

— Отец недолго прожил.

— Он был необыкновенный человек, прямо святой. Я, бывало, приходила к нему за советом. Он никогда не смотрел на женщин. Только я входила, он отворачивался. Всегда за книгой. Такие огромные книги, прямо как в синагоге. Отчего он умер? Теперь уже нет таких евреев. Даже хасиды теперь одеваются как поляки — короткий пиджак, лакированные ботинки. А как мать? Еще жива?

— Да.

— А твой брат, Мойше?

— Мойше теперь раввин.

— Мойше — раввин?! Ты слышишь, Шоша? Он был такой крошка! Еще не ходил в хедер.

— Нет, он ходил в хедер, — возразила Шоша. — Здесь, во дворе, к сумасшедшему меламеду.

— Ох! Годы идут. И где же он теперь раввин?

— В Галиции.

— В Галиции? А где это? Это ужасная даль, — сказала Бася. — Когда мы жили в доме номер десять, Варшава была в России. Везде были русские вывески. Потом пришли немцы, и с ними голод. Потом поляки шумели: «Nasza polska!» Многие наши парни пошли в армию к Пилсудскому, и их убили. Пилсудский дошел до самого Киева. Потом их отбросили к Висле. Люди думали, что придут большевики, и среди босяков начались разговоры, что надо перерезать всех богачей и забрать у них деньги. И большевиков прогнали — прогнали оттуда, прогнали отсюда, — а легче жить не стало. Зелиг ушел от нас. Такое здесь было! Я расскажу тебе в другой раз. Люди научились думать только о себе. Перестали заботиться даже о своих близких. Злотый падает, доллар поднимается. Здесь доллары называют «локшен» — «лапша». Все дорожает, дорожает. Шоша, накрывай на стол.

— Скатерть постелить или клеенку?

— Пусть будет клеенка.

Бетти дала понять, что хочет мне что-то сказать! Я наклонился, и она прошептала: «Если хотите, оставайтесь, я уйду одна. Я не смогу здесь есть».

— Башеле, Шоша, — сказал я. — Для меня огромная радость, что я снова вас вижу. Но эта пани должна идти, и я не могу допустить, чтобы она ушла одна. Я потом вернусь. Не сегодня, так завтра.

— Не уходи, — попросила Шоша. — Однажды ты ушел, и я думала, ты никогда не вернешься. Наш сосед, Лейзер его зовут, сказал, что ты в Варшаве, и показал в газете твою фамилию, но там не было адреса. Я думала, ты совсем забыл нас.

— Шоша, не проходило дня, чтобы я не думал про вас.

— Тогда почему же ты не приходил? Что-то ты там написал — про это было в газете. Нет, не в газете, в книжке с зеленой обложкой. Лейзер все читает. Он часовщик. Он приходит к нам и читает. Ты описал Крохмальную в точности.

— Да, Шоша, я ничего не забыл.

— Мы переехали в дом номер семь, и после этого ты ни разу не приходил. Ты стал взрослым и носил тфилин. Я несколько раз видела, как ты шел мимо. Я хотела догнать, но ты шел слишком быстро. Ты стал хасидом и не смотрел на девушек. А я была робкой. Потом сказали нам, что вы уехали. Ипе умерла, и ее похоронили. Я видела, как она лежала мертвая. Она была совсем белая.

— Шоша, уймись. — Мать дернула ее за руку.

— Белая как мел. Я думала о ней всю ночь. Ей сделали саван из моей рубашки. Я заболела и перестала расти. Меня отвели к доктору Кнастеру, и он дал мне лекарство. Но это не помогло. Тайбеле высокая. Она хорошенькая.

— Ты тоже хорошенькая, Шоша.

— Я как карлица.

— Нет, Шоша. У тебя прелестная фигурка.

— Я взрослая, а выгляжу как ребенок. Я не смогла ходить в школу. Учебники были слишком трудные для меня. Когда пришли немцы, стали учить нас по-немецки. Мальчик — это кнабе по-ихнему, и как можно все это запомнить? Нам велели купить немецкие учебники, а у мамеле не было денег. Тогда меня отослали домой.

— Это все оттого, что не хватало еды, — прибавила Бася. — Мы смешивали муку с репой или опилками. На вкус хлеб получался как глина. Той зимой картошка промерзла и была до того сладкая, что есть противно. А мы ее ели три раза в день. Доктор Кнастер сказал, что у Шоши малокровие, и прописал какие-то порошки. Она принимала их по три раза на дню, но когда голодаешь, ничего не поможет. Как Тайбеле выросла и стала такой хорошенькой, это прямо Божье чудо! Когда ты опять придешь?

— Завтра.

— Приходи к обеду. Ты раньше любил лапшу с вареным горохом. Приходи в два. И пани пусть приходит. Шоша, эта пани актриса, — сказала Бася и показала на Бетти. — Где же вы представляете? В театре?

— Я выступала в России, в Америке и надеюсь играть здесь, в Варшаве, — объяснила Бетти. — Все зависит от мистера Грейдингера.

— Он всегда умел писать, — сказала Шоша. — Он купил тетрадку и карандаш и сразу исписал четыре страницы. Он и рисовал тоже. Один раз он нарисовал дом в огне. Огонь вырывался из каждого окна. Он нарисовал дом черным карандашом, а огонь красным. Огонь и дым вырывались из трубы. Помнишь, Ареле?

— Помню. Спокойной ночи. Я приду завтра в два.

— Не уходи от нас опять так надолго, — попросила Шоша.

4

Мне хотелось пройтись, но Бетти взяла дрожки. Она велела извозчику отвезти нас в ресторан на Лешно, где мы были в первый раз вместе с Сэмом Дрейманом и Файтельзоном.

Бетти положила руку на мое плечо:

— Эта девушка ненормальная. Ей место в больнице. Но вы влюблены в нее. Как только вы ее увидали, ваши глаза приняли необычное выражение. Я начинаю думать, что и у вас с мозгами не все в порядкс.

— Может быть, Бетти, может быть.

— Все писатели впечатлительны. Я тоже сумасшедшая. Таковы все таланты. Я читала какую-то книжку про это. Только забыла фамилию автора.

— Ломброзо.

— Да, кажется. А может, книжка была о нем. Но каждый из нас безумен на свой собственный манер, поэтому он в состоянии заметить безумие других. Не связывайте себя с этой девушкой. Если вы пообещаете ей что-нибудь и не сдержите слово, она совсем помешается.

— Знаю.

— Что вы в ней нашли?

— Себя.

— Хорошенькое дело. Вы попадете в сеть, из которой никогда не сможете выбраться. Не думаю, что такая женщина способна жить с мужчиной, и уж конечно у нее не может быть детей.

— Не нужны мне дети.

— Вам не поднять ее. Она потащит вас за собою, вниз. Я уже знаю такой случай — очень интеллигентный человек, инженер, женился на женщине с неустойчивой психикой, да еще и старше него. Она родила ему урода — кусок мяса, который не мог ни жить, ни умереть. Вместо того чтобы сдать его в больницу, они таскались с ним по клиникам, знахарям и тому подобное. В конце концов он умер, но мужчина превратился в совершеннейшую развалину.

— У нас с Шошей не будет такого уродца.

— И вот так всегда. Только со мной начинает происходить что-нибудь интересное, как судьба старается натянуть мне нос.

— Бетти, у вас есть любимый. Он сама доброта, богат как Крез и готов для вас мир перевернуть вверх дном.

— Сама знаю, что у меня есть и чего нет. Надеюсь, это не нарушит наших планов насчет пьесы?

— Это ничего не нарушит.

— Если бы я не видела это собственными глазами, никогда бы не поверила, что такие вещи вообще возможны.

Я откинулся назад и поглядел поверх крыш на варшавское небо. Казалось, город переменился. В воздухе было что-то праздничное и напоминающее Пурим. Мы опять пересекали площадь Железной Брамы. Окна Венского зала были освещены, оттуда слышалась музыка. Кто-то, должно быть, праздновал сегодня свадьбу. Я прикрыл глаза и положил руку на колено Бетти. Запах весны пробивался даже сквозь вонь мусорных телег, увозящих отбросы за город.

Дрожки остановились. Бетти хотела было заплатить, но я не позволил. Помог ей сойти и взял под руку. Конечно, мне следовало гордиться, что я сопровождаю в ресторан такую элегантную леди, но после встречи с Шошей я был в совершенной прострации. В ресторане оркестр играл джазовую музыку и песенки из репертуара варшавских кабаре. Все столики были заняты. Посетители ели цыплят, кур, гусей, индюшек, зарезанных не далее как вчера, в той же резницкой. Стоял запах жареного мяса, чеснока, хрена, пива, сигар. Солидные люди закладывали салфетки за крахмальный воротник. Выпирали животы, лоснились жирные шеи, лысины блестели, как зеркала. Женщины оживленно болтали, смеялись и брали дичь с тарелок прямо руками с наманикюренными ногтями. Их накрашенные губы сдували пену с пивных кружек. Метрдотель предложил нам столик в нише. Здесь хорошо знали Бетти. Сэм Дрейман давал чаевые в долларах. Вышколенные кельнеры привычно лавировали между столиками. Я сел не напротив Бетти, а рядом с ней. В меню были только мясные или рыбные блюда, а я ведь уже дал себе клятву стать вегетарианцем. После некоторого колебания я решил, что с клятвой придется подождать до завтра. Я заказал бульон и мясные кнедли с фарфелем и морковью, но есть не хотелось. Бетти заказала коктейль и бифштекс, утверждая, что это будет что-то особенное. Глядя на меня с любопытством, она потягивала коктейль. Потом заговорила:

— Я не собираюсь задерживаться в этом вонючем мире слишком долго. Сорок лет — это максимум. Ни днем дольше. Да и для чего? Если я смогу играть эти несколько лет так, как хочется мне, прекрасно. Если же нет, конец наступит раньше. Я благодарю Бога за то, что Он дал мне эту возможность — совершить самоубийство.

— Вы доживете до девяноста. Будете второй Сарой Бернар.

— Нет уж. Не хочу я быть никем вторым. Первой или никем. Сэм обещает мне большое наследство, но я уверена, что он переживет меня. Надеюсь на это от всей души. Здесь не умеют смешивать коктейли. Пытаются подражать Америке, но подделка всегда видна. Весь мир хочет подражать Америке, а Америка подделывается под Европу. Зачем это мне понадобилось стать актрисой? Все актеры — обезьяны или попугаи. Я пробовала и стихи писать. Написала целый том — часть порусски, часть на идиш. Никто не захотел читать. В журналах печатают всякую чушь, ведь я читаю журналы и вижу это, а от меня хотят, чтобы я писала, как Пушкин или Есенин. Видели вы когданибудь такой бифштекс? То, что вы сегодня говорили о вегетарианстве, — бессмыслица. Если Бог так устроил мир, значит, на то Его воля.

— Вегетарианцы только протестуют.

— Может ли мыльный пузырь протестовать против моря? Это высокомерие. Если корова позволяет себя доить, ее надо доить. Если она позволяет себя зарезать, значит, ее надо зарезать. Так говорил Дарвин.

— Дарвин этого не говорил.

— Неважно, еще кто-то сказал. Раз Сэм дает мне деньги, я должна их брать. А если он оставляет меня одну, значит, я должна проводить время с кем-нибудь другим.

— Раз ваш отец позволил, чтобы его расстреляли, то...

— Это подло!

— Простите меня.

— Но в основном вы правы. Человек должен быть милосердным к другим людям. Даже животные не истребляют себе подобных.

— В доме моего дяди кошка съела своих собственных котят.

— Кошка делает то, что велит ей природа, а может, это была сумасшедшая кошка. Вы сегодня смотрели на эту чахлую девицу, как кот на канарейку. Вы дадите ей несколько недель счастья, а потом бросите. Я знаю это так же хорошо, как то, что сейчас вечер.

— Все, что я обещал, это прийти завтра к обеду.

— Идите, обедайте и скажите ей, что берете ее замуж. В действительности у вас уже есть жена — та коммунистка, о которой вы говорили. Как ее зовут? Дора, кажется? Вы не верите в брак, поэтому та женщина, с которой вы спите, и есть ваша жена.

— Да, тогда у каждого мужчины дюжина жен, а у каждой женщины — дюжина мужей. Если законы уже ничего не значат, то надо каждому предоставить право на беззаконие.

Музыка умолкла. Мы тоже замолчали. Бетти съела кусочек бифштекса и отставила тарелку.

Метрдотель заметил и подошел узнать, не нужно ли чего принести. Бетти сказала, что не голодна. Она пожаловалась, что блюда слишком острые. Подошел наш кельнер, и они дружно начали ругать повара. Метрдотель сказал:

— Ему придется уйти!

— Не сердитесь на него из-за меня, — сказала Бетти.

— Да не только из-за вас. Ему уж тысячу раз говорили, что не надо класть столько перца. Но это у него как наваждение. Он так любит перец, что скоро останется без работы. Ну не сумасшедший ли?

— Ох, каждый повар полусумасшедший, — сказал наш кельнер.

Оба крутились неподалеку от нашего стола, пока мы ели сладкое. Очевидно, они опасались, что чаевых не будет, но Бетти достала кошелек и дала им по доллару. Оба расшаркались и на мгновение застыли в поклоне. В Варшаве на такие деньги можно было кормить семью в течение целой недели. Содержанка миллионера и должна вести себя так, будто миллионы принадлежат ей.

— Пойдемте же!

— Куда теперь?

— Ко мне.

5

Я пришел домой в восемь утра. По дороге домой в трамвае я глянул в зеркало — бледное лицо, небритый. Пришлось пораньше уйти из отеля, пока горничная не принесла завтрак. Трамвай был битком набит. Рабочие, мужчины и женщины, ехали на работу. У всех свертки с завтраком под мышкой. Рот раздирала зевота. Дождь шел всю ночь, небо плотно заволокли тучи, и было темно, как в сумерки. В трамвае горел свет. Кругом угрюмые, озабоченные лица. Казалось, каждый старается понять, зачем для него начался этот день. И какой смысл во всей этой круговерти? И к чему все это? Я представил себе, что было бы, если б все вдруг сразу поняли свою ошибку и спросили: «Как это мы так промахнулись и не увидели того, что невозможно не увидеть? И неужели поздно исправить это?»

Дверь мне отперла Текла. Ее глаза выражали упрек и, казалось, говорили: «Ну и сумасброд!» Но она только спросила, не буду ли я завтракать. Я поблагодарил и сказал, что буду попозже.

— Вам не повредил бы стакан кофе, — сказала Текла.

— Ну хорошо, дорогая Текла, — ответил я и протянул ей злотый.

— Нет, нет, нет, — запротестовала девушка.

— Возьмите, Текла, вы славная девушка.

— Вы так добры. — И она покраснела.

Открыв дверь в свою комнату, я увидел, что постель уже постелена, занавески задернуты еще со вчерашнего дня. Я растянулся на кровати и попытался успокоиться. Никогда еще ночь не казалась мне такой длинной. Однажды мать рассказала сказку про ешиботника, одержимого нечистой силой, который наклонился над тазом с водой, чтобы помыть руки перед обедом, и за это мгновение прожил семьдесят лет. Нечто подобное случилось и со мной. В течение одного вечера я нашел свою потерянную любовь, стал жертвой соблазна и предал ее. Я украл любовницу у своего благодетеля, лгал ей, рассказами о своих приключениях возбудил в ней страсть, доверил ей такие свои грехи, о которых сам не мог думать без отвращения. Из импотента я вдруг превратился в сексуального маньяка. Мы напились, поссорились, потом целовались, осыпали друг друга оскорблениями. Я действовал как беззастенчивый совратитель и тотчас же страстно каялся. На рассвете какой-то пьяница пытался вломиться к нам в номер, и мы были уверены, что это Сэм Дрейман вернулся, чтобы застать нас врасплох и наказать, даже предать смерти. Я задремал. Текла разбудила меня, принесла кофе, булочки и яичницу. Она не слишком-то обращала внимание на мои приказания. Подобно сестре или матери, она действовала по собственному разумению. Текла смотрела на меня понимающе. Когда она поставила поднос, я обнял ее сзади и поцеловал в затылок. На мгновение Текла замерла.

— Что это вы делаете?

— Давай сюда губы!

— Разве можно?! — Она приблизила свои губы к моим.

Я поцеловал ее долгим поцелуем. Она тоже поцеловала меня и прижалась ко мне всей грудью, не сводя при этом глаз с двери. Девушка рисковала своей репутацией, своим местом. Она тяжело дышала и рвалась из моих рук. Текла сжала мои запястья своими крестьянскими руками и прошипела, как гусыня:

— Хозяйка может войти!

Потащилась к двери, шаркая по полу ногами с широкими лодыжками. Мне припомнилась фраза из книги «Пиркей Авот»: «Один грех влечет за собой другой». Отхлебнув кофе, я откусил кусок булки, попробовал яичницу, скинул ботинки. На столе лежала пьеса, но писать я не мог, — лежал на постели и не мог ни заснуть, ни по-настоящему проснуться. Во всех моих рассказах герой желал только одну женщину, сам же я хотел заполучить весь женский род.

Наконец удалось заснуть. Мне приснилось, что я пишу пьесу. Я ставил кляксы, чернила кончились, бумага рвалась, и я не разбирал собственный почерк. Открыл глаза и взглянул на часы — десять минут второго. И здорово же я проспал. Шоша ждала меня к двум, а еще надо было умыться и побриться. Я решил прийти к Шоше с коробкой конфет. Больше не надо было красть шесть грошей у матери из кошелька, чтобы принести Шоше шоколадку, — в кармане были банкноты, полученные от Сэма Дреймана.

Я все делал второпях. Идти пешком до Крохмальной было слишком долго, и я взял дрожки. Когда я остановился у дома № 7, было уже пять минут третьего. Казалось, я даже ощущаю, как волнуются мать и дочь. Вошел в подворотню, пробежал через двор, едва не угодив в яму, которую вчера вечером, в темноте, благополучно обошел. Открыв дверь, я увидел, что в квартире прибрано, как в праздник. На столе скатерть, фарфор. На Шоше — субботнее платье и туфли на высоких каблуках. Теперь она не была похожа на карлицу, просто девушка маленького роста. И волосы у Шоши были уложены по-другому — в высокую прическу. От этого она тоже казалась выше ростом. Даже Бася принарядилась в мою честь. Я протянул Шоше конфеты, и она подняла на меня глаза, полные смущения и блаженства.

— Ареле, ты настоящий джентльмен, — сказала Бася.

— Мама, могу я открыть это?

— Почему бы и нет?

Я помог ей. В кондитерской я попросил дать мне самые лучшие конфеты. Это оказалась красивая черная коробка с золотыми звездочками. Каждая конфета лежала в чашечке из гофрированной бумаги, в отдельном углублении, и все они были разной формы. На щеках у Шоши появился румянец.

— Мама, ты только посмотри!

— Тебе не следовало так тратиться, — запротестовала Бася.

— Помнишь, Шоша, как я украл у матери из кошелька несколько грошей, чтобы купить тебе шоколадку? И меня выпороли за это!

— Помню, Ареле.

— Не ешь шоколад перед обедом, это перебивает аппетит, — сказала Бася.

— Только одну, мамеле! — умоляла Шоша. Она размышляла, какую конфету выбрать, показывая то на одну, то на другую, но не могла ни на что решиться. И стояла, застыв в нерешительности.

В какой-то книге по психиатрии я вычитал, что неспособность сделать выбор даже в мелочах — симптом психического расстройства. Я выбрал три шоколадки, по одной для каждого из нас. Шоша взяла конфету двумя пальчиками, большим и указательным, отставила мизинчик, как это полагается приличной девушке с Крохмальной улицы, и откусила кусочек.

— Мамеле, ну прямо тает во рту! Так вкусно!

— Ты уже скажешь спасибо, наконец?

— О, Ареле, если бы ты только знал...

— Поцелуй его, — сказала Бася.

— Я стесняюсь.

— Чего же тут стесняться? Ты приличная девушка, храни тебя Господь от злого глаза.

— Тогда не здесь — в другой комнате, — она потянула меня за руку. — Пойдем со мной.

Мы вышли в другую комнату. Там были навалены узлы, мешки, стояла старая мебель, детская железная кроватка с тюфяком, но без простынь. Шоша встала на цыпочки, и я наклонился к ней. Она схватила мое лицо своими детскими ручками, поцеловала в губы, в лоб и нос. У нее были горячие пальцы. Я обнял ее, и мы стояли так, тесно прижавшись друг к другу.

— Шоша, хочешь быть моей? — спросил я.

— Да, — ответила Шоша.

ГЛАВА ПЯТАЯ

1

Было начало лета, месяц май. Сэм Дрейман снял дачу в Швидере, недалеко от Отвоцка. Это был не тот дом, что мы с Бетти смотрели в марте. Сэм нанял кухарку и горничную. Каждое утро перед завтраком Сэм ходил купаться на Швидерек, вставал под каскад, и струя воды обрушивалась на его круглые плечи, грудь, покрытую белесыми волосами, на большой живот. Он постанывал от удовольствия, захлебывался, фыркал, подвывал от счастья, наслаждался холодным душем. Бетти шла на пляж и читала, сидя на складном стульчике. Как и я, Бетти не занималась спортом. Она не умела плавать. На солнце ее кожа обгорала и покрывалась волдырями. Мне отвели комнату в мезонине, и я несколько раз приезжал сюда на субботу и воскресенье. Но потом я перестал бывать здесь. В доме постоянно толклись посетители из Варшавы или из Америки, приезжали гости и из американского консульства. В большинстве своем они говорили по-английски. Если Сэм знал, что я собираюсь приехать, он приглашал актеров, которые, как предполагалось, будут заняты в нашей пьесе. Они постоянно приставали, чтобы я прочел отрывки из нее. Все они были уже немолоды, но одевались как молодые: на мужчинах — тесные шорты, на женщинах с широкими бедрами — яркие брюки. Они все время хвалили меня, а я приходил в раздражение от незаслуженных комплиментов. К тому же я уже заплатил за комнату на Лешно за два месяца вперед и не мог допустить, что она пустовала. Да еще в каждый мой приезд Сэм без конца сетовал, что я не купаюсь в речке. А я стеснялся раздеваться перед чужими людьми. Для меня было невозможно освободиться от представлений, унаследованных от многих поколений предков: тело — сосуд греха, грязь при жизни и прах после смерти.

Но не только это удерживало меня в Варшаве. Каждый день я ходил к Шоше. Я установил для себя режим дня и безнадежно пытался следовать своей программе: встать в восемь, умыться, с девяти до часу сидеть за столом и работать над пьесой. Но вдруг я принялся за рассказ, который и начинать-то не следовало. К тому же в эти утренние часы меня постоянно отрывали от работы. Ежедневно звонил Файтельзон. Он уже был готов к первому «странствованию души», и оно должно быть состояться на даче у Сэма Дреймана. Он собирался также прочитать там доклад в защиту своей теории о том, что ревность почти исчезла во взаимоотношениях полов, а на смену ей приходит желание разделить чувственные наслаждения с другими. Каждый день звонила из Юзефова Селия. Она неизменно спрашивала: «Что вы сидите там, в этой жаре? Почему не наслаждаетесь свежим воздухом?» И она, и Геймл, оба расписывали мне, какой целительный воздух в Юзефове, какие прохладные ночи, как там распевают птицы. Оба умоляли меня приехать к ним. В качестве последнего довода Селия говорила: «Надо же урвать хоть немного покоя, прежде чем разразится новая мировая война».

Конечно, все они были правы, и я обещал им, как Сэму и Бетти, что приеду сегодня или в крайнем случае завтра, но неизменно в половине второго я шел на Крохмальную — проходил через подворотню, входил во двор дома № 7 и сразу видел Шошу, которая стояла у окна и глядела на меня — светловолосая, голубоглазая, с косичками, маленьким носиком, тонкими губками, стройной шейкой — стоит у окна и ждет меня. Она улыбалась, и в улыбке были видны ее ровные белые зубы. Она говорила на идиш — на еврейском языке Крохмальной улицы. На свой собственный манер она отвергала смерть. Хотя многие на Крохмальной улице давно уже умерли, в сознании Шоши Зелда и Эля еще держали бакалейную лавочку, Давид и Миреле торговали маслом, молоком, сметаной и домашним сыром, а у Эстер была ее цукерня, где продавались шоколадки — «леках», содовая вода и мороженое. Каждый день Шоша чем-нибудь удивляла меня. Она сохранила старые учебники со стихами и картинками, старый блокнот, с которого началась моя литературная карьера, мои рисунки. С тех самых пор, когда я рисовал все это, я не стал рисовать лучше.

Мне постоянно не давали покоя вопросы: как это может быть? Как нашла Шоша магическое средство остановить время? Что это — тайна любви или следствие замедленного развития? Как ни странно, Бася тоже не выказывала никакого удивления при моих посещениях. Просто я уже вернулся, вот и все. Я дал Басе немного денег (ведь я обедал здесь каждый день), и теперь, когда я приходил, в два часа или чуть позже, в доме пахло молодой картошкой, грибами, помидорами, цветной капустой. Бася накрывала на стол, мы втроем садились и обедали, будто никогда и не разлучались.

Бася готовила так же вкусно, как и во времена моего детства. Никто не мог придать борщу такой кисло-сладкий вкус, как Бася. Она любила добавлять специи в еду. Никто не мог так приготовить капусту с изюмом и татарский соус. В ее кухонных шкафчиках были баночки с гвоздикой, шафраном, толченым миндалем, корицей, имбирем.

Бася все принимала с невозмутимым спокойствием. Когда она узнала, что я стал вегетарианцем, то не задала ни одного вопроса, а просто стала готовить мне на обед яйца, овощи, фрукты. Шоша доставала из-за ширмы свои старые игрушки и выкладывала их передо мной, как двадцать лет назад. За обедом Бася и Шоша разговаривали со мной обо всех своих делах. Камень на могиле Ипе наклонился, и теперь его подпирал другой. Басе хотелось поправить памятник, но кладбищенский сторож запросил пятьдесят злотых. У часовщика Лейзера есть часы с кукушкой, которая выскакивает каждые полчаса, поет, как канарейка. Еще у него есть ручка, которая пишет, даже если ее не обмакивать в чернильницу, а еще линза, и с ее помощью можно зажечь папиросу прямо от солнца. Дочка меховщика влюбилась в сына владельца притона в доме № 6, где бывала всякая шпана. Мать не хочет идти на свадьбу, но раввин Иося, который теперь вместо моего отца, сказал, что это грех. У дома № 8 рыли канаву и откопали русского сапера с саблей и револьвером. Мундир остался в целости, и на нем медали. Когда я расспрашивал про кого-нибудь с Крохмальной улицы, Бася все знала об этом человеке. Многие умерли. Из тех, кто остался в живых, одни уехали в провинцию, другие — в Америку. На улице умер какой-то нищий, и на нем нашли мешочек с золотыми русскими рублями. К проститутке ходил мужчина из Кракова. Он заплатил злотый и пошел к ней домой, в подвальную комнатенку. На следующий день он пришел снова, и так день за днем. Он влюбился в нее, развелся с женой и женился на этой женщине.

Шоша молча слушала. Вдруг она выпалила:

— Она живет в доме девять. Теперь она порядочная женщина.

Я взглянул на нее, и она покраснела. Оказывается, Шоша понимает и такое.

— Скажи, Шоша, — спросил я, — кто-нибудь сватался к тебе?

Шоша отложила ложку.

— У лудильщика из пятого дома умерла жена, и сват пришел посмотреть меня.

Бася покачала головой.

— Почему бы тебе не рассказать ему про приказчика из магазина?

— Что еще за приказчик? — спросил я.

— О, он работает в магазине на Медовой. Коротышка, весь зарос черными волосами. Мне он не понравился.

— Почему?

— У него зуб гнилой. А смеется он так: «Эх-хе-хе! Хи-хи-хи!» — передразнила Шоша и рассмеялась сама. Потом посерьезнела и сказала: — Я не могу выйти замуж без любви.

2

Нет, Шоша не была ребенком. Я целовал ее, когда мать уходила за покупками, и она целовала меня тоже. Лицо ее пылало. Я сажал ее на колени, она целовала меня в губы и играла моими волосами.

— Ареле, — сказала Шоша, — я тебя никогда не забывала. Мать смеялась надо мной: «Он даже не знает, есть ли ты на свете. Уж наверно у него есть невеста или даже жена и дети». Ипе умерла. Тайбеле стала ходить в школу. Ударили морозы, но Тайбеле поднималась рано, умывалась, складывала книжки в сумку. Училась она хорошо. Мама была ласкова со мной, но мне она не покупала ни ботинок, ни одежды. Когда она сердилась, то говорила: «Жалко, Бог не прибрал тебя вместо Ипе». Не говори ей, не то она убьет меня. В войну мама начала торговать посудой — продавала стаканы, блюдца, пепельницы и всякое такое. У нее было место между Первым и Вторым рынками. Сидела она там целый день и почти ничего не зарабатывала, может несколько пфеннигов или марку. Я оставалась одна. Все думают, будто я ребенок, потому что я не расту, но я все понимала. У отца появилась другая. Он жил с ней на Низкой. Отец приходит к нам, наверно, раз в три месяца. Он придет, принесет немного денег и сразу начинает браниться. Он ходит к Тайбеле — туда, где она живет. Он говорит: «Вот она — моя дочь». Иногда он присылает деньги через нее.

— А что делает отец? Как он зарабатывает деньги?

У Шоши на лице появилось таинственное выражение.

— Про это нельзя говорить.

— Мне ты можешь сказать.

— Я не могу сказать никому.

— Шоша, клянусь Богом, ни одна душа не узнает.

Шоша села на табурет около меня и сжала мою руку.

— Он зарабатывает деньги на смерти.

— В погребальном братстве?

— Да, там. Сначала он работал в винной лавке. Когда хозяин умер, сыновья выгнали его. На Гжибовской есть погребальное братство «Истинное милосердие», там хоронят мертвых. Тот хозяин ходил с папой в хедер.

— Отец ездит на лошади?

— Нет, на автомобиле. Это такой автомобиль, что, если кто-нибудь умирает в Мокотове или в Шмулевизне, папа едет и привозит его в Варшаву. У него седая борода, но он красит ее — и она опять черная. Эта его полюбовница, как ее тут называют, тоже в этом братстве. Поклянись, что никому не скажешь.

— Шошеле, кому я могу сказать? Кто из моих друзей знает тебя?

— Мамеле думает, что никто не знает, но тут знают все. А еще сколько забот с сушкой белья на чердаке. Если повесишь сушить на дворе, обязательно украдут. Приходит полицейский и дает квитанцию. В какое время ни повесишь, всегда будет скандал. Женщины клянут друг друга и даже дерутся. Тесно здесь. Какая-то женщина срезала веревку с бельем, и все рубашки упали. А другая укусила ее, и она побежала жаловаться полицейскому. Ой, здесь бывает такое, что невозможно удержаться от смеха. Одна женщина невзлюбила маму и закричала на нее: «Ступай к мертвецам вместе с его полюбовницей, и чтоб вы все там сгнили!» Когда мама пришла домой, у нее начались судороги. Прямо ужас что было. Пришлось позвать цирюльника и отворить кровь. Если мамеле узнает, что я тебе все это рассказываю, она будет бранить меня.

— Шоша, я никому не скажу.

— Почему он ушел от мамеле? Я видела ее один раз, эту женщину. Она говорит как мужчина. Была зима, и мама заболела. Мы остались без гроша! Ты правда хочешь слушать?

— Да, конечно.

— Позвали доктора, но на лекарства не было денег. Ни на что не было. Тогда еще был жив Ехиел Натан, хозяин бакалейной лавки в тринадцатом доме. Ты-то помнишь его? Мы, бывало, все у него покупали.

— Думаю, да. Он молился в Новогрудской синагоге.

— О, все-то ты помнишь! Как хорошо с тобой разговаривать, ведь другие не помнят ничего. Мы всегда должали им, и когда мама послала меня как-то купить хлеба, его жена посмотрела в свою книгу и сказала: «Уже хватит кредита».

Я пришла домой и рассказала маме, а она заплакала. Потом она заснула, и я не знала, что мне делать. Я знала, что это погребальное братство на Гжибовской, и подумала, может, отец там. Там окна белые как молоко и черными буквами написано: «Истинное милосердие». Я боялась зайти внутрь — вдруг там лежат мертвые? Я ужасная трусиха. Ты помнишь, когда умерла Иохевед?

— Да, Шошеле.

— Они жили на нашем этаже, и я боялась проходить ночью мимо их двери. И днем тоже, если в сенях было темно. А по ночам она снилась мне.

— Шошеле, она снится мне с того самого дня.

— И тебе тоже? Она была совсем ребенок. Что с нею было?

— Скарлатина.

— И ты все это знаешь! Если бы ты не уехал, я бы не заболела. Мне не с кем было поговорить. Все смеялись надо мной. Да, белые стекла с черными буквами. Я открыла дверь, и мертвецов там не было. Большая комната, контора называется. Там в стене маленькое окошко, и я увидала, как за ним, в другой комнате, какие-то люди разговаривают и смеются. Старик разносил стаканы с чаем на подносе. Из маленького окошка спросили: «Чего тебе?», и я сказала, кто я и что мама больна. Вышла женщина с желтыми волосами. Лицо и руки у нее были в морщинах. Мужчина сказал ей: «Тебя спрашивает». Она зло поглядела на меня и спросила: «Ты кто?» Я ответила. А она как завопит: «Если еще придешь сюда — кишки вырву, недоросток, уродина ты бескровная!» И еще она сказала грубые слова. О том, что есть у каждой девушки... Ты понимаешь?..

— Да.

— Я хотела убежать, но она достала кошелек и дала мне немного денег. Когда отец узнал про это, он пришел сюда и орал так, что весь двор слышал. Он ухватил меня за косы и таскал по всему дому. И плевал на меня. Он потом, наверно, три года не говорил со мной. Мама тоже сердилась. Все ругали меня. Так шли годы. Ареле, я могу так сидеть с тобой хоть сто лет и рассказывать, рассказывать и никогда не кончу. Здесь, в нашем дворе, хуже, чем было в десятом доме. Там были злые дети, но они не били девочек. Они обзывали меня разными кличками, иногда ставили подножку, и все. Ты помнишь, мы играли в орехи на Пасху?

— Да, Шоша.

— Где была ямка?

— В подворотне.

— Мы играли, и я выиграла все. Я расколола их и почистила, и хотела отдать твои, но ты не взял. Велвл-портной сшил мне платье, и мама заказала пару туфель у Михеля-сапожника. Вдруг вышел благочестивый Ицхокл и как заорет на тебя: «Сын раввина играет с девчонкой! Дрянной мальчишка! Вот сейчас пойду к отцу, и он надерет тебе уши». Ты помнишь?

— Вот это как раз не помню.

— Он погнался за тобой, и ты побежал. В то время отец еще приходил домой каждый день. У нас всегда была маца. После Хануки мама делала куриный смалец, и мы ели так много шкварок, что животы чуть не лопались. Тебе сшили новый лапсердак. Ой, посмотри-ка, до чего я разболталась. В десятом доме не было так плохо.

А здесь один раз хулиганы бросили такой большой камень, что пробили голову девочке. А еще парень затащил девушку в подвал. Она кричала и звала на помощь, но в нашем доме, если кто кричит, и не подумают узнать, что случилось. Мама всегда говорит: «Не связывайся». Здесь если поможешь кому, тебе еще и попадет. Он сделал, ты сам знаешь что, с этой девушкой.

— И его не арестовали?

— Пришел полицейский и записал в книжку, и больше ничего. Это парень — Пейсах его звали — уже убежал. Они убегают, а полицейский забывает, что там написано. Иногда полицейского нарочно посылают в другой дом или на другую улицу. Когда пришли немцы, всех воров и хулиганов посадили в тюрьму. А потом их всех опять выпустили. Думали, будет лучше под поляками, но все они дают взятку, и все. Ты даешь злотый полицейскому, и он стирает все, что записал.

3

Мы вышли пройтись. Шоша взяла меня за руку, ее маленькие пальчики ласково сжимали мою ладонь, каждый на свой собственный манер. Тепло растекалось по телу, по спине ползли мурашки. Я едва удерживался от желания поцеловать ее прямо на улице. Мы останавливались перед каждой лавкой. Ашер-молочник еще был жив. Только поседела его борода. Этот человек каждый день ездил на лошади к железнодорожной станции за бидонами с молоком. Это был славный, отзывчивый человек, добрый друг моего отца. Когда мы уезжали из Варшавы, отец оставался должен ему двадцать пять рублей. Отец зашел попрощаться и извинился за этот долг, но Ашер достал из кошелька еще пятьдесят марок и дал отцу.

Я намеревался сидеть дома и отделывать пьесу. Вместо этого мы с Шошей гуляли. Через темную подворотню мы прошли во двор дома № 12. Мне хотелось разыскать своего однокашника Мотла, сына Бериша. Шоша не знала его — он принадлежал к более позднему периоду моей жизни. Я прошел мимо Радзиминской и Новоминской молелен на этом дворе. Уже читали послеполуденную молитву, Минху. Мне хотелось на минуту оставить Шошу во дворе и заглянуть внутрь: посмотреть, кто из хасидов, кого я знал когда-то, еще жив. Но она боялась остаться одна в чужом дворе. Она еще не забыла старые сказки о сводниках, которые крадут девушек, запихивают в повозку прямо средь бела дня и увозят, чтобы продать в белое рабство в Буэнос-Айрес. Я же не смел привести девушку в хасидскую молельню, когда община молится. Только в праздник Симхес-Тойре девушкам позволялось находиться там во время богослужения, да еще если родственник был при смерти и семья собиралась вместе для молитвы перед кивотом.

Фонарщик ходил от одного столба к другому и зажигал газовые фонари. Бледный желтоватый свет падал на толпу. Люди кричали, толкались, отпихивали друг друга. Громко смеялись девушки. В каждой подворотне уличные проститутки зазывали мужчин.

Я не нашел моего друга Мотла. Поднявшись по темной лестнице, я постучал в дверь. Тут жил отец Мотла со своей второй женой. Никто не отозвался. Шошу пробирала дрожь. Мы стали спускаться. Остановившись на лестничной площадке, я поцеловал Шошу, прижал ее к себе, просунул руку под блузку и дотронулся до ее маленьких грудей. Она затрепетала.

— Нет, нет, нет.

— Шошеле, когда любишь, это можно.

— Да, но...

— Я хочу, чтоб ты была моей!

— Это правда?

— Я люблю тебя.

— Я такая маленькая. И не умею писать.

— Не нужно мне твоего писания.

— Ареле, люди будут смеяться над тобой.

— Я тосковал по тебе все эти долгие годы.

— О, Ареле, это правда?

— Да. Когда я увидал тебя, то понял, что по-настоящему никого не любил до сих пор.

— А у тебя было много девушек?

— Не очень, но с некоторыми я спал.

Казалось, Шоша обдумывает это.

— А с этой актрисой из Америки у тебя что-нибудь было?

— Да.

— Когда? До того, как ты пришел ко мне?

Мне следовало сказать «да». Вместо этого я услышал, как я говорю: «Я спал с ней той ночью, после нашей встречи». Я тут же пожалел о своих словах, но признаваться и хвастаться вошло у меня в привычку. Быть может, я научился этому у Файтельзона или в Писательском клубе. Я теряю ее, подумал я. Шоша попыталась отодвинуться от меня, но я держал ее крепко. Я чувствовал себя как игрок, который поставил все, что имеет, и ему уже нечего терять. Было слышно, как стучит в груди у Шоши сердечко.

— Зачем ты сделал это? Ты ее любишь?

— Нет, Шошеле. Я могу делать это и без любви.

— Это *те* так делают. Ты знаешь кто.

— Шлюхи и коты. Все к этому идет, но я еще способен любить тебя.

— А другие у тебя были?

— Случалось. Не хочу тебе лгать.

— Нет, Ареле. Тебе не нужно обманывать меня. Я люблю тебя, какой ты есть. Только не говори мамеле. Она подымет шум и все испортит.

Я ожидал, что Шоша будет расспрашивать о подробностях моей связи с Бетти, и был готов рассказать ей все. Не собирался я скрывать, что спал и с Теклой, хотя у нее жених в армии и я пишу ему письма под ее диктовку. Но Шоша, видимо, уже позабыла, что я ей рассказал, или просто перестала думать об этом, считая это маловажным. Может быть, у нее прирожденный инстинкт соучастия, о котором говорил Файтельзон? Мы отправились дальше и вышли на Мировскую. Овощные лавки уже закрылись, на тротуарах валялись пучки соломы, обломки деревянных ящиков, клочки папиросной бумаги, в которую обычно заворачивают апельсины. Рабочие поливали из шланга кафельные плиты. Торговцы и покупатели уже почти разошлись, но было слышно, как они пререкаются напоследок. В мое время здесь в огромных чанах держали некошерную рыбу, без чешуи и плавников. Здесь же продавали раков и лягушек, которых едят гои. Резкий электрический свет освещал рынок даже ночью. Обняв Шошу за плечи, я увлек ее в нишу:

— Шошеле, хочешь быть моей?

— О, Ареле, ты еще спрашиваешь!

— Ты будешь спать со мной?

— С тобой — да.

— Тебя целовали когда-нибудь?

— Никогда. Один нахал попытался на улице, но я убежала от него. Он бросил в меня полено.

Неожиданно мне захотелось порисоваться перед Шошей, пустить пыль в глаза, потратить на нее деньги.

— Шоша, ты только что говорила, что сделаешь все, что я ни попрошу.

— Да. Сделаю.

— Я повезу тебя в Саксонский сад. Мне хочется прокатить тебя на дрожках.

— Саксонский сад? Но туда евреев не пускают.

Я понял, о чем она говорит — когда здесь была Россия, городовой у ворот не впускал в сад евреев в длинных лапсердаках и евреек в париках и чепцах. Но поляки отменили этот запрет. К тому же на мне было европейское платье. Я уверил Шошу, что нам можно ходить везде, где только захотим.

— Но зачем брать дрожки? — возразила Шоша. — Мы можем поехать на одиннадцатом номере. Ты знаешь, что это такое?

— Знаю. Идти пешком.

— Стыдно попусту тратить деньги. Мамеле говорит: «Дорог каждый грош». Ты потратишь злотый на дрожки, а сколько мы покатаемся? Может быть, полчаса. Но если у тебя куча денег, тогда другое дело.

— Ты когда-нибудь каталась на дрожках?

— Ни разу.

— Сегодня ты поедешь на дрожках со мной. У меня полные карманы денег. Я тебе говорил, что пишу пьесу — пьесу для театра, и мне уже дали три сотни долларов. Я потратил сотню и еще двадцать, но сто восемьдесят у меня осталось. А доллар — это девять злотых.

— Не говори так громко. Тебя могут ограбить. Раз пытались ограбить какого-то деревенского, он стал отбиваться, и ему всадили нож в спину.

Мы прошли по Мировской как раз до Железной Брамы. С одной стороны здесь находился Первый рынок, а с другой — длинный ряд низеньких будочек, где холодные сапожники продавали башмаки, туфли, даже обувь на высоких каблуках, протезы для одноногих. Все они были заперты на ночь.

— Мама правду говорит, — сказала Шоша. — Это Бог послал мне тебя. Я уже рассказывала тебе про Лейзера-часовщика. Мама хотела устроить, чтобы он посватал меня, только я сказала: «Я останусь одна». Он лучший часовщик в Варшаве. Ты можешь принести ему сломанные часы, и он их так починит, что они будут сто лет ходить. Он увидал твое имя в газете и пришел к нам: «Шоша, привет тебе от твоего суженого!» — сказал Лейзер. Так он тебя называет. И когда он сказал так, я поняла, что ты должен прийти ко мне. Он говорит, что знал твоего отца.

— Он в тебя влюблен?

— Влюблен? Не знаю. Ему пятьдесят лет или даже больше.

Подъехали дрожки, я остановил их.

Шоша затряслась:

— Ареле, что ты делаешь? Мама...

— Забирайся! — И я помог ей взобраться, потом сел сам.

Извозчик в клеенчатой кепке, с железной бляхой на спине, обернулся: «Куда?»

— Уяздов бульвар. Аллеи Уяздовски.

— Тогда за двойную плату.

Сначала проехали через Желязну Браму. При каждом повороте Шоша валилась на меня:

— Ой, у меня кружится голова.

— Не бойся, я доставлю тебя до дому.

— Улица совсем по-другому выглядит, если отсюда смотреть. Я прямо как царица. Когда мама узнает, она скажет, что ты соришь деньгами. Вот я сижу с тобой в дрожках, и это, наверно, мне снится.

— И мне тоже.

— Сколько трамваев! И как тут светло. Как днем. Мы поедем на модные улицы?

— Можно их и так назвать.

— Ареле, после того случая, когда я ходила в погребальное братство, я никуда не уходила с Крохмальной. Тайбл везде ходит. Она ездит в Фаленицу, в Михалин, где только она ни была. Ареле, куда ты везешь меня?

— В дремучий лес, где черти варят маленьких детей в больших котлах и голые ведьмы с огромными грудями едят их с горчицей.

— Ты шутишь, Ареле?

— Да, моя милая.

— О, никто не знает, что может случиться. Мама всегда твердила мне: «Тебя никто не возьмет, кроме Ангела Смерти». И я тоже думала, что меня скоро положат рядом с Ипе. И вот я прихожу домой с фунтиком сахару, а там — ты. Ареле, что это?

— Ресторан.

— Погляди, как много огней.

— Это модный ресторан.

— Ой, видишь, куклы в витрине. Как живые! Какая эта улица?

— Новый Свят.

— Так много деревьев — здесь прямо парк. И дамы в шляпах, все такие стройные! Какой чудный запах! Что это?

— Сирень.

— Ареле, я хочу что-то спросить, только не сердись.

— Спрашивай.

— Ты правда любишь меня?

— Да, Шоша. Очень.

— Почему?

— Тут не может быть никаких почему. Как и потому.

— Я так долго жила без тебя. И жила себе. Но если ты теперь уйдешь и не вернешься, я умру тысячу раз подряд.

— Я никогда больше не оставлю тебя. Никогда.

— Правда? Лейзер-часовщик говорит, что все писатели не видят дальше кончиков своих ботинок. Лейзер не верит в Бога. Он говорит, что все происходит само по себе. Как это может быть?

— Бог есть.

— Погляди-ка, небо красное, будто там пожар. А кто живет в этих красивых домах?

— Богачи.

— Евреи или нет?

— Большей частью не евреи.

— Ареле, отвези меня домой. Я боюсь.

— Нечего тебе бояться. Если все идет к тому, что придется умереть, так умрем вместе, — вдруг проговорил я, сам изумленный этими словами.

— А разве позволено мальчику и девочке лежать в одной могиле?

Я ничего не ответил. Шоша склонила голову мне на плечо.

4

Дрожки подвезли нас к дому № 7, и оттуда я хотел идти прямо к себе на Лешно, но Шоша повисла на моей руке. Ей было страшно в темноте идти через подворотню, пересекать неосвещенный двор, подниматься по темной лестнице. Ворота были заперты, пришлось подождать, пока дворник придет и откроет. Во дворе мы столкнулись с низеньким, маленьким человечком. Это и был Лейзер-часовщик. Шоша спросила его, что он тут делает так поздно, и Лейзер ответил, что гуляет. Шоша меня представила:

— Это Ареле.

— Знаю. Догадался. Добрый вечер. Я читаю все, что вы пишете. Включая и переводы.

Я не мог рассмотреть его как следует, а при тусклом свете окон видел только бледное лицо с огромными черными глазами. На нем не было ни пиджака, ни шляпы. Говорил он негромко.

— Пан Грейдингер, — сказал он, — или мне можно называть вас товарищ Грейдингер? Это не значит, что я — социалист, но, как сказано где-то, все евреи — товарищи. Я знаю вашу Шошу с тех самых пор, как они сюда перебрались. Я заходил к Басе еще в те времена, когда муж ее был приличный человек. Не хочу задерживать вас, но я про вас слышу с того самого дня, как мы познакомились с Шошей, и она не переставая говорит про вас. Ареле то и Ареле это. Я знавал вашего отца, да почиет он в мире. Однажды я даже был у вас. Это была Дин-Тора* — я должен был дать показания. Несколько лет назад, увидев ваше имя в журнале, я написал письмо на адрес редакции, но ответа не получил. Почему в этих редакциях вообще не отвечают? Разве я знаю? То же самое и в издательстве. Раз мы с Шошей пошли было вас искать. Но, так или иначе, вы объявились, и я услыхал, что Ромео и Джульетта нашли друг друга. Есть любовь, да. Есть еще. В этом мире это все. В природе всему есть место. А если вам требуется безумие, то уж в этом нет недостатка. Что вы скажете об этой всемирной свистопляске? Я говорю про Гитлера и Сталина.

— Что тут скажешь? Человек не хочет мира.

— Как вы сказали? Я хочу мира. И Шоша хочет. И еще миллионы. Готов поспорить, большинство людей не хочет войны и не хочет революции. Они хотят прожить жизнь как умеют. Лучше ли, хуже ли, во дворцах, в подвалах ли, они хотят иметь кусок хлеба и крышу над головой. Разве не так, Шоша?

— Да. Так.

— Плохо то, что мирные люди пассивны, а сила у других, у злодеев. Если порядочные люди раз и навсегда решат взять власть в свои руки, может быть, наступит мир?

— Никогда они не решат так и никогда не станут у власти. Власть и пассивность несовместимы.

— Вы так думаете?

— Это опыт поколений.

---

* Дин-Тора — раввинский суд.

— Тогда дело плохо.

— Да, реб Лейзер, хорошего мало.

— А что будет с нами, евреями? Подули злые ветры. Ладно, я вас не задерживаю. Сидишь день-деньской дома и перед сном хочется немного прогуляться. Прямо здесь, во дворе, от ворот до помойки и обратно. Что можно сделать? Может, где-то есть лучший мир? Доброй ночи. Для меня большая честь познакомиться с вами. Я еще питаю уважение к печатному слову.

— Спокойной ночи. Надеюсь, еще увидимся, — сказал я.

Только теперь до меня дошло, что Бася все это время стоит у окна и глядит на нас. Она, конечно, беспокоится. Надо бы зайти на минуту. Бася открыла дверь и, пока мы подымались по ступенькам, причитала:

— И где же это вы были? Почему так поздно? Чего-чего я только не передумала!

— Мамеле, мы катались на дрожках.

— На дрожках? Зачем это еще? И что это вам вздумалось? Нет, как вам это нравится?

Шоша принялась рассказывать матери про наше приключение — проехали по бульварам, были в кондитерской, пили лимонад.

Бася нахмурила брови и укоризненно покачала головой:

— Чтоб я так жила, как я понимаю, зачем надо транжирить деньги. Если бы я знала, что вы собираетесь гулять по *этим* улицам, то погладила бы тебе белое платье. В наши дни нельзя быть спокойным за свою жизнь. Я зашла к соседям, и мы слушали по радио речь этого сумасшедшего Гитлера. Он так вопил, что впору оглохнуть. Вы ведь даже не ужинали. Сейчас я соберу на стол.

— Бася, я не голоден. Пойду домой.

— Что? Сейчас? Ты что, не знаешь, что уже почти полночь? Куда это ты пойдешь в такую темень? Переночуешь здесь. Я постелю тебе в алькове. Но вы же ничего не ели!

Тотчас же Башеле развела огонь, насыпала муки в кастрюлю. Шоша повела меня в альков и показала железную койку, на которой спала Тайбеле, если оставалась на ночь. Она зажгла газовую лампочку. Тут хранилась одежда, лежали стопки белья — среди груды корзин и ящиков, оставшихся с того времени, когда Зелиг еще был бродячим торговцем.

— Ареле, — сказала Шоша, — я рада, что ты остался ночевать здесь. Мне хорошо с тобою всегда — мне нравится есть вместе с тобой, пить с тобой, гулять с тобой. Я всегда буду помнить этот день — до тех пор, пока мне на глаза не положат пятаки, — дрожки, кондитерскую, все-все. Мне хочется целовать тебе ноги.

— Шоша, что с тобою?

— Позволь мне! — Она упала на колени и стала целовать мои ботинки. Я сопротивлялся, пытался поднять ее, но она продолжала: «Позволь мне! Позволь!»

5

Хотя я давно отвык спать на соломенном тюфяке, в алькове я сразу же крепко заснул. Вдруг в испуге открыл глаза. Белый призрак стоял у кровати, наклонившись и касаясь пальцами моего лица.

— Кто это? — спросил я.

— Это я, Шоша.

Мне не сразу удалось понять, где я нахожусь. Неужели Шоша пришла к моему ложу, как Руфь к Воозу?

— Шоша, что случилось?

— Ареле, я боюсь. — Шоша говорила дрожащим голосом, как ребенок, готовый разрыдаться.

Я сел на постели:

— Чего же ты боишься?

— Ареле, не сердись. Мне не хотелось будить тебя, но я уже три часа не могу заснуть. Можно я присяду на кровать?

— Да, да!

— Я лежу в кровати, а в мозгах будто мельница вертится. Хотела разбудить маму, но она стала бы ругать меня. Она занята по дому целый день и ночью спит как убитая.

— О чем же ты думала?

— О тебе. Ужасные мысли приходят мне в голову — будто это не ты, а ты настоящий уже умер, а ты только притворяешься, что ты Ареле. Черт кричал мне в самое ухо: «Он умер! Умер!» Он устроил такой трам-тарарам, что весь двор мог бы слышать и все бранили бы меня за это. Я хотела прочесть «Шема»*, но он шипел мне прямо в ухо и подсказывал нехорошие слова.

— Что же он говорил тебе?

— Ой, мне стыдно повторять.

— Скажи мне.

— Он сказал, что Бог — это трубочист и что, когда мы поженимся, я буду мочиться в постель. Он бодал меня рогами. Срывал с меня одеяло и мучил меня ты сам знаешь где.

---

* Ежедневная молитва: «Слушай, Израиль!..»

— Шошеле, это все нервы. Когда мы будем вместе, я поведу тебя к доктору, и ты выздоровеешь.

— Можно я посижу еще немножко?

— Конечно, но если твоя мать проснется, она подумает, что...

— Она не проснется. Когда я закрываю глаза, приходит мертвец. Мертвая женщина дерет мне волосы. Я уже вполне взрослая, чтобы быть матерью, а у меня еще не установился период. Несколько раз я начинала кровить, мать давала мне вату и тряпки, но все прекращалось. Мама посоветовалась об этом со знакомой женщиной — торговкой, она продает сорочки, платки, брюки, и та женщина всем рассказала, что я больше не девушка, что я беременна. Мать таскала меня за волосы и обзывала по-всякому. Во дворе мальчишки кидались камнями. Это было раньше, не сейчас. Когда отец услыхал, что случилось, он дал десять злотых, чтобы повести меня к женскому доктору, а тот сказал, что все это неправда. К нам зашла соседка, посоветовала отвести меня к раввину и получить от него бумагу, что я «мукасеш». Это значит, девушка потеряла невинность без мужчины, случайно. Отца не было в Варшаве. Мы пошли к раввину на Смочу. Раввин велел пойти в микву и там провериться. Я не хотела идти, но мать потащила меня. Банщица раздела меня догола, и я должна была показать ей все-все. Она трогала меня и щупала внутри. Я чуть не умерла от стыда. И потом она сказала, что я — кошер. Раввин спросил тридцать злотых за свидетельство, у нас столько не было, и пришлось уйти. А теперь я боюсь, что кто-нибудь придет и наговорит тебе плохого про меня.

— Шошеле, никто не придет, и никого я не буду слушать. Знаю, есть еще фанатики в Варшаве.

— Ареле, странные вещи приходят мне в голову — то одно, то другое. До трех лет я мочилась в постель. Иногда даже теперь я просыпаюсь посреди ночи. В комнате холодно, я мокрая от пота. И простыня мокрая. Никогда я не пью перед сном, но, когда просыпаюсь, мне очень нужно, и, пока добегу до горшка, я уже делаю на пол. А днем тоже — выхожу из дома на двор, а там темно, и бегают крысы, огромные, как кошки. Я не могу сидеть низко. Раз крыса укусила меня. Двери не запираются: где есть петля — нет крючка, а где есть крючок — нет петли. Грузчики приходят сюда с базара и хулиганы тоже. Как увидят девушку, начинают говорить гадкие слова. У других в квартирах есть уборные. Дергаешь цепочку, и льется вода. Там горит свет и есть туалетная бумага. А здесь ничего нет.

— Шошеле, мы не останемся тут жить. Я хорошо зарабатываю и еще пишу книгу. Есть и пьеса для театра. Если не удастся одно, будет другое. Я заберу тебя отсюда.

— Куда можно взять меня? Другие девушки умеют читать и писать, а я так и не научилась. Помнишь, как меня отослали из школы? Сижу в классе, учительница читает нам что-нибудь, и ничего не остается в голове. Когда меня вызывали к доске, я ничего не знала и начинала плакать. Я вижу всякие смешные рожи.

— Что же ты видишь?

— О, боюсь тебе и рассказать. Женщина расчесывает дочери волосы частым гребешком и мажет керосином от вшей. И вдруг вши ползут отовсюду и клопы. Девочка начинает плакать, потом как закричит, прямо ненормальная. Не помню, была ли то еврейская девушка или шикса*. В одну минуту вошь съела и мать, и дочь, остались одни кости. Когда иду по улице, думаю: вдруг балкон упадет мне на голову? Прохожу мимо полицейского и боюсь: вдруг он скажет, что я украла что-нибудь, и заберет в тюрьму. Ареле, ты, верно, думаешь, что я не в себе.

— Нет, Шошеле, это все нервы.

— Что это — нервы? Объясни.

— Бояться всех несчастий, что иногда случаются или могут случаться с человеком.

— Лейзер читает нам газеты. Каждый день происходит что-нибудь ужасное. Человек переходил улицу и попал под дрожки. Девушка из девятого дома хотела войти в трамвай, пока он не остановился, и ей отрезало ногу. Кровельщик чинил крышу и упал вниз, в канаве было прямо красно от крови. Когда такое у меня в голове, как я могу думать об уроках? Если мать посылает меня купить что-нибудь, я крепко держу деньги в руке. Прихожу в магазин, а денег нет. Как это такое?

— У каждого человека есть внутри кто-то, кто досаждает ему.

— Почему Тайбеле не такая? Ареле, я хочу, чтобы ты знал правду и не думал, что мы морочим тебе голову.

— Шошеле, никто меня не морочит. Я помогу тебе.

— Но как? Если и теперь так плохо, то что же будет, когда придет Гитлер? Ой, мамеле просыпается! — И она убежала. Было слышно, как трещит и рвется ее сорочка, зацепившись за гвоздь.

---

* Шикса — девушка-нееврейка.

ГЛАВА ШЕСТАЯ

1

Ежедневно, нет, ежечасно происходили роковые события, но я привык к этому, такова уж, видно, была моя участь. Так знает преступник, что возмездия не избежать, но, пока его не схватили, продолжает проматывать награбленное. Сэм Дрейман дал мне еще денег, а Бетти перекраивала пьесу, как хотела: вводила новые роли, даже редактировала текст. Я понимал, что страсть к писательству может овладеть каждым, кто способен держать перо. Она вводила еще больше действия в драму, добавляла «лирики», но пьеса все равно разваливалась. Хотя Бетти всячески насмехалась над тем, как говорят на идиш американские евреи, и передразнивала их, мой текст она невольно англизировала. Слепой музыкант теперь рассуждал как злодей из мелодрамы. Фриц Бандер, взятый в труппу на роль богатого хасида, влюбленного в Людомирскую девицу, требовал, чтобы его роль была расширена, и Бетти позволила это, согласившись ввести длинные монологи. А говорил он на неистребимом галицийском жаргоне, смешанном с немецким. Для своей немки, Гретель, которая вообще не говорила на идиш, Фриц

Бандер тоже потребовал роль. Он настаивал на том, что евреи часто держали немецкую прислугу, а с такой ролью Гретель могла бы справиться.

У Бетти теперь было несколько машинописных экземпляров пьесы: для себя, для Сэма Дреймана, для Фрица Бандера, Давида Липмана, для меня и для всех прочих. Каждый вносил поправки, текст перепечатывали снова, еще раз переделывали. Сэм Дрейман арендовал помещение для театра на Смоче. Заказал декорации, хотя еще не было окончательно решено ставить пьесу. Ассоциация еврейских актеров требовала, чтобы дали проходные роли нескольким безработным актерам. Мне пришлось дописать роль служки, сумасшедшего, антихасида, который всячески поносит хасидов. Труппа разбухла так, что содержательные диалоги главных героев уже не были слышны.

Сперва я сопротивлялся. Я правил пьесу после Бетти и Бандера, поправлял грамматику и язык, но скоро понял, что противоречия, нелепости, различия в стиле — все это растет быстрее, чем я в состоянии поправить. Невероятно, но Сэм тоже приложил руку к пьесе. Это напоминало историю, которую в детстве рассказывала мне мать, — об ораве чертенят, которые ворвались в местечко и перевернули все вверх дном: водовоз стал раввином, раввин — банщиком, конокрад — писарем, а писарь — балагулой. Черт стал управлять ешиботом, и в синагоге произносили проповеди, состоящие из проклятий. Вампир прописывал от болезней козьи катышки и шерсть теленка в смеси с лунным соком и спермой каплуна. Козлоногий дьявол с оленьими рогами стал кантором, и в радостный праздник Симхес-Тойре в синагоге раздавались жалобные причитания, как в день Девятого Ава. Такая же чертовщина вполне могла получиться из моей пьесы.

Телефон звонил не переставая. Текла даже и не подходила к телефону — все равно звонили мне. Актеры и актрисы ссорились друг с другом, с Бетти, с Давидом Липманом, а тот, в свою очередь, грозился уйти из труппы. Почти ежедневно выдвигал все новые и новые требования секретарь профсоюза. Актеры жаловались, что американский миллионер обманул их и мало заплатил. Владелец театра вдруг решил, что он заключил невыгодный контракт и ему следует получить больше. По телефону изливал душу Сэм Дрейман. «Если евреи способны на такое, — причитал он, — то Гитлер прав».

Я пытался подбодрить других, но сам был на грани нервного припадка.

Время проходило в суете. Я перестал разговаривать с Шошей и Басей и, когда приходил к обеду, сидел молча. Я даже забывал подносить ложку ко рту, и мне надо было напоминать, что суп простынет. Посреди ночи, после двух-трех часов сна, я просыпался от сердцебиения, весь в испарине. Во сне мои собственные неприятности были перемешаны с мировыми проблемами. Гитлер, Муссолини и Сталин ссорились из-за моей пьесы, и поэтому начиналась война. Шоша пыталась заступиться за меня. Когда я просыпался, эти крики продолжали звучать у меня в ушах. Волосы прилипали ко лбу, тело зудело и чесалось.

Я просыпался с сухостью во рту, коликами в животе, резью в мочевом пузыре. Меня била лихорадка. Я задыхался.

Уже близился рассвет, а я все еще сидел и делал подсчеты. Я взял у Сэма больше денег, чем собирался. Дал Басе еще денег на еду, заплатил вперед за квартиру. Одолжил немного Доре, хотя и знал, что она никогда не вернет.

Этой ночью я уснул в три часа. Без десяти девять меня разбудил телефонный звонок. Текла приотворила дверь: «Это вас».

Звонила Бетти. Она спросила:

— Я тебя не разбудила?

— Да нет.

— Я провела ужасную ночь. Такого и худшему врагу не пожелаю.

— Что случилось?

— О, Сэм изводит меня. Он устраивает безобразные сцены. Он говорит такие чудовищные вещи, что я иногда думаю, что он не в своем уме. Вчера он выпил примерно полбутылки коньяку. Ему нельзя этого делать, у него больное сердце и увеличена простата.

— Чего же он хочет?

— Все расстроить, да и самого себя доконать. Он больше слышать не хочет о пьесе. Каждую секунду у него новая идея. Он устраивает такой тарарам, что слышно на весь отель. Я хочу напомнить тебе, что сегодня репетиция. После сегодняшней ночи мне так же хочется играть, как тебе танцевать на крыше. Но нельзя же допускать, чтобы все и дальше повисло в воздухе. Иногда мне хочется бросить все и удрать куда глаза глядят.

— И тебе тоже?

— Да, и мне. Он вдруг стал жутким ревнивцем. Мне кажется, он знает про нас, — сказала Бетти, понизив голос.

— Что знает?

— Он сейчас слушает. Кладу трубку.

Я стоял около телефона в предчувствии, что сейчас он зазвонит снова. Так и есть. Я поднял трубку и сказал:

— Да, Селия?

Ответа не было, и я было решил, что ошибся, но тотчас же услыхал голос Селии:

— Вы пророк? Или цыган?

— В Гемаре сказано, что после разрушения храма Бог дал силу пророчества безумцам.

— Вот как! Так сказано в Гемаре? Вы сумасшедший, но вы еще и совершаете литературное самоубийство. Я лежу по ночам без сна и тревожусь о вас. Геймл спит как бревно. В ту минуту, как голова его касается подушки, он начинает посвистывать носом, и так до утра. Но я не сплю. Временами мне кажется, что это вы разбудили меня. Слышу, как вы зовете: «Селия!» Это все нервы. Однажды показалось даже, что вы стоите в дверях. Или это было ваше астральное тело? С вами что-то творится. Морис читал пьесу. Сэм дал ему экземпляр. Не хочу повторять, что он сказал. Я слыхала, что это больше не ваша пьеса, все исковеркано. Какой во всем этом смысл?

— Смысл тот, что уже ни в чем не осталось смысла.

2

Войдя в репетиционный зал, я в потемках ударился о кресло, потом споткнулся, но постепенно глаза мои привыкли к темноте. Я сел в первый ряд. Сэм Дрейман сидел сзади. Он ворчал, кашлял, что-то бормотал по-английски. Селия и Геймл тоже пришли. Критиков не приглашали, но я заметил одного среди публики. Театральные критики постоянно поносили еврейский театр, заявляли, что молодые авторы со своими вольностями заполонили сцену и нет места серьезным пьесам. Они надеялись, что моя пьеса провалится. Они начали кампанию против Бетти Слоним. Левые не называли Сэма иначе как «американский олл-райтник» или «золотой телок». Другие указывали, что такой мистической пьесе, где девушка сидит за столом во главе хасидов, читает им Тору и притом одержима сразу двумя диббуками — проститутки и музыканта, не приличествует появляться при обстоятельствах, в которых оказалось польское еврейство. Нужны пьесы, отражающие опасности фашизма и гитлеризма, необходимость борьбы еврейских масс, а не драма, возрождающая средневековые предрассудки.

Неподалеку от меня сидел Давид Липман с женой. Она чистила апельсин и разбирала его на дольки. Из-за сердечной болезни приходилось его постоянно подкармливать. На нем был бархатный пиджак и пестрый галстук. Репетировали не всю пьесу, а лишь отдельные сцены. Фриц Бандер, загримированный под хасида, реб Иезекиеля Прагера, признавался в любви Людомирской девице — Бетти. Сколько раз я говорил Бандеру, чтобы он не кричал, но все было напрасно. В тех местах, где нужно было понизить голос, он рокотал басом, а когда надо было говорить решительно и настойчиво, понижал голос до шепота и глотал слова. Он не знал текста и нес отсебятину, произносил длинные монологи, суетился, искажал цитаты из Гемары и Мидрашей, каббалы. Я надеялся, что Давид Липман будет поправлять его, но тот сидел молча. Липман благоговел перед Бандером, потому что Бандер играл в Берлине. Один только раз Давид Липман сделал несколько замечаний, но и то лишь по мелочам, а не в главном. Бетти тоже не справлялась с текстом. Одни слова она произносила с польским акцентом, другие — с литовским. Когда же она играла одновременно проститутку и слепого музыканта, то выдержка ей изменяла и понять что-либо вообще было невозможно.

Я сидел совершенно подавленный, иногда закрывая глаза, чтобы не видеть своего позора. Вероятно, Бетти замечала все недостатки американского еврейского театра, могла их покритиковать, но избавиться от них она не могла. Мне припомнилось, что говорила моя мать о «словах, что ходят на ходулях». Любопытно, что, когда Бетти говорила со мной, ее идиш звучал четко и плавно. Я смотрел на сцену и понимал, что блистательный провал обеспечен.

Зажгли свет. Ко мне подошел Сэм Дрейман и обиженно сказал:

— Нельзя ставить этот бред.

— Нельзя — значит нельзя.

— Я сижу тут и не могу понять, чего ради они порют эту чушь. А раз я не понимаю, надо думать, и другие не поймут. Я думал, вы напишете пьесу хорошим литературным языком.

— Диббуки не говорят литературным языком.

Подошла Бетти, с ней Фриц Бандер и Гретель.

— Бетти, дорогая, отложим спектакль! — воскликнул Сэм.

— Отложить? До каких же пор?

— Я не знаю. Я желаю тебе успеха и совсем не хочу, чтобы в тебя швыряли гнилой картошкой.

— Не говори так, Сэм.

— Бетти, дорогая, чем скорее ты поймешь свою ошибку, тем лучше. Сорок лет назад в Детройте мы строили дом, и вдруг оказалось, что водопровод и все такое не работает. Я состояние вложил в это дело, но я распорядился, чтобы все сломали и строили заново. Если б я не сделал этого, меня бы отдали под суд. У меня был друг, тоже строитель. Он построил шестиэтажную фабрику. И вот однажды, когда на фабрике было полно рабочих, здание рухнуло. Погибло семьдесят человек. Он умер в тюрьме.

— Да ладно, чего уж там! Я знала! О, я все знала наперед. Злые силы снова против меня. Я больше не актриса. Все кончено. Моя судьба...

— Твоя, твоя судьба, любимая, как солнце на небе! — воскликнул Сэм. — Ты будешь играть в Варшаве, Париже, Лондоне, Нью-Йорке. Имя Бетти Слоним засияет на Бродвее огромными буквами, но только в драме, которую мир захочет смотреть, а не в этом безумном фарсе с умалишенными каббалистами. Мистер Грейдингер, я не хотел бы вас обидеть, но то, что у вас получилось, не годится для публики. Бетти, найдем другую пьесу. Есть же еще писатели в Варшаве.

— Можешь ставить любые пьесы, какие только захочешь, но без меня, — заявила Бетти. — Это была моя последняя карта. С моей удачей все что угодно провалится, будь то даже лучшая пьеса в мире. Это все я виновата! Я! Я!

— И я тоже, — прибавил Сэм. — Когда он принес нам две первые сцены, я прочел и сразу увидел, что это не для нас. Надеялся, что удастся поправить, но, видно, не все возможно. Это как при постройке дома: фундамент — основа всего. Я уволил архитектора и нанял другого. Здесь то же самое.

— Можешь что хочешь делать, но уже без меня.

— С тобой, дорогая, только с тобой!

ГЛАВА СЕДЬМАЯ

1

Мне оставалось только — скрыться от всех и всего, что было связано с моей профессией. Так подсказывала мне моя гордость. Еще оставалась сотня долларов от тех денег, что дал мне Сэм Дрейман, от его третьего аванса. Деньги эти надо было бы вернуть, иначе я выглядел жуликом в собственных глазах. Эта сотня долларов равнялась девятистам злотым. По уговору с хозяином квартиры на Лешно, мне следовало предупредить за месяц, если я соберусь съехать, и я не собирался его обманывать. Подумывал я и о самоубийстве, но и это было невозможно, раз я не мог взять с собой тех, кто надеялся на меня и ждал от меня помощи. А между тем я экономил каждый грош. Я перестал ночевать на Лешно, чтобы не тратиться на такси, если приходилось поздно возвращаться. Сидя на краешке кровати в алькове у Баси, я изводил кучу бумаги, испещряя ее подсчетом своих доходов. Издатель, для которого я перевел несколько книг с немецкого, был мне должен, но я не надеялся, что он когда-нибудь заплатит. Сотрудничал я и в литературном журнале. Но проходили недели, а я не получал оттуда ни гроша.

В Польше три миллиона евреев, уговаривал я себя, и как-то же они устраиваются, чтобы жить и не умереть с голоду. Я ничего не скрывал от Баси. Она знала о моих неприятностях. Я обещал жениться на ее дочери, но назначить срок свадьбы мы не могли. Никто не стал бы посылать за мной судебного исполнителя, если бы вдруг мне вздумалось исчезнуть. А между тем Гитлер занимал одну территорию за другой, союзники не оказывали сопротивления, и у польских евреев не оставалось никакой надежды. Но бежать, бросив людей, которые мне дороги, — так поступить я не мог.

Варшавские еврейские газеты уже сообщили, что пьеса, которую собирался ставить американский миллионер Сэм Дрейман, снята с постановки. Сезон в еврейских театрах начинается на Суккот, и новую пьесу было поздно искать. В газетах упоминалось также, что Сэм Дрейман заключил новый договор с каким-то драматургом из Америки. Некий журналист напечатал в отделе юмора, что «Людомирская девица» провалилась потому, что у этой пьесы есть собственный дибук. Все эти заметки о моем провале читал Шоше и Басе Лейзер-часовщик.

Весь август в Варшаве стояла невыносимая жара. Когда я был ребенком, никто на Крохмальной улице не брал никаких отпусков и не уезжал на лето в деревню. Только богачи могли себе такое позволить. Но времена изменились. Рабочим теперь давали отпуск, и они уезжали в Миджечин, Фаленицу, а то и в горы, в Закопане. Рабочие профсоюзы имели свои летние лагеря даже на Балтийском побережье, в Карвии, — в «польском коридоре», который разделял Западную Германию и Восточную и который Гитлер поклялся вернуть Германии. Я слыхал, что Файтельзон уже целый месяц живет в Юзефове, у Геймла и Селии. Когда я как-то раз позвонил на Лешно, Текла сказала, что часто звонит Селия, и спросила, почему меня нет так долго. Она попросила оставить мой телефон и адрес, чтобы можно было меня найти, если будет необходимо тем, кто меня спрашивает. Но я ответил, что очень занят работой и не хочу, чтобы мне мешали. Даже Текла знала о моем провале, — она узнала это от Владека, а Владек — из польской еврейской газеты «Наш Пршегленд»*.

Днем я редко выходил из дому — из квартиры на Крохмальной улице. Вернулась моя прежняя застенчивость со всеми ее сложностями и неврозами. Кое-кто из жильцов нашего дома знал меня. От Лейзера они узнали о моей любви к Шоше. Они тоже читали или хотя бы слыхали о будущей пьесе. Когда мы с Шошей проходили по двору, девушки глазели на нас из окон. Я стеснялся их, воображая, что они смеются надо мной. Я даже старался днем не выходить из дому. На ботинках сносились каблуки, но мне нечем было заплатить за починку. Шляпа моя выцвела, на ней появились пятна. Я надевал чистую рубашку, а уже через несколько часов она становилась грязной и мокрой от пота. Волосы поредели, я начинал лысеть. Я вытирал лоб платком, и на платке оставались рыжие волосы. Всякие мелкие домашние неприятности преследо-

---

* «Наше обозрение».

вали меня. Если Бася подавала стакан чаю, он падал у меня из рук. После бритья обязательно оставались порезы. Я постоянно терял то ручку, то тетрадь. Деньги вываливались из карманов. Начал шататься коренной зуб, но заставить себя пойти к дантисту я не мог. Да и зачем лечить зуб, если дни мои сочтены?

Я взял сюда несколько книг, в которых всегда находил утешение во время кризисов, а со мной это бывало часто. Но сейчас и они не спасали. Пресловутая «субстанция» Спинозы — на что она? У нее нет воли, нет сострадания, нет чувства справедливости. Спиноза — пленник собственных догм. «Слепая воля» Шопенгауэра казалась еще более слепой, чем когда-либо. И уж конечно нечего было надеяться на гегелевский «Дух времени» или «Заратустру» Фридриха Ницше. Книга Пэйо «Воспитание воли» была адресована главным образом студентам, чьи богатые родители платят за их образование. Пациенты Куэ* и Болдуина имели дом, профессию, достаток, счет в банке. Я же целыми днями сидел на краю железной койки, обливаясь пóтом. Шоша садилась рядом на маленькую табуреточку и болтала со мной или сама с собой. Случалось, она разговаривала с Ипе. Бася часто уходила из дому. Шоша спрашивала: «Мамеле, ты куда?» «Куда глаза глядят», — отвечала Бася.

Наконец я осознал то, что было ясно всем: что провалился я по своей вине. Вместо того чтобы

---

* Эмиль Куэ (1857–1926) — французский психотерапевт, ставший известным благодаря разработанному им методу произвольного самовнушения («Метод Куэ»).

работать, я ежедневно тратил время с Шошей. Бетти не уставала повторять, что работа над пьесой — это главное, а сама постоянно уволакивала меня то в музей, то в кафе, то на дальнюю прогулку, срывая все мои планы. Она таскала меня на глупые голливудские фильмы, на которых нечему было научиться. Вместо этого нам с ней следовало смотреть серьезные спектакли, чтобы понять, как строится драма. Я торчал часами в Писательском клубе, убивая время на разговоры о еврейской литературе, играл там в шахматы, рассказывал анекдоты. Я растрачивал время в разговорах с Теклой, выслушивая сс жалобы на хозяйку, ее рассказы о деревне, откуда она родом, о злой мачехе, о Болеке, ее женихе, который уехал на работу во Францию, на каменноугольные копи. Наши разговоры кончались тем, что мы вместе ложились в постель. Как во сне жил я все эти месяцы. Моя лень, мои любовные похождения, мои пустые фантазии держали меня в состоянии какого-то беспамятства. Я как будто слышал, как моя мать говорит мне: «Никто не может причинить человеку столько зла, сколько он сам».

— Ареле, о чем ты думаешь? — спрашивала Шоша.

— Ни о чем, Шошеле. С тех пор как у меня есть ты, в моей жизни появился хоть какой-то смысл.

— Ты не оставишь меня одну?

— Нет, Шошеле. Я буду с тобой так долго, как мне суждено жить на свете.

2

Этой ночью я лежал без сна несколько часов. Из-за жары я то и дело пил из-под крана, а потом хотелось мочиться. Бася ставила под кровать горшок, но он был уже полон. Я поднялся, постоял нагишом у маленького окошка своей каморки (всего четыре переплета!), пытаясь поймать хотя бы дуновение ветерка. Были видны звезды. Они медленно перемещались от одной крыши к другой. Чего ожидать здесь, на Земле, где существуют нацисты, кроме голодной смерти и концентрационных лагерей? Но быть может, луч надежды исходит от этих небесных тел? Конечно, я читал популярные книги по астрономии и знал, что звезды состоят из тех же элементов, что Земля и Солнце. Если на других планетах и есть жизнь, она должна быть похожа на нашу: борьба за кусок хлеба, за тихое место, где можно приклонить голову. Меня охватил гнев против Творца, против Бога, против природы — или как там называется эта чепуха. Единственный способ покончить со вселенским насилием — это покончить с жизнью, даже если придется взять с собой Шошу. У животных и насекомых такого выбора нет.

Но как это осуществить? Выбросившись из окна своей комнаты на Лешно, рискую остаться в живых, но со сломанной спиной. Может, достать крысиного яду и медленно сжечь свои внутренности? Или повеситься? Чтобы те, кто любит меня, устраивали мне похороны? После долгих раздумий я решил, что самое лучшее — это утопиться где-нибудь в укромном месте, где достаточно глубоко. Там я никого не обеспокою и даже помогу рыбкам с пропитанием. Но на Висле слишком мелко. Газеты постоянно сообщают о пароходах, севших на мель. Единственный способ — поехать в Данциг или Гдыню и сесть там на морской корабль. Туристические агентства постоянно дают объявления о прогулочных рейсах в Данию, для которых не нужно ни визы, ни заграничного паспорта. Достаточно предъявить польский паспорт. И цена умеренная. Плохо лишь то, что у меня нет и такого документа. Из-за моих переездов с одной квартиры на другую, с перетаскиванием книг и рукописей, я уже потерял военный билет, свидетельство о рождении и все другие доказательства моего гражданства. Я мог бы поехать в местечко, где родился, а потом представить в муниципалитет свидетельство о дне моего рождения или о дне обрезания. Но архивы сгорели во время немецких бомбежек в 1915 году. Оставалось только расхохотаться: чтобы покончить с собой, надо преодолеть множество препятствий.

Заснуть удалось лишь под утро. Когда я открыл глаза, возле меня стояла Шоша и трясла за плечо. С изумлением смотрел я на нее: не сразу даже вспомнил, где я и кто будит меня. «Ареле, — сказала Шоша, — к тебе пришла молодая дама. Актриса из Америки».

Тотчас же в комнату заглянула Бася. Я попросил их с Шошей выйти и прикрыть дверь. Впопыхах натянул на себя исподнее, брюки, рубашку, пиджак. И вдруг мне пришло в голову, что я потерял ту сотню долларов, что лежала в левом кармане брюк. А ведь мне нужны деньги, чтобы оплатить проезд на поезде, купить билет на пароход. Я вывернул все карманы, суетясь, как человек, который собирается жить, а не умирать. Слава богу, деньги нашлись в кармане пиджака. Рубашка была измята, на воротничке пятно, на правом рукаве не было запонки. Я прокричал через закрытую дверь: «Бетти, погодите! Я сейчас!» Сквозь распахнутое окно уже вовсю палило солнце. Со двора послышалось: «Бублики! Горячие пышки! Сливы, сочные сливы!» Бродячий скрипач уже затянул свою заунывную мелодию. Спутница его била в бубен, собирая милостыню. Я провел рукой по щеке. Хотя волосы мои и поредели, борода продолжала расти с дикой силой, а щетина была колючей и жесткой. Расстроенный и мрачный, я открыл дверь и увидал Бетти, посвежевшую, в соломенной шляпке с зеленой лентой, в платье, которого я до сих пор не видал на ней, и в белых туфельках с открытыми пальцами — это было ново. Я принялся извиняться за свой вид.

— Все олл райт, — перебила меня Бетти. — Ведь вы не собираетесь участвовать в конкурсе красоты.

— Когда я смог заснуть, солнце уже всходило, и потому...

— Прекратите. Я вовсе не собираюсь вас разглядывать.

— Почему вы не сядете? — Бася обратилась к Бетти. — Я просила пани присесть, но она все стоит и стоит. Живем мы небогато, но стулья у нас чистые. Я протираю их каждое утро. И чай я хотела приготовить, но пани от всего отказалась.

— Простите меня. Я уже завтракала. Большое спасибо. Цуцик, простите меня за столь раннее вторжение. В самом деле, только десять минут десятого. Я пришла, как говорят в Америке, по делу. Если не возражаете, мы можем пойти куданибудь и обо всем поговорить.

— Ареле, не уходи надолго, — попросила Шоша. — Завтрак уже готов, а потом мы будем обедать. Мамеле купила щавель, картошку, сметану. Пани тоже может поесть с нами.

— У нас хватит еды для всех, — подтвердила Бася.

— Как я могу есть, если я уже позавтракала?

— Шошеле, мы только выйдем на полчаса. Здесь неудобно разговаривать. Вот только найду запонку и сменю воротничок. Минутку, Бетти.

Я нырнул за ширму, Шоша за мной.

— Ареле, не ходи с ней, — попросила Шоша. — Она хочет отобрать тебя у меня. Она похожа на ведьму.

— На ведьму? Не говори ерунды.

— У нее такие глаза. Ты сам мне сказал, что лежал с ней в постели.

— Я тебе сказал? Ну и что? Какая разница? Между нами все кончено.

— Если ты хочешь начать с ней снова, лучше сначала убей меня.

— Все к тому идет, что мне придется тебя убить. Я возьму тебя на пароход, и мы вместе бросимся в море.

— Разве в Варшаве есть море?

— Не в Варшаве. Поедем в Гдыню или в Данциг.

— Хорошо, Ареле. Ты можешь сделать со мной все что хочешь. Выбрось в море или возьми на кладбище, к Ипе, и похорони там. Как ты сделаешь, так и хорошо. Только не оставляй меня одну. Вот твоя левая запонка.

Шоша наклонилась и подняла запонку. Я обнял ее и поцеловал.

— Шошеле, клянусь Богом и душой моего отца, никогда я тебя не покину. Верь мне.

— Я верю тебе, верю. Но когда я вижу ее, начинает колотиться сердце. Она одета так, будто собралась венчаться. Во все новое, чтобы тебе понравиться. Она думает, я не понимаю, но я все понимаю. Когда ты вернешься?

— Как можно скорее.

— Помни, что никто не любит тебя так, как я.

— Девочка моя, я тоже люблю тебя.

— Погоди, я дам тебе чистый платок.

3

Мы с Бетти вышли во двор. Тут было что-то вроде рынка. Разносчики предлагали копченую селедку, чернику, арбузы. Какой-то мужик распряг лошадь и прямо с воза продавал цыплят, яйца, грибы, лук, морковку, петрушку. В других местах это не разрешалось, но на Крохмальной царили свои законы. Старуха старьевщица рылась в мусорном ящике, выгребая оттуда тряпье для бумажной фабрики и кости для сахарного завода. Бетти попыталась было взять меня за руку, но я подал ей знак не делать этого, так как был уверен, что Шоша и Бася смотрят нам вслед. Глазели на нас и из других окон. Девушки в широких неподпоясанных платьях, под которыми колыхались могучие груди, вытряхивали потертые ковры, перины, подушки, шубы. Все это понадобится еще не скоро, только зимой. Слышалось стрекотание швейных машинок, стук молотка, визг пилы. Из хасидской молельни доносились голоса подростков. Они нараспев читали Талмуд. В хедере мальчишки заучивали тексты из Торы. Пройдя подворотню, Бетти взяла меня под руку и заговорила:

— Я не запомнила номер дома, но когда я все звонила и звонила на Лешно и горничная отвечала, что ты там не бываешь, я решила, что ты, должно быть, на своей любимой Крохмальной. В какую же трясину тебя затянуло! Здесь просто зловоние. Ты уже прости меня, но эта твоя Шоша — слабоумная. Она предложила мне сесть по крайней мере раз десять. Я говорю ей, что предпочитаю стоять, а она все повторяет и повторяет: «Садитесь, проше пани». Я думаю, она в самом деле не в себе.

— Ты права. Ты абсолютно права.

— Не повторяй без конца, что я права. Ты один из тех, кому нравится опускаться на дно. В России таких называют «босяки». Про них писал Горький. В Нью-Йорке есть улица Бауэри, там они валяются прямо на тротуарах, пьяные и полуодетые. А ведь многие из них интеллигенты, с высшим образованием. Идем же. Прочь из этой клоаки. Какой-то шпаненок пытался стащить у меня кошелек. Ты не завтракал, я тоже проголодалась после такой-то прогулки, пока я ходила взад-вперед, пытаясь найти этот дом. Все, что я помнила, это яму во дворе. Но ее, наверно, засыпали. Где бы нам выпить кофе?

— Здесь кофейня в шестом доме, но туда ходит всякий сброд...

— Не хочу я оставаться ни минуты на этой улице. Ура! Дрожки! Эгей! Постой!

Бетти взобралась, я за ней. Она спросила:

— Хочешь, позавтракаем в Писательском клубе?

— Ни в коем случае!

— Ты поссорился с кем-нибудь? Говорят, ты вообще там не бываешь. А как насчет Гертнера, где мы были в первый раз? Боже мой, кажется, это было так давно.

— Мадам, куда прикажете? — обернулся извозчик. Бетти назвала адрес.

— Цуцик, почему ты прячешься от людей? Я встретила тут твоего лучшего друга, доктора Файтельзона, и он сказал мне, что ты порвал с ним и со всеми вообще. Я еще могла бы понять, что ты не хочешь иметь дело со мной. Ведь это я в ответе за все, что произошло. Хотя намерения у меня были самые лучшие. Ну какой смысл в том, что ты, молодой писатель, похоронил себя в этой дыре? Почему ты хотя бы не остался у себя на Лешно? Ведь ты же заплатил за комнату, невзирая ни на что. Сэм просто обескуражен, что ты так исчез.

— Я слыхал, он ведет переговоры с каким-то дрянным писателем из Нью-Йорка?

— Ничего из этого не выйдет. Во всяком случае, я играть не собираюсь. Это все моя злая судьба! Кто ко мне приближается, тот ее разделяет. Но я сказала, что пришла по делу, и это правда. Дело вот в чем. Сэм не очень хорошо себя чувствует, а я боялась, что он совсем плох. Он собирается назад, в Америку. Мы с ним разговаривали последние дни, большей частью о тебе. Торопиться было некуда, и я спокойно перечитала твою пьесу. Вовсе это не так плохо, как расписал тот коротышка-критик в очках. Какая наглость — так разносить в пух и прах автора, пьеса которого еще не поставлена. Такое возможно только в еврейских газетах. Этакий злобный типчик. Меня представили ему, и тут я высказала все, что об этом думаю. Он стал извиняться, льстить и вертеться, как карась на сковородке. Мне кажется, это хорошая пьеса. Беда в том, что ты не знаешь сцены. В Америке есть люди, которых называют «play-makers». Сами они не могут написать ни строчки, но зато как-то они умеют так перестроить пьесу, что она сразу годится для сцены. Короче — мы хотим купить пьесу и попытаться поставить ее в Америке.

— *Купить это?* Мистер Дрейман уже дал мне семьсот или восемьсот долларов. Пьеса его, если он так хочет. Ужасно, что я не могу вернуть ему эти деньги, но уж во всяком случае он с пьесой может делать все, что ему заблагорассудится.

— Ну, так и знала, что ты не бизнесмен. Вот что еще хочу тебе сказать. Сэм просто перегружен деньгами. В Америке начинается новый период «просперити», и, не шевельнув и пальцем, Сэм приобретает состояние. Если ему хочется заплатить тебе, возьми деньги. Он обещает оставить мне хорошее наследство, но по закону часть он должен оставить этой Ксантиппе*, его жене, часть, вероятно, детям, хотя они ненавидят его и презирают. Я, с моим-то «счастьем», скорее всего не получу ничего. Если он хочет что-то сделать для тебя, не вижу причин отказываться. Ты не сможешь писать, если останешься там, где живешь сейчас. Я заглянула в твою каморку. Это конура, а не комната. Там задохнуться можно. Зачем все это? Если хочешь покончить с собой, такая смерть уж слишком отвратительна. Вот и ресторан.

Бетти попыталась было раскрыть кошелек, но у меня деньги уже были приготовлены, и я расплатился. Бетти испепелила меня взглядом.

---

* Ксантиппа — жена Сократа, которая отличалась чрезмерной гневливостью.

— Что это с тобой? Хочешь финансировать Сэма Дреймана?

— Просто больше не хочу ничего брать у него.

— Ну хорошо. Каждый сходит с ума по-своему. Толпы нищих евреев бегают за ним, а ты хочешь содержать его. Идем же, сумасшедший ты человек. Один Бог знает, как долго я тут не была. Я опасалась, может, еще не открыто? В Нью-Йорке есть рестораны, которые открываются не раньше полудня. А теперь можешь поцеловать меня. Ведь мы никогда не сможем стать совсем чужими.

4

К нам подлетел метрдотель и отвел нам столик в нише, где обычно располагались Сэм и Бетти, когда бывали здесь. Он рассыпался в сожалениях, что ни Сэма, ни Бетти здесь давно не видно.

Несмотря на ранний час, за столиком уже ели мясо и рыбу, пили пиво. Бетти заказала себе кофе с пирожным, а мне — яичницу, кофе и булочки. Кельнер посмотрел на нас укоризненно за то, что мы заказали поздний завтрак вместо раннего обеда. Из-за других столиков посматривали с интересом. Бетти выглядела слишком уж элегантно рядом со мной. Говорила она без остановки:

— Сколько мы не видались? Кажется, будто целую вечность. Сэм хочет, чтобы я вернулась в Америку, но я, несмотря на все мои передряги и неприятности, просто влюблена в Варшаву. Что мне делать в Америке? В Нью-Йорке известно все, что происходит на белом свете. В Союзе наверняка знают о моем провале, и акции мои стоят низко, как никогда. Они там сидят в «Кафе-Ройял» и делают из мухи слона. А что им остается, кроме сплетен? У некоторых кое-что осталось от лучших времен. А у кого ничего нет, тем помогает правительство. Летом несколько недель подряд им удается играть в «Катскилз Маунтэнз». В Америке теперь, если кто не хочет, может не работать. Вот они и пьют кофе, болтают. Или в карты играют. А без карт и сплетен они подохли бы с тоски. Моя беда, что я не умею в карты играть. Пытался было Сэм научить меня, но я не могу запомнить даже названия мастей. А из упрямства не хочу и учиться. Цуцик, я дошла до точки. Это моя последняя игра. Мне ничего не остается, кроме самоубийства.

— И тебе тоже?

— А кому еще? Уж не тебе ли? А если так, зачем жениться на Шоше? Чтобы оставить ее вдовой?

— Я возьму ее с собой.

— Вот так так! Ведь ты же бодр, здоров и безумно влюблен. Как говорят, «мешугинер». Я же пробовала играть год за годом, и каждый раз — провал. Да и к тому же я старше. Но отчего ты в таком состоянии? Ты — писатель-романист, а не драматург. В театре ты еще новичок, «гринго», и не без таланта, я полагаю. О, вот мое пирожное и твоя яичница. Интересно, зачем приговоренные к электрическому стулу заботятся о последней трапезе? Зачем заказывают бифштекс? Сладкое? Зачем заботится о еде человек, который через час умрет? Видно, жизнь и смерть никак не связаны. Ты, может, решил завтра умереть, но сегодня тебе хочется вкусно поесть и лечь в теплую постель. Какие же у тебя планы?

— В сущности, как-нибудь пережить всю эту неразбериху.

— Господи Боже, когда я плыла на пароходе в Европу, могла ли я подозревать, что у кого-нибудь из-за моих глупых амбиций могут быть такие неприятности.

— Бетти, это не твоя вина.

— Тогда чья же?

— О, всё вместе. Евреи Польши обречены. Когда я заговорил об этом в клубе, на меня набросились. Они позволяют себе быть оптимистами, и это невероятная глупость, ибо я убежден, что всех уничтожат. Сами поляки хотят избавиться от нас. Они воспринимают евреев как нацию в нации, как чужеродное и злокачественное образование. Им просто недостает решимости покончить с нами, но они не прольют ни слезинки, если Гитлер сделает это за них. Сталин и не подумает защищать нас. С тех пор как существует троцкистская оппозиция, коммунисты стали нашими злейшими врагами. В России называют его Иудушка Троцкий. Но ведь это же факт, что почти все троцкисты — евреи. Дайте только еврею революцию, он потребует у вас перманентную революцию. Дайте ему Мессию, ему понадобится другой Мессия. Что же до Палестины — мир не хочет, чтобы у нас было свое государство. Горькая истина состоит в том, что многие евреи больше не хотят быть евреями. Но для тотальной ассимиляции слишком поздно. Кто-нибудь да выиграет с того, что грядущая война нас уничтожит.

— Может, демократии выиграют.

— Демократии совершают самоубийство.

— Твой кофе стынет. Если ты еще не окончательно решил взвалить себе на плечи эту глупенькую Шошу, легко можно очутиться в Америке. Там евреи еще кое-как перебиваются. Я могу вернуться, но одна мысль об этом приводит меня в трепет. Сэм не в состоянии остаться дома хотя бы на один вечер. Ему всегда надо куда-нибудь идти — обычно в «Кафе-Ройял». Там он встречается с писателями, которых подкармливает, и с актрисами, с которыми флиртовал когда-то. Это единственное место, где он хоть что-то собой представляет. Забавно, но есть лишь один уголок в целом свете — третьеразрядный маленький ресторанчик, где он — дома. Там он ест «блинцы», несмотря на запреты врачей. Выпивает по двадцать чашек кофе каждый день. Курит сигары, зная, что для него это яд. И трсбует, чтобы я шла с ним. А для меня это кафе — осиное гнездо. Они все и раньше меня ненавидели, а теперь, когда я с Сэмом, живьем готовы проглотить. Сэм водит меня в еврейский театр по меньшей мере два раза в неделю, а театр, по-моему, — хуже некуда. Сидеть там и слушать их избитые шутки, смотреть, как шестидесятилетняя Ента играет юную девушку, — это прямо физическая мука. Печально, но это правда: на земле нет ни одного такого места, где бы я была дома.

— Да, мы составили бы хорошую парочку.

— Могли бы, но ты этого не хочешь. О чем ты разговариваешь с Шошей целыми днями?

— Я мало разговариваю.

— Что же это, акт мазохизма?

— Нет, Бетти, я в самом деле люблю ее.

— Есть вещи, в которые невозможно поверить, если не увидишь собственными глазами:

ты и Шоша, я и Сэм Дрейман. Сэм, по крайней мере, утешается среди бывших обожательниц. Цуцик, посмотри-ка, кто здесь!

Подняв голову, я увидел Файтельзона. Он стоял в нескольких шагах от нашего столика, с сигарой во рту, в панаме, сдвинутой на затылок, с тростью, перекинутой через левое плечо. До сих пор я ни разу не видал его с тросточкой. Выглядел он постаревшим и очень переменился. Морис улыбался с обычной своей проницательностью, но казалось, что щеки его ввалились, будто недоставало зубов. Он неторопливо подошел к нам.

— Вот как это бывает, — проговорил он глухим голосом и вынул сигару изо рта. — Теперь, Цуцик, я начинаю верить в ваши тайные силы. — Он положил сигару в пепельницу. — Иду я мимо, и вдруг мне пришло в голову: может быть, здесь Цуцик? Доброе утро, мисс Слоним. Я настолько поражен, что даже забыл поздороваться. Как поживаете? Приятно увидеть вас снова. Что это я хотел сказать? Да, я сказал себе: «А что ему здесь делать в такую рань? Он бывает тут только с Сэмом Дрейманом, и то не с утра». Вам должно быть совестно, Цуцик. Почему вы прячетесь от друзей? Мы все разыскивали вас: Геймл, Селия и я. Я сам звонил, наверно, раз двадцать, но горничная всегда отвечает: «Нет дома». Вы обиделись? Или у вас есть более близкие друзья в Варшаве?

— Доктор Файтельзон, присядьте с нами, — попросила Бетти. — Почему вы стоите?

— Однако же вы вдвоем забились в уголок, без сомнения, чтобы посекретничать. Но поздороваться-то можно в любом случае.

— Нет у нас секретов. У нас был деловой разговор. И мы уже закончили. Присаживайтесь.

— Я действительно не знаю, что сказать, — начал я, запинаясь.

— А не знаете, так и не говорите. Я за вас скажу. Когда-то вы были маленьким мальчиком и таким останетесь на всю жизнь. Полюбуйтесь-ка на него, — добавил Файтельзон.

— Что это вы вдруг с тросточкой? — спросил я, чтобы переменить разговор.

— О, я украл ее. Один из моих американцев забыл ее у меня. А мои ноги начинают меня подводить. Прогуливаюсь по ровной дороге, и вдруг ноги начинают скользить, будто я на катке или на склоне холма. Что это за болезнь? Я собираюсь проконсультироваться у нашего врача, доктора Липкина, который так же понимает в медицине, как я в литературе. А пока я решил, что трость не повредит. Цуцик, вы так бледны. Что случилось? Вы не больны?

— Он совершенно здоров, но свихнулся, — вмешалась Бетти. — Настоящий маньяк.

5

Файтельзон начал было уверять нас, что он уже позавтракал, но, когда Бетти заказала для него булочки, омлет и кофе, улыбнулся и сказал:

— Кто прожил в Америке пару лет, тот уже американец. Что бы делал мир без Америки? Живя там, я постоянно ворчал на дядю Сэма — только и говорил о его недостатках. Здесь, в Польше, я тоскую по Америке. Я мог бы вернуться туда с туристской визой. Быть может, мне даже могут дать визу как профессору. Но ни в Нью-Йорке, ни в Бостоне не найдется университета, который сможет предоставить мне постоянную работу, а преподавать в этих маленьких колледжах где-нибудь на Среднем Западе — подохнуть с тоски. Я не книжный червь и не в состоянии целыми днями сидеть за книгами. А тамошние студенты еще более ребячливы, чем наши мальчишки из хедера. Говорят только о футболе. Да и профессора не умнее. Америка — страна детей. Жители Нью-Йорка немногим взрослее. Однажды мы с приятелем были на Кони-Айленде. Вот это, Цуцик, вам надо поглядеть. Город, в котором есть все для игры — стрельба по утятам, посещение музея, где вам покажут девушку с двумя головами, астролог составит для вас гороскоп, а медиум вызовет из небытия душу вашего дедушки. Нет таких мест, где не было бы вульгарности, но там — вульгарность особого рода: дружелюбная, снисходительная, она как будто говорит: «Ты играешь в свои игры, а я буду в свои». Прогуливаясь там и поглощая «горячих собак» — так они называют сосиски, — я неожиданно понял, что вижу будущее человечества, быть может даже момент, когда придет Мессия. В один прекрасный день люди поймут, что не существует идеи, которую можно назвать истинной, — все есть игра: национализм, интернационализм, религия, атеизм, спиритуализм, материализм, даже самоубийство. Вы знаете, Цуцик, я большой поклонник Давида Юма. В моих глазах это единственный философ, который никогда не устареет. Он так же свеж и ясен сегодня, как и в свое время. Кони-Айленд — в полном соответствии с философией Давида Юма. С тех пор как мы ни в чем не уверены, даже в том, что завтра взойдет солнце, игра — суть человеческих усилий, быть может, даже вещь в себе. Бог — игрок, космос — игровая площадка. Многие годы я искал базис этики и уже потерял надежду найти его. Внезапно все прояснилось. Базис этики — это право человека играть в игру, которую он сам себе выбрал. Я не буду портить ваши игрушки, а вы — мои. Я не оскорбляю чужого божка, и моего не троньте. Нет таких причин, по которым гедонизм, каббала, полигамия, аскетизм, даже смесь эротики с хасидизмом, которую проповедует наш друг Геймл, не могли бы сосуществовать в игре-городе, или игре-мире, что-то вроде универсального Кони-Айленда, в котором каждый выбирает ту игру, какую желает. Уверен, мисс Слоним, что вы были на Кони-Айленде не один раз.

— Да, но я никогда не делала из этого философских выводов. Кстати, кто такой этот Давид Юм? Никогда о нем не слыхала.

— Давид Юм — английский философ, друг Жан-Жака Руссо. Таким он был до тех пор, пока не стал противным нищим евреем.

— Вот и ваш омлет, доктор Файтельзон. Про Жан-Жака Руссо я знаю. Даже читала его «Исповедь».

— Давида Юма тоже легко читать. Понять его может и ребенок. Я уверен, Цуцик, вы знаете, что 7 + 5 = 12 верно в аналитическом смысле, а не только в синтетическом «априори». Прав был Юм, а не Кант. Но вы еще не рассказали, что же с вами случилось. Вы улетучились, как мыльный пузырь. Я уж начал подумывать, что вы уехали в Иерусалим, сидите себе там в пещере и стараетесь искупить грехи.

— Доктор Файтельзон, его пещера — на Крохмальной улице. — Бетти обернулась ко мне: — Можно я ему расскажу?

— Если хочешь. Все равно.

— Доктор Файтельзон, наш Цуцик нашел себя, став женихом на Крохмальной.

Файтельзон отложил вилку:

— Вот как. Но по тому, как вы отзывались о безумном Хансе Файхингере*, я скорее мог бы подумать, что вы останетесь вечным холостяком.

Я хотел было ответить, но Бетти опередила:

— Он и остался бы холостяком, но он нашел такое сокровище — ее зовут Шоша, — что пришлось изменить своим принципам и убеждениям.

— Да она просто издевается надо мной! — И я уже собирался начать рассказывать.

— Вот как? Нельзя убежать от женщин. Рано или поздно вы попадаете в их сети. Селия уже отчаялась вас разыскать. Шоша? Современная девушка с таким старомодным именем? Кто она? Борец-идишист?

Опять я попытался ответить, и снова Бетти перебила меня:

— Трудно даже сказать, что она такое, но если такой ценитель женщин, как наш Цуцик, решил жениться, то это должно быть что-то особенное. Встреться только с ней ваш Давид Юм, он бы немедленно развелся с женой и убежал с Шошей на Кони-Айленд.

---

* Ханс Файхингер (1852–1933) — немецкий философ. Разработал концепцию фикционализма, толкующего человеческие представления о мире как совокупность иллюзий (фикций).

— Не думаю, что у Давида Юма была жена, — возразил после некоторого размышления Файтельзон. — Ну тогда мазлтов, Цуцик, мазлтов.

Наконец-то Бетти дала мне вставить хоть слово.

— Она издевается надо мной, — повторил я. — Шоша — девушка из моего детства. Мы вместе играли еще до того, как я стал ходить в хедер. Мы были соседями в доме номер десять по Крохмальной улице. Давным-давно я уехал оттуда и потом многие годы...

Файтельзон поднял вверх вилку:

— Что бы там ни было, не убегайте от своих друзей. Если вы женитесь, это не может остаться тайной. Если вы любите ее, мы хотим узнать ее поближе и принять в свой круг. Можно позвонить Селии и сообщить добрые вести?

Я увидел, что Бетти собирается выступить с новой остротой, и обратился к ней:

— Сделай милость, Бетти, не говори от моего имени. И пожалуйста, не остри так язвительно. Доктор Файтельзон, это не такие уж добрые вести, и я не хочу, чтобы Селия знала об этом. Пока еще не хочу. Шоша — бедная девушка без всякого образования. Я любил ее, когда был ребенком, и потом никогда не забывал. Я был уверен, что она умерла, но она нашлась — благодаря Бетти, в сущности.

— Вовсе я не хотела язвить, я отношусь к этому серьезно, — попыталась оправдаться Бетти.

— Почему бы Селии не узнать правду? — возразил Файтельзон. — Когда думаешь, что все идет заведенным порядком, обязательно случается что-нибудь неожиданное. Мировая история состоит из таких вот пирогов и пышек. Должно быть что-то свеженькое. Вот почему демократия и капитализм на грани истощения и упадка. Они уже стали банальностью. По этой же причине так распространено идолопоклонство. Можно покупать нового бога каждый год. Мы, евреи, только обременили народы своим вечным Богом, и потому они ненавидят нас. Гиббон пытался найти причины падения Римской империи. Она пала просто потому, что состарилась. Я слыхал, что и на небесах есть страсть к новизне. Звезда устает быть звездой, взрывается, затем становится новой звездой. Млечный Путь устал от этой простокваши и начал разбегаться черт знает куда. Есть у нее работа? Я имею в виду вашу невесту.

— Она не работает и не может работать.

— Она больна?

— Да, больна.

— Когда тело устает быть здоровым, оно заболевает. Когда устает жить, умирает. Когда оно уже достаточно было мертвым, перевоплощается в лягушку или ветряную мельницу. Здесь лучший кофе в Варшаве. Могу я заказать еще чашечку, мисс Слоним?

— Хоть десять, только, пожалуйста, не называйте меня мисс Слоним. Меня зовут Бетти.

— Я пью слишком много кофе и выкуриваю слишком много сигар. Как это может быть, что ни кофе, ни сигары не надоедают? Вот настоящая загадка.

ЧАСТЬ ВТОРАЯ

ГЛАВА ВОСЬМАЯ

1

За два дня до Йом-Кипура Бася купила пару куриц на капойрес: одну для себя, другую — для Шоши. Для меня она тоже предлагала купить петуха, но я отказался. Мне не хотелось, чтобы во искупление моих грехов зарезали петуха. В еврейских газетах часто появлялись статьи, направленные против этого обряда: считалось, что это проявление идолопоклонства. Сторонники сионизма предлагали взамен жертвовать деньги в Палестинский еврейский национальный фонд. Но на Крохмальной улице, как и в былые дни, из всех квартир доносилось кудахтанье кур и пение петухов. Отправившись к резнику, Бася вернулась только через два часа. Толпа на Дворе Яноша была так велика, что к резнику было непросто пробиться. В канун Йом-Кипура улицы опустели. Закрылся притон в доме № 6 по Крохмальной улице. Даже не шныряли по улицам карманные воришки. В борделях горели свечи, посетителей не принимали. И коммунисты куда-то подевались. У Баси было куплено место в синагоге. Она зажгла к праздничной трапезе большую поминальную свечу, поставила ее в миску с песком, надела нарядное шелковое платье, сохранившееся еще с тех времен, когда они жили в доме № 10. Выложив из комода два старых молитвенника, полученных еще к свадьбе, Бася отправилась в синагогу. Перед уходом она благословила Шошу и меня. Возложив мне на голову руки, скороговоркой произнесла благословение: «Пусть Господь сделает тебе, как Израэлю и Манассе», — так благословляют сыновей.

Мы с Шошей остались вдвоем. Я попытался поцеловать ее, но она не позволила — ведь сегодня нельзя. Весь день она занималась домашними делами: помогала матери готовить праздничную трапезу. Теперь она выглядела бледненькой, уставшей, все время зевала и готова была уснуть. Шоша без конца просила и просила, чтобы я почитал ей из старого бабушкиного молитвенника, с обтрепанными, пожелтевшими страницами, на которых были следы свечного сала и слез. Потом пожелал ей и матери хорошего праздника и ушел: доктор Файтельзон пригласил меня провести этот вечер у него.

Тишина опустилась на еврейские улицы. Пустые трамваи. Запертые магазины. Звезды мерцают над головой, будто огоньки поминальных свечей. Даже «Арсенал» — тюрьма на Длуге, казалось, погружен в глубочайшую меланхолию. Лишь тусклый свет пробивался сквозь зарешеченные окошки. Мне представилось, будто сама ночь подводит итоги.

Файтельзон жил недалеко от Фретовой улицы. Он говорил мне как-то, что, кроме него, евреи здесь не живут. Однако часто казалось, что и поляки не живут здесь. Никогда не горел свет в окнах, выходящих на улицу, не было света и при входе в парадную. До квартиры Файтельзона надо было пройти четыре пролета лестницы, но за дверьми не было слышно ни звука. Не раз меня забавляла мысль, что, видимо, этот дом — дом привидений.

Я постучал в дверь. Файтельзон открыл. Вся квартира состояла из огромной пустой комнаты с мрачными серыми стенами и высоким потолком. Из комнаты вела дверь в крошечную кухню. Как ни странно, у такого эрудита, как Морис, почти не было книг. Только старое издание Немецкой энциклопедии. В комнате не было стола. И спал Файтельзон не на кровати, а на кушетке. Сейчас на ней сидел Марк Эльбингер — стройный, подтянутый.

Видимо, я прервал какой-то спор, потому что после продолжительной паузы Файтельзон произнес:

— Марк, евреи уже совершили все свои ошибки. Наша избранность ввела в заблуждение нас самих, а потом и другие народы: что Бог милосерден, любит свои создания, ненавидит грешников — вот о чем говорят святые и пророки, от Моисея до Хаима Хафеца*. Древние греки не носились так со своими заблуждениями, и в этом их величие. Евреи обвиняют другие народы в идолопоклонстве, но сами тоже служат идолу: имя ему — всеобщая справедливость. Христианство — результат того, что желаемое приняли за действительно существующее. Гитлер, гнусный

* Хаим Хафец (настоящее имя Израиль-Меир Каган) — крупный религиозный деятель, руководитель иешивы в Радуне (Польша). Жил во второй половине XIX — начале XX вв.

варвар, не страшится разуверить людей, впавших в это заблуждение. О, телефон звонит! И это в Йом-Кипур!

Я не был в настроении обсуждать что бы то ни было и отошел к окну. Справа видна была Висла. Лунный серп в последней четверти набрасывал серебристую сетку на темную воду. Рядом возник Эльбингер. Он прошептал:

— Странная личность этот наш Файтельзон!

— Что же он такое?

— Мы знакомы более тридцати лет, но даже я не могу постичь, что же он такое. Все его слова имеют одну цель — скрыть, что же он думает на самом деле.

— И что же он думает на самом деле?

— Печальные думы. Он во всем разочаровался, а паче всего — в себе самом. Его отец был аскетом. Возможно, он жив еще. У Мориса есть дочь, которую он видел лишь в пеленках. Из-за него покончили с собой две женщины, — я хорошо знал обеих. Одна — немка из Берлина, а другая — дочь лондонского миссионера...

Файтельзон положил трубку.

— По-моему, у женщин увлечение номер один — вовсе не секс, а болтовня.

— Чего же она хочет?

— Это вы должны знать, вы же у нас умеете читать мысли.

Файтельзон прибавил:

— Есть неведомые силы; да, они существуют. Но все они — часть тайны, которая есть природа. Что такое природа — никто не знает, подозреваю, что и сама она этого не знает. Легко могу себе представить Всемогущего сидящим на Троне

Славы, Метатрон одесную, Сандалфон ошую... И вот Бог спрашивает: «Кто Я? Откуда пришел? Создал ли Я сам себя? Кто дал Мне эту власть? Ведь не мог же Я существовать всегда? Я помню прошедшие сто триллионов лет. Дальше все тонет во мраке. И как долго это будет продолжаться?» Погодите-ка, Марк, я принесу коньяку. И чего-нибудь поклевать. Тут есть кексы, древние, как Мафусаил.

Файтельзон ушел на кухню и вернулся с подносом, на котором были две рюмки коньяку и немного печенья. Я уже предупредил его, что соблюдаю пост — не потому, что верю, будто это Божья воля, а чтобы соблюсти то, что делали мои предки и остальные евреи на протяжении веков. Файтельзон чокнулся с Эльбингером:

— Лехаим! Мы, евреи, постоянно, жаждем вечной жизни или уж по меньшей мере бессмертия души. В действительности же вечная жизнь, должно быть, бедствие, катастрофа. Вообразите, умирает какой-то мелкий лавочник, а душа его возносится и миллионы лет помнит, как он торговал, продавая дрожжи, цикорий, горох, и как какой-нибудь покупатель остался ему должен восемнадцать грошей. А то еще душа автора книги десять миллионов лет обижается на плохую рецензию.

— Души не остаются теми же. Они растут, — возразил Эльбингер.

— Если они позабыли прошлое, они уже не те же. А если они помнят все житейские мелочи, они не растут. Не сомневаюсь, душа и тело — разные стороны одной медали. В этом отношении Спиноза проявил большее мужество, чем

Кант. По Канту, душа — ложная цифра в неверной бухгалтерии. Лехаим! Садитесь.

Мы снова вернулись к разговору о тайных силах. Начал Эльбингер:

— Конечно, тайные силы существуют, но что они такое, я не знаю. Еще в детстве я столкнулся с ними. Мы жили в маленькой деревеньке, ее не найти ни на одной карте, — Сенцимин. В сущности, это было местечко, выселки, куда переселились две-три дюжины еврейских семей. Мой отец, меламед, был бедняком, можно сказать нищим. Мы занимали две комнаты — в одной был хедер, в другой — кухня, спальня и все остальное. У меня была старшая сестра, Ципа ее звали, и брат Ионкеле. А меня звали Моше — Мотл, в память прапрадедушки, но называли меня Мотеле. Это потом уже я стал Марком. Припоминаю лишь некоторые впечатления раннего детства, когда мне было года два, несколько эпизодов. Кровать мою перенесли в ту комнату, где днем был хедер, оба окна в этой комнате закрывались ставнями. Выходили они, видимо, на восток, потому что по утрам здесь бывало солнце. То, о чем я рассказываю, вовсе не связано с оккультными науками, а просто с ощущением, что все вокруг полно тайны. Припоминаю, как однажды я проснулся очень рано. Брат, сестра и родители еще спали. Восходящее солнце било сквозь щели в ставнях, и пылинки подымались вверх, проходя сквозь солнечный луч. Я помню это утро с необычайной ясностью. Конечно, я был слишком мал, чтобы связно выражать свои мысли, но мне хотелось знать: «Что это такое? Откуда все это взялось?» Обычно дети без лишних сомнений проходят мимо таких вещей, но в это утро чувства мои были необычайно напряжены, притом подсознательно я понимал, что не следует расспрашивать родителей. Они не смогут ответить. Под потолком проходили балки, паутина тени и света играла на них. Внезапно я ощутил: сам я, то, что я вижу, — стены, пол, потолок, подушка, на которой лежу, — все одно целое. Через много лет пришлось мне прочесть о мировом самосознании, монизме, пантеизме, но никогда не сознавал я этого так явно, как в тот далекий день. Более того, ощущение это доставляло мне редкостное удовольствие. Я сливался с вечностью и радовался этому. Временами я думаю, что это подобно состоянию, какое бывает в момент перехода от жизни к тому, что мы называем смертью. Мы, должно быть, испытываем это в тот самый момент или сразу после него. Говорю так потому, что, сколько я ни видал умерших, одно и то же выражение было на лицах: «Ага, так вот что это такое! Если бы я только знал! Как жаль, что нельзя рассказать другим!» Даже мертвая птица или мышь выражают то же, хотя и не совсем так, как человек.

Мои первые физические опыты — или как там их можно назвать — были такого рода, что могли бы происходить во сне или в момент пробуждения, но это не были сны, как не сон и то, что я сейчас сижу здесь с вами. Хорошо помню, как однажды ночью ушел из дома. Наш дом, как и другие еврейские дома, выходил на утоптанную земляную площадку. Не могу сказать, в какое время это происходило. Но рынок уже опустел, лавки были заперты, закрыты ставни. Выбравшись из постели, я открыл дверь. Было светло, от луны ли, от звезд — не знаю.

Через дорогу от нас стоял дом. Крестьяне обычно кроют хаты соломой, в то время как еврейские дома крыты дранкой. Нет надобности говорить, какие низкие крыши в крестьянских хатах. Когда я ступил на крыльцо, то увидал нечто, сидящее на крыше этой хаты напротив. Мне показалось, что это человек и в то же время не совсем. Во-первых, у него не было ни рук, ни ног. Во-вторых, он не стоял на крыше, но и не сидел на ней. Он парил в воздухе. Он не произнес ни слова, но я понимал, что он зовет меня, и я знал, что пойти с ним — это все равно что пойти туда, куда ушли мои умершие брат и сестра. Однако я чувствовал неудержимое желание идти за ним. Испуганный, я стоял в нерешительности, не веря собственным глазам.

Внезапно я осознал, что человек этот — или монстр — начал бранить меня, не нарушая тишины, и что он спускает заступ, чтобы затащить меня на крышу. Заступ этот был и не заступ вовсе, а нечто выросшее прямо из его тела. Что-то вроде языка, но такое длинное и широкое, что не могло бы поместиться во рту. Оно вытянулось и было так близко, что могло схватить меня в любой момент. В ужасе бросился я в дом, с воплями и рыданиями. Домашние мои проснулись. Мне дули в лицо, бормотали что-то, отгоняя злых духов. Мать, отец, Ципа, Ионкель — все стояли босиком и в исподнем — спрашивали, почему я плачу так безутешно, но я не мог, не хотел им отвечать. Я понимал, что не смогу подобрать верных слов, что они не поверят мне, а потому не лучше ли не говорить вовсе. С тех самых пор у меня появился дар ясновидения. Вещи сами выдавали мне свои секреты. В дневное время я часто видел тени на стенах дома — тени, не связанные с феноменом светотени. Иногда две тени проходили навстречу друг другу. И одна проглатывала другую. Некоторые из них были высокого роста, головой касались потолка — если это можно назвать головами. Другие — маленькие. Иной раз я видел их на полу, иной раз — на стенах домов, просто в воздухе. Они всегда были заняты — приходили, уходили, торопились. Страшно редко кто-нибудь на мгновение останавливался. Я говорил сегодня, что это были не то духи, не то привидения, но это только одно название. Еще припоминаю — среди них можно было различить мужские и женские особи. Я не боялся их. Правильнее сказать, мне было странно и любопытно. Однажды ночью, лежа в постели, когда мать уже погасила огонь и только лунный свет пробивался сквозь ставни, я вдруг услыхал тихое шуршание. Как это описать? Это было подобно тому, как дрожит сухой пальмовый лист, как колышутся ветки ивы, как бежит вода, и было там еще что-то, чему нет названия. Стены загудели, затряслись, особенно углы, а очертания, тени, которые до тех пор показывались мне только днем, теперь сбивались в толстые клубки и кружились в вихре. Они сновали туда-сюда, собирались в кучки по углам, мчались вверх по лунному лучу, потом вниз, проходя сквозь пол. Кровать начала вибрировать. Все вокруг меня было в какой-то суете, и даже солома в моем тюфяке, казалось, ожила. Было очень страшно, но крикнуть я не смел, потому что боялся, что меня накажут. Когда я стал постарше, то думал, что эта вибрация могла бы быть результатом землетрясения, но когда я позже расспрашивал, не было ли в этих краях землетрясения, никто этого не помнил. Не знаю, бывали ли в Польше вообще землетрясения. Шум и суета в ту ночь продолжались довольно долго. Вы скажете, что мои ночные приключения на улице и в комнате — просто сны и ночные кошмары, но уверяю вас, что это не так.

Когда я подрос, эти видения, или как их там еще назвать, прекратились, но развилось нечто другое. Мне стали нравиться девушки — и еврейские девушки, и шиксы тоже. Постепенно я осознал, что, если я думаю о какой-то девушке достаточно долго и напряженно, она сама приходит ко мне, будто ее тянет магнитом. Я не таков, чтобы приписывать себе какие-то необычные силы. Скорее я рационалист. Знаю, бывают совпадения, которые по теории вероятностей не могут произойти. Когда я запускаю дрейдл* и он падает одной стороной пять-шесть раз, можно допустить, что это произошло случайно. Когда же я запускаю дрейдл десять раз и он падает по-прежнему на одну грань, случайности тут уже нечего делать. То же и с девушками. Происходило это так: я мысленно приказываю ей прийти туда-то и тогда-то, и она приходит.

Доказать это я не могу. Даже не всегда я могу провести опыт с дрейдлом. Эти силы необычайно склонны обижаться. Они очень капризны и терпеть не могут, чтобы их исследовали с помощью

---

* Дрейдл — волчок, которым играют дети на праздник Ханука.

пера и бумаги. Должен добавить, что они ненавидят науку и ученых. Поверьте, что даже в моих собственных ушах все это звучит как нонсенс. Кто они такие, эти силы? Живые ли они? Почему ненавидят науку и статистику? Это смахивает на обман, и меня неоднократно называли лжецом. Я и сам когда-то считал медиумов обманщиками, раз они не могут продемонстрировать свою силу в тот момент, когда их контролируют, так сказать, научно. Да, но наши органы чувств капризны, они в каком-то смысле антинаучны. Морис, если вам прикажут спать с женщиной в присутствии десяти профессоров со всевозможными измерительными приборами и кинокамерой, то вы, наверное, не будете таким уж донжуаном. А что было бы с Гете или Гейне, если бы их посадили за стол в окружении толпы ученых, вооруженных измерительной техникой, и приказали создать щедевр? Можно играть на скрипке, на освещенной сцене, перед сотнями людей, но это еще вопрос, Бетховен или Моцарт — смогли бы они написать что-нибудь стоящее при таких условиях? Многое из того, что я умею, мне приходилось показывать и перед большой аудиторией и даже под строгим контролем, но должен сказать, что наиболее замечательные вещи происходили, когда я бывал один. Никто не наблюдал за мной и нечего было бояться, что меня поднимут на смех. Застенчивость — ужасающая сила, чаще негативная. Многие мужчины охотно ходили бы в бордель, если б не боялись, что с проституткой станут импотентами. Почему оккультные силы должны быть менее капризны, чем гениталии?

На сегодняшний день я могу гипнотизировать прямо перед публикой. Но я должен был научиться этому. Я поборол ужас перед неудачей, но не окончательно. Если ударить кулаком по столу, стол ответит на этот удар. То же самое верно и при мысленных соприкосновениях. Каждый гипноз имеет свои контргипнозы. Если я боюсь не заснуть, то буду лежать и бодрствовать всю ночь, и если ученые с других планет нанесут мне визит, то решат, что я не сплю никогда. Почему так трудно быть хорошим актером на подмостках? У себя дома каждая женщина Сара Бернар. И ученых я видывал, которые перед большой аудиторией не могли связать двух слов, хотя в своей области были специалистами мирового класса.

Я умею делать вещи, которые мне интересны и убеждают меня, что я могу господствовать над душой другого человека, даже если я его едва знаю — быть может, он когда-то раз-другой взглянул на меня. А успех у женщин меня просто пугает. Что же это, если не гипноз? По моей теории, существует язык, с помощью которого души общаются непосредственно.

Однако гипнотические силы нашего сознания ограниченны. Не думаю, что я смог бы загипнотизировать дрейдл. Может быть, я гипнотизирую свою руку, пускающую волчок таким образом, чтобы он упал согласно моему приказу. Кто скажет, что гипноз — не биологическая сила? Или психическая? Или магнетизм — это и есть гипнотизм? Быть может, Господь Бог — гипнотизер такой необычайной силы, что Он сказал: «Да будет свет!» — и свет есть. Я слыхал про женщину, которая приказывала стулу идти, и стул ходил от стены к стене и даже танцевал. Призраки приподнимают тарелки, а потом разбивают их, перетаскивают камни, открывают запертые двери. Однажды ко мне пришла женщина. Она поклялась всем святым, что у нее было, будто однажды, войдя в кухню, она увидела, как кастрюля поднялась, некоторое время повисела в воздухе, а потом плавно опустилась к ее ногам. Это была почтенная женщина, вдова адвоката, мать взрослых детей, умная, образованная. У нее не было никаких причин выдумывать эту историю. Пришла она в надежде, что я смогу разобраться в этом происшествии. Оно тяготило ее много лет. Она сказала, что кастрюля не упала к ее ногам, а медленно спланировала. После этого она боялась ее. Женщина опасалась, что кастрюля выкинет еще какую-нибудь штуку, но кастрюля была как и все остальные. Женщина плакала. Может быть, это привет от ее покойного мужа? Она просидела у меня часа два, ожидая, что я как-то разъясню все это, но единственное, что я смог ей сказать, — что кастрюля действовала не по своей воле, а какая-то сила — невидимая рука — подняла ее и опустила. Помню, как она спросила: «Быть может, кастрюля хотела пошутить?»

— Если эта история верна, мы должны пересмотреть все наши ценности, всю концепцию мира, — сказал Файтельзон. — А все-таки почему кухонный горшок ни разу не поднялся в воздух в присутствии физика, или химика, или, на худой конец, фотографа с камерой? Как же это так, почему чудеса случаются в таких вдовьих кухоньках?

Почему такое не случается в кухне, где много поваров? Может, кастрюли тоже застенчивы?

В половине одиннадцатого Эльбингер заявил, что ему пора, у него свидание. Я хотел уйти вместе с ним, но Файтельзон упрашивал, и я остался.

Закурив сигару, Файтельзон заговорил опять:

— Этот наш герой — большой ипохондрик. Он сам себя гипнотизирует, уверяя, что страдает от дюжины болезней. Он убежден, что не спит годами. У него язва. Полагаю, он импотент. Женщины без ума от него, но он практически невинен. История человечества — это история гипнотизма. По моему глубокому убеждению, каждая эпидемия — массовый гипноз. Когда газеты пишут, что в городе инфлюэнца, люди начинают умирать от инфлюэнцы. Я и сам нахожу у себя все признаки безумия. Я совсем не могу читать. Уже к концу первой фразы я зеваю. От женщин я просто заболеваю. Их болтовня докучает мне. Вот, к примеру, Селия. Она приходит сюда на час-другой, и все время она будет молоть чепуху. А Геймл вообще гомосексуалист. Временами мне кажется, что и я тоже. Не бойтесь, к вам я не буду приставать.

Снова зазвонил телефон. Файтельзон не подходил. Он стоял и смотрел на меня, смотрел как-то иначе — отеческим взглядом. Когда телефон замолчал, он продолжал: «Это Селия. Я вижу, вы утомлены. Если хотите, идите домой. Цуцик, н оставайтесь в Польше. Катастрофа приближается, и это будет похуже, чем во времена Хмельничины. Если можете получить визу — даже туристскую визу, — бегите. Счастливых праздников».

Телефон так и звонил не переставая, и Файтельзон снял трубку.

2

Стояла такая тишина, что я слышал эхо собственных шагов. На Лешно подъезд был заперт. Дворник долго не открывал, что-то ворча себе под нос. Поднявшись по неосвещенной лестнице, я постучал в дверь. Открыла Текла и с порога сказала:

— Вам звонила мисс Бетти, наверно, раз сто.

— Спасибо, Текла.

— Вы не пошли в синагогу в такой большой праздник? — упрекнула она.

Я не нашелся что ответить. Прошел к себе. Разделся и лег, не зажигая света. Но заснуть не мог. Что мне остается после того, как истрачу те несколько злотых, что сейчас у меня в кармане? Как заработать? Я был удручен всем этим. Файтельзон хотя бы читает лекции, и благодаря этому у него есть минимальный заработок. Он принимает деньги от Селии, от других женщин. И за квартиру в муниципальном доме он платит лишь тридцать злотых. А я взвалил на себя ответственность за больную девушку.

Наконец я крепко заснул. Пробуждение мое было внезапным. Звонил телефон. Наручные часы показывали четверть второго. Слышно было, как прошлепала босыми ногами Текла. Она открыла дверь и прошипела: «Это вас». Возмущение было в ее голосе: еврей не должен осквернять самый светлый день в году. Я вылез из постели и в коридоре натолкнулся на Теклу. На ней была только ночная сорочка. Я взял трубку. Звонила Бетти. Голос был хриплый, сварливый, какой бывает во время ссоры:

— Ты должен сейчас же прийти в отель. Я звоню в Йом-Кипур, посреди ночи. Это не пустяк.

— Что такое?

— Дозваниваюсь до тебя целый день. Где ты шляешься в Йом-Кипур? Я не сомкнула глаз прошлой ночью и ни на минуту не прилегла сегодня. Сэм очень болен. Ему надо делать операцию. Я ему все про нас рассказала.

— Что с ним? Зачем было говорить ему?

— Прошлой ночью он встал в туалет, но не смог помочиться. Были такие боли, что я вызвала «скорую помощь». Они спустили мочу катетером, но он хочет оперироваться. Ложиться в больницу здесь не желает. Сэм настаивает, чтобы мы вернулись в Америку, к его доктору. Здешний врач считает, что у него слабое сердце и операцию он не перенесет. Дорогой, у меня такое чувство, что ему уже не помочь. Сэм отозвал меня в сторонку и говорит: «Бетти, игра сыграна, но я хочу позаботиться о тебе». У него был такой голос... Я не выдержала. Рассказала ему всю правду. Он хочет поговорить с тобой. Садись на извозчика и давай прямо сюда. Он теперь как отец мне — ближе чем отец. Я понимаю, сейчас Йом-Кипур, но время не ждет. Ты придешь?

— Да, разумеется, но не надо было говорить ему.

— Мне вообще не надо было на свет родиться! Скорее же! — И она положила трубку.

Я стал поспешно одеваться, но в спешке вещи выскальзывали из рук. Оторвалась пуговица и закатилась под кровать. Пытаясь найти ее, я нагнулся и разбил лоб. В комнате было тепло, но меня била дрожь. Аккуратно закрыв за собой дверь, я осторожно спустился по темным ступеням. Второй раз за эту ночь я позвонил, и дворник опять отпер мне. На улице было мокро — вероятно, прошел дождь. Кругом ни души. Я стоял на обочине тротуара, надеясь поймать такси. Вскоре стало ясно, что так можно простоять всю ночь — и ни одна машина не появится. Тогда я решил идти по Белянской по направлению к Краковскому предместью. Прошел только один трамвай, и тот мне навстречу. Я уже не шел, а бежал. Вот и отель. Портье дремал перед конторкой с ключами. Я постучал в дверь к Бетти. Ответа не было. Снова постучал, и Бетти открыла. На ней была пижама, на ногах шлепанцы. Лампы сияли с необычайной яркостью. Сэм лежал на двух подушках, с закрытыми глазами. Казалось, он спит. Из-под одеяла спускался тонкий шланг прямо в судно. Бетти выглядела измученной: лицо вытянулось, бледное, волосы в беспорядке.

— Почему так долго? — прошептала Бетти, и шепот ее походил на рыдание.

— Не было извозчика. Бежал всю дорогу.

— Ох! Он только что заснул. Принял таблетку.

— Почему столько света?

— Не знаю. Сейчас все погашу. Не понимаю, что со мной творится. Одно несчастье за другим. Посмотри на мои глаза. Идем-ка!

Бетти схватила меня за руку и потащила к окну. Жестами показала, чтобы я молчал. Начала говорить шепотом, временами переходя на крик. Похоже, в ней скопилось так много слов, что она не в силах удерживать их в себе.

— Я начала звонить с десяти утра и звонила до ночи. Где ты был — все у своей Шоши? Цуцик, у меня никого нет здесь. Только ты. Знаешь, Сэм — святая душа. Никогда бы не подумала. О, если бы я знала. Была бы с ним нежнее. Должно быть, я стала верующей. Боюсь только, что слишком поздно. У него было носовое кровотечение. Завтра здесь консилиум. Я позвонила в американское консульство, и все устроилось. Предлагают поместить его в частную клинику, там врачи лучше, но он хочет только в Америку. Вчера вдруг подозвал меня и говорит: «Бетти, я знаю, ты любишь Цуцика, и незачем отрицать это». Я так была поражена, что призналась во всем, заплакала, а он поцеловал меня и назвал дочкой. У Сэма есть дети, но мать настроила их против отца. Они таскали его по судам, пытаясь заполучить наследство еще при его жизни. Погоди, он просыпается.

Сэм поднял голову и прокашлялся:

— Бетти, где ты? Почему так темно?

Она подбежала:

— Сэм, милый! Я надеялась, что ты поспишь подольше. Цуцик здесь.

— Цуцик, подойдите сюда. Бетти, зажги свет. Пока я еще дышу, не хочу лежать во тьме. Цуцик, вы видите, я очень болен. Я хочу поговорить с вами, как отец. У меня два сына, оба адвокаты, но никогда в жизни они не обращались со мной как с отцом. Хуже, чем с посторонним. Есть у меня зять, но и он не лучше. А с ним и дочь стала ведьмой. Мне уже давно не очень-то хорошо. Неожиданно навалилась старость: сердце, желудок, ноги — все сразу. По двадцать раз на дню я бегаю — простите! — в туалет, но помочиться не могу. В Нью-Йорке у меня свой врач. Каждые три месяца он проводит обследование, назначает массаж. Он против операции — считает, что сердце не выдержит. Здесь, в Варшаве, у меня не было врача. Да и театр отнимал у нас столько сил, что я все забросил. Мой доктор запретил мне пить — виски раздражает простату, это нехорошо для мочевого пузыря, и одно из двух... но ведь не хочется же думать, что я уже сыграл в ящик. Берите стул, садитесь. Вот этот. И ты тоже, Бетти, милая. О чем это я говорил, а? Да, боюсь, что Бог уже хочет призвать меня к Себе. Он, вероятно, стал бизнесменом и хочет, чтобы Сэм Дрейман Его консультировал. Раз пришло время, надо идти. Если даже операция пройдет благополучно, я все равно проживу недолго. Я думал, что здесь потерял в весе, а оказалось, прибавил фунтов двадцать. Как тут будешь соблюдать диету? Мнс по вкусу здешние блюда, все приготовлено так по-домашнему. Ну да ладно...

Сэм закрыл глаза, помотал головой, снова открыл и продолжал:

— Цуцик, сегодня Йом-Кипур. Я думал, буду в состоянии пойти в синагогу. Есть тут одна, на Тло́мацкем, не хуже, чем у хасидов на Налевках. Купил места. Но человек предполагает, а Бог располагает. Буду откровенен — если мне суждено уйти, не хочу оставлять Бетти на произвол судьбы. Знаю про вашу связь — Бетти призналась мне. Да и прежде о ней знал. В конце концов, она молодая женщина, а я старик. Когда-то и я был настоящим мужчиной, мог быть о-го-го еще каким любовником, мог устроить ад для женщины из женщин, но когда тебе за семьдесят и у тебя повышено давление, ты уж не тот. Она винит себя за то, что принесла вам несчастье. Я тоже надеялся, что пьеса будет иметь успех, да видно, не суждено. Много слишком было болтовни. Послушайте теперь меня, не перебивайте, очень прошу, и подумайте над тем, что я скажу. Вы — бедный молодой человек. Вы — талантливы, но талант подобен алмазу — его надо шлифовать. Я знаю, что вы связаны с какой-то больной, недоразвитой девушкой. Она тоже бедна, и что тут еще скажешь? Два трупа пустились в пляс. Здесь, в Польше, ждать добра не приходится. Эта скотина Гитлер скоро будет здесь со своими наци. Будет война. Американцы помогут, как это было в последнюю войну, но сначала наци расправятся с евреями: евреи будут истреблены. Еврейская пресса уже встревожена. Никто не издает книг, а то, что ставят на сцене, — отвратительно. Как вы будете делать жизнь? Писатель тоже должен кушать. Даже Моисею приходилось есть. Об этом говорится в Святых книгах.

Цуцик, Бетти тебя любит, да и ты, как я погляжу, не слишком ее ненавидишь. Я собираюсь оставить ей много денег — сколько именно, скажу в другой раз. Я хочу сделать дело с вами — хорошее, стоящее дело. Неизвестно, что со мной будет. Наверно, оставлю этот мир, хотя, если Бог захочет, может, протяну еще год-другой. Если мне удалят простату, я уже не человек — полчеловека. Вот мой план: я хочу, чтобы вы поженились. Я хочу учредить попечительский фонд. Адвокат вам все объяснит потом. Вы не будете паразитом, которого кормит жена. Напротив, будете сами содержать ее. Прошу только об одном: пока я жив, пусть Бетти останется моим другом. Я буду вашим издателем, менеджером — все, что хотите. Напишете хорошую пьесу — поставлю ее. Будет книга — издам ее или поручу это другому издателю. Я стану для вас таким агентом. Вы будете мне как сын, а я буду вам отцом. Я найму людей, которые все сделают как следует.

— Мистер Дрейман...

— Знаю, знаю, что вы скажете. Вы хотите знать, что будет с девушкой. Как там ее зовут? Шоша? Не думайте, что я оставлю ее на произвол судьбы здесь, в голодной Варшаве. Сэм Дрейман этого не сделает. Возьмем ее в Америку. Она больна и нуждается в лечении, — быть может, ей нужен психиатр. Консул — мой друг, но всему есть предел — он не сможет выдать ей постоянную визу. Существует квота, и даже президент не в состоянии ее обойти. Но я уже придумал, что мы сделаем. Мы возьмем ее с собой как горничную. Она не будет ничьей горничной. Если ее вылечат — для нее это будет в тысячу раз лучше, чем стать вашей женой и тут, в Польше, умереть с голоду. Вы только согласитесь, чтобы Бетти могла оставаться мне другом, не бросала меня одного, если вы там поцелуете вашу Шошу или еще что-нибудь такое. Так я говорю, Бетти?

— Да, Сэм, милый, все, все правильно, все, что ты скажешь.

— Слышите? Это мой план. И ее, конечно, тоже. Только вот еще что — надо быть в Америке как можно скорее. Поэтому решать надо быстро. Если вы говорите «да», сразу надо пожениться, если «нет», мы скажем «гуд бай», и да поможет вам Бог.

Сэм Дрейман закрыл глаза. Немного погодя он сказал:

— Бетти, уведи его к себе. Мне надо... — И он что-то забормотал по-английски, я не смог разобрать.

3

Прямо в коридорчике, соединяющем обе комнаты, Бетти бросилась целовать меня. Лицо ее было мокрым от слез, и мое тоже стало мокрым. Она прошептала: «Муж мой, это Божий промысел ведет нас».

Открыв дверь в свою комнату, она пропустила меня и ушла назад к Сэму. Свет она не зажигала. Я постоял в темноте. Потом опустился на диван, едва ли соображая что-либо. Конечно, Бетти могла вернуться в любую минуту. Но она, видно, ушла надолго. Было темно, но казалось, вот-вот начнет светать. Постепенно я начал обдумывать положение. Если соглашусь, передо мной откроются такие перспективы, о которых я и помышлять не смел. Американская виза и возможность писать, не думая о деньгах! И Шошу можно взять с собой. Внутри у меня все смеялось и ликовало. Позже, в зрелом возрасте, говорил я себе, женюсь на девушке, похожей на мою мать, — она будет религиозной, из приличной семьи, настоящая еврейская девушка. Мне всегда было жаль тех мужчин, чьи жены вели себя слишком вольно. Эти мужчины спят со шлюхами и поэтому не могут быть уверены, что их дети — действительно их собственная плоть и кровь. Такие женщины бесчестят свой дом. А теперь и мне предстояло одну из таких взять в жены. Бетти рассказывала мне про свои приключения в России и в Америке тоже. Это запало в память. В революцию у нее были романы и с красноармейцем, и с моряком, и с директором бродячей актерской труппы. Потом она продала себя за большие деньги Сэму Дрейману. У нее не только гадкое прошлое. И сейчас Сэм Дрейман обусловливает наш контракт тем, что Бетти должна остаться его подругой, пока он жив. «Беги! — кричало что-то у меня внутри. — Иначе погрязнешь в такой трясине, что не сможешь выбраться. Тебя волокут в бездну! Беги!» Это был голос моего отца. В предрассветной дымке я видел его высокие брови и пронзительные глаза. «Не позорь меня, не позорь свою мать и всех остальных предков. Все твои поступки известны на небесах». Потом голос начал бранить меня: «Язычник! Предатель Израиля! Видишь, что бывает с теми, кто отрицает Всемогущего! Ты возненавидишь это, отвернешься от этого, ибо это окаянство! Скверна!»

Меня трясло. С тех пор как отец умер, я никогда не мог представить его лица. Он никогда не приходил и во сне. Смерть его была для меня таким потрясением, что у меня наступило нечто вроде амнезии. Часто перед сном я просил его явиться ко мне или дать мне какой-нибудь знак, но мольбы мои оставались без ответа. И вдруг вот он, стоит позади дивана. Прямо здесь! В комнате у Бетти. И именно в Судный день. Величественный, сияющий, он, казалось, излучает собственный свет. Мне припомнилось, как сказано в Мидраше про Иосифа: «Когда он собирался согрешить с женой Потифара, отец его, Иаков, предстал перед ним». Такие видения бывают только в минуты великих бедствий.

Я встал. Глаза мои широко раскрылись. «Отец, спаси меня!» И пока я молил так, образ его исчез.

Открылась дверь.

— Ты спишь? — спросила Бетти.

Я не сразу смог ответить.

— Нет.

— Зажечь свет?

— Нет-нет.

— Что с тобою? Сегодня для меня не только Йом-Кипур. Перед твоим приходом я тут прикорнула на тахте, и ко мне приходил отец. Он выглядел, каким я его запомнила, даже еще красивее. Глаза его лучились. Проклятые убийцы целились в лицо, разнесли череп, но во сне он стоял передо мною как живой. Ну ладно, какой твой ответ?

Я только мог произнести:

— Не теперь.

— Если ты меня не хочешь, не стану приставать к тебе. У меня еще осталась кое-какая гордость. Надо быть прямо святым, чтобы все так устроить, как нам Сэм предлагает. Но если тебе зазорно быть моим мужем, скажи только, и я не стану бегать за тобой. Всякое бывало со мной раньше, но тогда у меня никого не было и я не была ни с кем и ни с чем связана. Просто у меня горячая кровь. Эти все мужчины, в сущности, не были даже близки со мной. Клянусь, я их всех давно позабыла. Не узнаю даже, если встречу на улице. Зачем только я, дура, тебе про них рассказывала. Язык мой — враг мой.

— Бетти, Шоша умрет, если я так с ней поступлю.

— Что? Да она вылечится в Америке, а здесь-то как раз умрет от голода. Все их дома провоняли грязью и нищетой. Вид у твоей Шоши — краше в гроб кладут. Сколько еще можно так жить? Я вообще не хочу замуж — ни за тебя, ни за кого другого. Это все Сэм затеял. Настоящий отец не мог бы быть добрее. Скорее дам отрубить себе руку, чем его оставлю. Ты уже знаешь, я говорила, он теперь и не мужчина вовсе. Все, что ему нужно, — чтобы его поцеловали, погладили, сказали доброе слово. Если не согласен на это — скатертью дорожка. Ведь я же согласилась взять к себе в дом Шошу, дурочку эту, так уж не позволить такого Сэму — это слишком. Ты и мизинца его не стоишь, идиот проклятый.

Она ушла, хлопнув дверью. И почти тотчас же вернулась:

— Что сказать Сэму? Отвечай прямо.

— Ладно, пускай мы поженимся.

— Это твое твердое решение или ты опять морочишь мне голову? Если ты собираешься следить за мной, сгорая от ревности, и будешь считать меня продажной шлюхой, лучше разойтись сразу.

— Бетти, раз я смогу заботиться о Шоше, можешь быть с Сэмом.

— Что это ты вообразил себе — по-твоему, я поставлю охрану у твоего ложа, как султан из «Тысячи и одной ночи»? Знаю, тебя влечет к ней. Готова принять и это. Но потребую того же и от тебя. Прошли времена, когда мужчина позволял себе всякое свинство, а женщина оставалась рабыней. Сколько бы Сэм ни прожил — пусть Бог дарует ему долгие годы, он заслужил это, — все мы будем жить вместе. Постарайся думать о нем как об отце. В сущности, так это уже и есть. Я еще не оставила мысли о театре — хочу попробовать еще разок. Попробуем поставить там твою пьесу. Никто не будет нас дергать и торопить. А что ты там будешь крутить со своей Шошей, волнует меня как прошлогодний снег. Сомневаюсь, в состоянии ли она вообще быть женщиной. Или ты уже? Было у тебя с ней что-нибудь?

— Нет, нет.

— Да ладно, не может же львица ревновать к мухе. Добавлю только, что, пока Сэм жив, пусть он живет сто двадцать лет, я не посмотрю ни на кого другого. Могу поклясться в этом перед черной свечой*.

— Не надо клясться.

— Нам следует пожениться сразу же. Что бы там ни было, хочу, чтобы Сэм присутствовал.

— Да.

— Знаю, у тебя есть мать и брат, но нельзя откладывать. Если все будет хорошо, мы и их возьмем в Америку.

— Благодарю тебя, Бетти, спасибо.

— Цуцик, все будет гораздо лучше, чем ты себе представляешь. Хватит уже грязи. Я хочу отмыться и начать сначала. Когда я тебя вижу, я сама не своя. У тебя миллион недостатков. Но есть в тебе что-то, что притягивает меня. Что это? Скажи.

— Почем я знаю, Бетти.

---

* Согласно каббалистическим представлениям, «черная свеча» («буципа декардинута» — по-арамейски) — мистическая, изначальная субстанция, начало, лежащее в основе творения, ассоциируется со Святая Святых Иерусалимского Храма. Клятва черной свечой считается самой страшной и обязательной из всех клятв.

— Когда я с тобой, все интересно. Без тебя я несчастна. Иди же сюда, поздравь меня, скажи: «Мазлтов!»

4

Я крепко заснул на том же диване, в комнате у Бетти. Когда я открыл глаза, Бетти стояла передо мной: «Вставай, Цуцик!» Она была растрепана и выглядела растерянной. Трещала голова, и я не сразу сообразил, где нахожусь и зачем. Было совсем светло. Бетти склонилась надо мной с материнской нежностью:

— Сэма забирают в больницу. Я поеду с ним.

— Что случилось?

— Нужна немедленная операция. Где тебя потом найти? Оставайся-ка лучше здесь, в этой комнате. Тогда я смогу позвонить.

— Хорошо, я останусь, Бетти.

— Ты помнишь наш уговор?

— Да.

— Помолись за него. Не хочу его потерять. Если, Боже упаси, что-нибудь случится, я останусь одна на свете. — Она наклонилась и поцеловала меня в губы. Потом продолжала: — Карета скорой помощи ждет внизу. Если уйдешь, оставь ключ у портье. Хочешь пойти к Шоше, иди. Но с Селией порви раз и навсегда. Не хочу быть пятым колесом в телеге. Было б лучше, если б ты простился с Сэмом, но не хочу, чтобы он знал, что ты провел здесь ночь. Скажу, что ты ушел домой. Помолись за нас!

Бетти ушла. А я остался сидеть на диване. Взглянул на свои часы. Они остановились, наверно, часа в четыре. Снова закрыл глаза. Со слов

Бетти я так и не понял, сделал Сэм новое завещание или только собирается. Даже если сделал, семья опротестует его. Я ужаснулся. Куда завели меня эти размышления? Денежные расчеты всегда претили мне. Никогда не приходило мне на ум жениться из-за денег или других практических соображений. *Это виза, а не деньги,* оправдывал я себя, *страх попасть в лапы к наци.*

Но что-то еще злило меня. Что же? Порвать с Селией? Но Бетти не имеет права этого требовать, раз сама остается в качестве «мистрис» у Сэма Дреймана. Пойду прямо к Селии! Я провел по щеке — отросла колючая щетина. Попытался было встать, но затекли ноги от этого спанья на диване. Над умывальником висело зеркало. Я поднял штору и уставился на свое отражение: бледное лицо, красные глаза, мятый воротничок. Затем подошел к окну и выглянул. Перед отелем машин не было. «Скорая помощь» уже увезла Сэма в больницу. Бетти даже не сказала в какую. Видно, было не слишком рано. Солнце светило вовсю. «Что сказать Шоше? — спрашивал я себя. — Она только поймет, что я женюсь не на ней... Она не переживет этого». Я опять выглянул в окно. Пустые трамваи, дрожки без седоков. Казалось, даже нееврейские кварталы опустели в честь Йом-Кипура. Я надел пиджак, умылся, хотя и это запрещается в такой великий праздник, как Йом-Кипур, вышел. Стал спускаться по ступенькам. Мне незачем было торопиться. В первый раз я почувствовал, что Сэм близок и симпатичен мне: он хотел того же, что и я, — невозможного.

На пути попалась парикмахерская. Я зашел. Клиентов не было, и хозяин встретил меня с преувеличенной вежливостью. Он обернул меня белой простыней, как саваном. Прежде чем брить, разгладил мне бороду.

— Ну и город наша Варшава! — заговорил он. — У этих «шини», у жидков этих, Йом-Кипур, и весь город будто вымер. И это в столице, коронном городе Польского королевства. И впрямь забавно!

Он по ошибке принял меня за поляка. Я хотел было ответить, но, быстро сообразив, что мой акцент выдаст меня, кивнул только и произнес единственное слово, которое не могло меня скомпрометировать: «Так».

— Они расползлись по всей Польше, — продолжал парикмахер. — Города завшивели от них. Сначала они жили на Налевках, на Гжибовской, на Крохмальной, а теперь, как черви, расползлись по всей Варшаве. Пробрались даже в Виланов*. Одно только утешает — Гитлер выкурит пархатых изо всех щелей.

Меня затрясло. Он держал бритву прямо у горла. Я поднял глаза. На секунду его зеленые глаза встретились с моими. Уж не заподозрил ли он, что я еврей?

— Я вот что вам скажу, шановный пан. Эти теперешние евреи — те, что бреются, говорят чисто по-польски и притворяются поляками, — они даже хуже, чем прежние Шмули и Срули в длинных лапсердаках, с белыми бородами и пейсами. Те, по крайней мере, не лезли, куда их не просят. Сидели себе в лавках и раскачивались над своим Талмудом, как бедуины. Болботали на своем жаргоне, а если христианин попадал к ним в лапы,

* Виланов — резиденция польских королей.

объегоривали его на несколько грошей. Зато они не ходили ни в театры, ни в кафе, ни в оперу. А эти, бритые, в пиджаках, — от них все беды. Они заседают в нашем Сейме и заключают договоры с нашими злейшими врагами — с литовцами, русинами, русскими. Все они — тайные коммунисты и советские шпионы. Одного они хотят — уничтожить нас, католиков, и передать власть большевикам, масонам и социалистам. В это трудно поверить, шановный пан, но ихние миллионеры заключили секретный пакт с Гитлером. Ротшильды его финансируют, а посредник у них Рузвельт. По-настоящему он не Рузвельт, а Розенфельд, крещеный еврей. Они как будто бы допускают и христианскую веру, но у них одно на уме — развалить все изнутри и заразить все и вся. Вот так. А вы как думаете?

Я пробормотал что-то нечленораздельное.

— Они приходят сюда бриться и стричься круглый год, а сегодня их нет. Йом-Кипур — святой праздник даже для богатых. Больше половины магазинов закрыты сегодня — и здесь, и на Маршалковской. Эти не пойдут в хасидские молельни, не наденут меховые шапки и молитвенные шали, как прежние жиды, — ан нет, они наденут цилиндры и в собственном автомобиле поедут в синагогу на Тломацкем. Уж Гитлер вытурит их! Он обещал этим жидовским миллионерам, что сохранит их капиталы, — но раз наци вооружены, он приструнит их всех! Ха-ха-ха! Плохо вот только, что он на нашу страну нападет. Но раз мы не можем сами очистить страну от заразы — приходится позволять врагу сделать это. Что будет потом, никто не знает. Во всем виноваты протестанты. Они продали душу дьяволу. Они смертельно ненавидят

Папу. А знаете, шановный пан, что и Лютер был тайным евреем?

— Нет.

— Это установленный факт.

Цирюльник дважды прошелся бритвой по лицу. Потом побрызгал одеколоном и припудрил. Почистил пиджак, стряхнув с него двумя пальцами несколько волосков. Я расплатился и вышел. Рубашка взмокла от пота. Я припустился бежать, еще не сообразив, куда собираюсь идти. *Нет, я не останусь в Польше! Уеду любой ценой!* На перекрестке меня сшиб автомобиль, и я упал. Это самый неудачный день в моей жизни. И я тоже продал душу дьяволу. Пойти, что ли, в синагогу? Нет, не стоит осквернять святое место! В животе что-то урчало. Пот струился по лицу, по спине, боль разрывала мочевой пузырь. Если я не опорожнюсь сию же минуту, намочу все. А вот и ресторан. Я попытался войти, но дверь не поддавалась. Закрыто? Не может быть — за столиками сидели и обедали, кельнеры разносили еду.

Подошел человек с собакой на поводке и подсказал:

— Не к себе, а от себя!

— О, тысяча благодарностей!

Я спросил у кельнера, где туалет, и он указал на дверь. Но, подойдя к двери, я ее не увидел. Она исчезла как по волшебству. За столиками перестали есть и уставились на меня. Какая-то женщина громко рассмеялась.

Подошел кельнер:

— Вот сюда. — И он открыл передо мной дверь.

Я подбежал к писсуару, но, как недавно Сэм Дрейман, не мог помочиться — моча не шла.

ГЛАВА ДЕВЯТАЯ

1

Я не пошел к Селии — провел Йом-Кипур с Шошей. Бася ушла в синагогу. Толстая поминальная свеча горела со вчерашнего дня и теперь почти не давала света. Разбитый и вялый, после перенесенной бессонной ночи, я валялся на постели прямо в одежде. Шоша сидела рядом. Она что-то говорила. Хотя голос ее я слышал, но, о чем она говорит, уловить не мог. Должно быть, рассказывает про войну, тиф, голод, смерть Ипе. Шоша положила свою детскую ручку мне на грудь. Мы оба постились.

То и дело я приоткрывал один глаз, чтобы посмотреть, как солнечный луч передвигается по стене. Спокойствие Дня искупления разлилось вокруг. Было слышно, как щебечут птицы. Я принял решение и знал, что не отступлюсь, но было еще нечто, что я не мог объяснить ни себе, ни другим. Было ли это видение — или галлюцинация — появление отца? Или цирюльник отравил меня своими ядовитыми речами? Отвергнуть женщину, страстную, талантливую, которая к тому же имеет возможность взять меня в Америку, избавив от проклятой бедности и нацистской пули? Была ли это ревность к Сэму Дрейману? Такая уж огромная любовь к Шоше? Или просто недоставало решимости огорчить Басю? Вопросы эти я задавал моему подсознанию, или надсознанию, но ответа не получил. Это как с человеком, который совершает самоубийство, объяснил я себе. Он нашел крюк в потолке, сделал петлю, подставил стул и до последней минуты не знает, зачем он это делает. Кто сказал, что в природе и человеческом обществе все можно выразить словами и для всякого действия должны быть мотивы? Уже давно я осознал, что литература только описывает события и характеры, а уж потом подыскивает оправдания для них. Все мотивации в беллетристике или очевидны, или неверны.

В конце концов я уснул. Проснулся лишь в сумерках. Последние лучи заходящего солнца отражались в чердачном окошке. Ко мне подошла Шоша:

— Ареле, ты славно поспал.

— А ты, Шошеле?

— О, я тоже спала.

В комнате был полумрак. Свеча уже догорала. Пламя то поднималось вверх, то становилось таким крошечным, что едва был виден фитилек. Шоша заговорила опять:

— Прошлый год я ходила с мамеле в синагогу вечером на Йом-Кипур. Мужчина с белой бородой трубил в рог.

— Да, я знаю.

— Когда на небе появятся три звезды, можно есть.

— Ты проголодалась?

— Когда ты со мной, это лучше, чем есть.

Неожиданно для себя я произнес:

— Шоша, мы скоро будем мужем и женой. После праздников.

Я собрался предупредить Шошу, чтобы она пока ничего не говорила матери, но тут открылась дверь и вошла Бася. Шоша бросилась ей навстречу: «Мамеле, Ареле собирается жениться на мне сразу после Суккот!» Я и не подозревал, что у Шоши такой звонкий голос. Она повисла на матери и осыпала ее поцелуями. Бася положила молитвенники и теперь вопрошающе смотрела на меня. Радость и удивление были в ее глазах.

— Да, это правда, — подтвердил я.

Бася хлопнула в ладоши:

— Милосердный Господь услышал мои молитвы. Весь день я стояла на ногах и молилась за тебя, доченька, и за тебя, Ареле, сын мой. Только Бог в небе знает, сколько слез пролила я за эти два дня. Доченька, свет очей моих, мазлтов!

Они целовались, обнимались, раскачивались из стороны в сторону, не в состоянии оторваться друг от друга.

Бася протянула ко мне руки. От нее исходил аромат поста, нафталина, в котором целый год пролежало ее платье, и еще чего-то, очень женского и праздничного, — привычный аромат моего детства, когда, бывало, наша комната превращалась в женскую молельню перед первыми днями месяца Аба. Басин голос тоже зазвучал громче и выше. Она заговорила на простонародном языке жаргонных молитвенников:

— Это все на небесах, на небесах. Это счастливейший день в несчастной моей жизни. Помоги же нам, Боже! Мы много страдали. Отче, позволь дожить до радости повести мое перворожденное дитя под свадебный венец. — Бася воздела вверх руки. Она вся лучилась материнским счастьем.

Шоша расплакалась. Бася всплеснула руками и воскликнула:

— Что же это со мной?! Он же постился весь день, сокровище мое, милый мой наследничек!

Она бросилась к буфету и вернулась с графином вишневой наливки. Наливка эта стояла, должно быть, много лет, ожидая подходящего случая. Мы чокались, пили и целовались. Шоше тоже немного налили. Когда она целовала меня, это уже не были детские поцелуи. Даже губы у нее стали как у взрослой женщины.

Открылась дверь, и на пороге возникла Тайбеле — хорошенькая, в новом платье. Мы уже виделись здесь с нею на Рош-Гашоно — она пришла тогда, чтобы провести праздники с матерью и сестрой. Тайбл, высокая, темноволосая, с карими глазами, походила на отца. Ей было только три года, когда они переехали из нашего дома, но она помнила меня и называла Ареле. На Рош-Гашоно Тайбл принесла кусок ананаса, чтобы произнести над ним праздничное благословение. Услыхав новости, она только спросила:

— Ареле, это правда? — И, не дожидаясь ответа, обняла меня, крепко сжала и принялась целовать. — Мазлтов! Мазлтов! Вот это да! И именно в Йом-Кипур! Так ли, этак ли — сердце подсказывало мне, — Ареле, у меня никогда не было брата, и вот теперь ты мой брат, даже ближе, чем брат. Когда тателе услышит... он тогда...

Тайбл бегом бросилась к двери, прямо рысью, на высоких каблуках. Бася спросила:

— Куда это ты так спешишь?

— Позвонить тателе. — Тайбл опять появилась в дверях.

— Зачем это? Почему такое счастье надо с ним делить? — Бася прямо-таки орала на дочь. — Он покинул нас, больных и нищих, и ушел к этой потаскухе, сгореть бы ей в аду дотла. Это не отец, а убийца. Если бы вы с ним остались, давно бы подохли с голодухи. Это я, я одна кормила вас, отдавала вам последние силы, чтобы вы не умерли. Боже милостивый, Отец наш небесный! Ты знаешь правду! Это из-за него, негодяя, и его грязных похождений мы потеряли Ипе — теперь она, наверно, в раю, со святыми. — Бася говорила все это только Шоше и себе, потому что дверь за Тайбеле давно закрылась.

Шоша поинтересовалась:

— Куда она пошла звонить? Разве гастроном сегодня открыт?

— Пусть ее звонит. Пусть подлизывается к нему, старому развратнику. Что до меня, то он такой же трефный, как свинья. Не хочу видеть его. Он не был вам отцом, когда вы голодали, хворали и выхаркивали легкие, и не хочу я, чтобы он был отцом теперь, когда удача повернулась к нам, пусть она с нами останется. Шошеле, что же ты стоишь, как дурочка? Поцелуй его, обними! Он уже все равно что муж твой, а мне он дорог, как собственное дитя. Никогда мы не забывали его, никогда. Не знали, где он и даже жив ли он, так много молодых людей погибло во всех этих войнах. А когда Лейзер принес хорошие вести и мы узнали, что он жив и пишет для газет, в нашем доме был все равно что праздник. Как давно это было? Все спуталось в голове, и я не знаю, что и когда. Это я, я поведу тебя под брачный венец, а не твой жестокосердный отец. Ареле, дитя мое, да вознаградит тебя Господь за ту радость и счастье, которые ты дал нам сегодня. — Бася зарыдала, и Шоша плакала вместе с ней.

Немного погодя Бася, надев фартук, загремела в кухне кастрюлями, горшками, тарелками. Пара цыплят, которых зарезали для капойрес в канун Йом-Кипура, была заранее приготовлена, и Басе только оставалось разрезать их на куски, подать халу и хрен. Она забыла подать фаршированную рыбу и весь оставшийся вечер сокрушалась из-за этого. Склонившись ко мне, Бася приговаривала:

— Ешь, дитя мое, ешь. Ослабел небось, бедный, от долгого поста. Что до меня, то я и не заметила, что пощусь, — так тяжело было на душе. Такое мне не впервой. Сколько раз приходилось ложиться в постель, не проглотив ни куска. Ешь, Шошеле, ешь, невеста моя! Господь внял твоим мольбам. Наши благочестивые предки просили за тебя перед Господом. У нас сегодня не конец Йом-Кипура, нет, для нас сегодня начинается Симхес-Тойре. Что с Тайбеле? Почему ее нет так долго? Он ее за дочь не считает, а она бегает за ним, потому что у него приличная квартира и он дарит ей всякую дребедень. Стыд и позор! Грех перед Господом!

Бася села за стол, но каждую минуту оборачивалась к двери. Наконец Тайбеле пришла.

— Мамеле, есть хорошие новости для тебя. Только проглоти кусок, а то разволнуешься и поперхнешься.

— Что еще за новости? Не надо мне от него новостей.

— Мамеле, послушай-ка! Как только папа услыхал про Шошу и Ареле, он стал другим человеком. Он влюблен в эту рыжую, а любовь делает людей сумасшедшими. Папа сказал две вещи, и я хочу, чтобы ты выслушала внимательно, потому что он ждет ответа. Во-первых, он дает тысячу злотых на приданое. Это не так уж много, но лучше, чем ничего. Во-вторых, если ты, мамеле, согласна на развод, то тебе он тоже дает тысячу злотых. Ша! Понимаю, это слишком мало за все годы твоих мучений, но раз вы двое все равно не вместе, то зачем причинять зло друг другу? Ты еще не такая старая. Да, ты не так уж стара, и если приоденешься понаряднее, то вполне сможешь найти подходящую пару. Это *его* слова, не мои. Мой совет — забыть все зло и прийти к соглашению раз и навсегда.

Пока Тайбеле говорила, лицо Баси исказилось гневом и отвращением.

— Теперь он хочет развестись со мной — теперь, когда кровь моя застыла и кости высохли? Не нужен мне больше муж! Не хочу я никому нравиться! Всегда я жила для вас, дети мои, только для вас. Шоша нашла своего суженого, теперь твоя очередь, Тайбеле. Необязательно ему быть писателем или ученым. Что зарабатывает писатель, ты знаешь? Шиш с маслом он зарабатывает. Пусть он будет торговец, или конторщик, или даже лавочник. Какая разница, кто твой муж? Главное, чтобы он был достойный человек, почитал одного Бога и имел одну жену, а не...

— Мамочка, порядочность еще не все. Нужно что-то чувствовать к мужу, любить его, уметь поговорить с ним. Связать жизнь с портным или конторщиком, а потом погрязнуть в кухне и стирке пеленок — это не для меня. Да что попусту говорить? Лучше подумать над тем, что я вам сейчас сказала. Я обещала отцу ответить сегодня.

— Что, уже ответ? Я ждала дольше. Хо-хо, важный господин! Не раздражайте его, у него есть деньги, а мы нищие. Не получит он ответ сегодня. Садись и ешь. У нас в доме сегодня двойной праздник. Да, бедные, но мы не какие-нибудь там, не из грязи вылезли. И коген был у нас в роду — реб Зекеле его звали. Твой отец, этот юбочник, может обождать.

— Мамочка, есть такое выражение — куй железо, пока горячо. Ты знаешь отца — у него все зависит от настроения. А как завтра он переменит решение? Что тогда делать?

— Буду делать то же, что и все эти годы, — страдать и уповать на Всемогущего. Ареле любит Шошу, не ее платья. Платье можно и на куклу надеть, да. Образованному человеку нужна душа. Правда, Ареле?

— Да, Башеле.

— О, прошу тебя, зови меня мамой. Пускай твоя мать живет сто двадцать лет, но лучше меня у тебя не будет друга в целом свете. Если мне прикажут жизнь отдать за кончик твоего ногтя, Бог свидетель, не буду раздумывать. — И она закашлялась.

— Ареле, нет слов, как все мы любим тебя, — сказала Шоша.

— Вам хорошо, вы двое любите друг друга, но не пытайтесь запродать меня какому-нибудь конторщику, — заговорила Тайбеле. — Если встречу настоящего человека, моя душа откроется ему навстречу.

Этим же вечером Бася назначила срок свадьбы — через неделю после Хануки. Она предложила, чтобы я сразу же написал матери в Старый Стыков: там она жила с моим братом Мойше, занявшим пост раввина после смерти отца.

Тайбл, очень деловая и практичная, спросила:

— Где собираются жить молодые? Теперь квартиры на вес золота.

— Они будут жить со мной, — ответила Бася. — Раз я готовлю на двоих, найдется еда и для третьего.

2

Это была величайшая глупость из всех, что я делал когда-либо, но я не жалел о сделанном. Приподнятого настроения, какое обычно бывает у влюбленных, у меня не было. На следующий день после Йом-Кипура я дал знать на Лешно, что съеду в конце месяца. Я сам обрек себя, возможно, на нищету, но пока еще не на смерть. У меня оставалась комната еще на четыре недели и немного денег, чтобы дать Басе на еду. Я сам изумлялся своему легкомыслию. Сэма Дреймана уже оперировали в еврейском госпитале на Чистой, и он собирался уехать из Варшавы вместе с Бетти для поправления здоровья.

Узнав, что я собираюсь съехать с квартиры сразу же после еврейских праздников, Текла зашла ко мне и спросила, почему я это делаю. Может, меня плохо обслуживают? Может быть, она,

Текла, пренебрегла своими обязанностями, забыла передать мне что-нибудь важное? Может, она как-нибудь меня обидела? Впервые я увидел слезы в ее прозрачных голубых глазах. Я обвил ее руками:

— Текла, милая, ты не виновата. Вы все здесь очень добры ко мне. А тебя я буду помнить до последнего дыхания.

— Где же вы будете жить? Или вы собираетесь в Америку с мисс Бетти?

— Нет, остаюсь в Варшаве.

— Плохие времена настали здесь для евреев, — после некоторого колебания проговорила Текла.

— Да, я знаю.

— Если будет война, католикам тоже придется несладко.

— Это верно. Но история народов — непрерывная цепь войн.

— Почему так? Что говорят ученые люди — те, что пишут книги?

— Единственное, до чего они додумались, — что, если не будет войн, эпидемий, голода, люди размножатся, как кролики, и нечего станет есть.

— Разве не хватает ржи на полях?

— Для миллиардов людей не хватит.

— Почему же Бог не сделает так, чтобы всем хватило?

— Объяснить это я не могу.

— Но вы знаете, где будете жить? Я буду скучать по вам. По воскресеньям у меня выходной, я ухожу гулять, но никак не могу подружиться с кем-нибудь. Другие девушки гуляют с солдатами, с парнями, которых они встретили прямо на улице или на Карцелаке. А я не могу завести дружбу с каким-нибудь грубияном неотесанным, который сегодня тебя поцелует, а назавтра уже не хочет знать. Они пьют и дерутся. Они портят девушек, а когда девушка понесла от него, он ее и знать не хочет. Разве это хорошо?

— Нет, Текла.

— Иногда я думаю, хорошо бы стать еврейкой. Еврейские молодые люди читают газеты и книги. Они знают, что происходит на свете. Они обходятся с девушкой лучше, чем наши увальни.

— Не делай этого, Текла. Когда наци придут, их первыми жертвами будут евреи.

— Куда вы переезжаете?

— На Крохмальную улицу, дом номер семь.

— Можно мне навестить вас в воскресенье?

— Да. Жди меня у ворот в полдень.

— Вы наверняка придете?

— Да.

— Святое обещание?

— Да, моя милая.

— Эге, вы будете там жить кое с кем?

— С кем бы ни жил, я всегда буду тосковать по тебе.

— Я приду! — И Текла бросилась вон из комнаты. Она потеряла тапок, подобрала его одной рукой, а другой зажала рот, чтобы хозяева не услыхали, как она всхлипывает.

Весь день я работал над очерком, а потом над рассказом из жизни Якоба Франка, лжемессии. Основной материал о нем уже был у меня подобран. За пару дней я закончил три очерка и теперь понес их в газету, где уже публиковались кое-какие мои вещицы. Надежды не было, но я решил все-таки попробовать. Поразительно, но редактор принял все три. Он даже попросил написать еще несколько рассказов о Якобе Франке. Силы, которые распоряжаются судьбой человека, пока что отсрочили мою голодную смерть.

Успех в газете придал мне храбрости, я позвонил Селии и все ей рассказал. Селия слушала меня, вздыхала, то и дело в трубке раздавался короткий смешок. Потом она сказала:

— Приводите ее и дайте мне на нее посмотреть. Что бы ни было, комната для вас здесь всегда найдется. Вы можете переехать сюда с кем хотите.

— Селия, она инфантильна — и физически, и интеллектуально.

— Да? Вот как? А вы сами что такое? А все вообще писатели? Умалишоты!

Дела начинали поправляться, без суеты и почти автоматически. Я отказался от свободного выбора и плыл по воле волн. Я дал знать Текле и ее хозяйке, что остаюсь еще на месяц. Обе поздравили меня и выразили надежду, что я останусь у них и дольше. В последний день Кущей позвонила Тайбл и пригласила в гости: меня хотел видеть Зелиг. Надев свой хороший костюм, я купил коробку конфет и взял дрожки, так как не хотел промокнуть. Девушка, которая жила с Тайбл, на весь вечер ушла в оперу. В комнате за столом, уставленным выпивкой и закуской, сидел Зелиг. С крашеными волосами и бородой он выглядел почти так же, как и двадцать лет назад. Широкоплечий, коренастый, с короткой шеей, выпирающим животом, красным, как у всех пьяниц, носом. Говорил он отрывисто и резко, как говорят рабочие на кладбище. От него несло водочным перегаром. Зелиг курил папиросу за папиросой.

— Если бы я был молод, как он, то ни за что бы не женился на такой бесчувственной вареной рыбе, как Шоша, — начал Зелиг.

Потом он пожаловался, что Бася не дает ему развода. И вот уже много лет он живет с женщиной, которую любит, и не может на ней жениться. Он сравнил Басю с собакой на сене. Сообщил мне также то, что я уже знал: он готов прийти на свадьбу и дает Шоше тысячу злотых в приданое. Как и его тесть когда-то, Зелиг расспросил меня, каковы мои перспективы зарабатывать на жизнь писательством. Он налил полстакана водки, которую выставила Тайбеле, опрокинул в себя, хохотнул, спросил грубо и отрывисто:

— Если начистоту, что ты увидал в моей Шоше? Ни спереди, ни сзади — доска и дыра, вот как мы зовем ее.

— Тателе, мне за тебя стыдно! — закричала Тайбл.

— Чего тут стыдиться? У нас в конторе нам известна вся подноготная. Женщина может обманывать хоть весь свет, тут подрумянится, там припудрится, наденет корсет, но когда мы раздеваем ее, чтобы завернуть в саван...

— Если не перестанешь, я уйду! — пригрозила Тайбл.

— Ладно, дочка, не сердись. Все мы таковы. Вот почему мы и пьем. В нашем деле, если не напиваться, долго не протянешь. А ты совсем не пьешь, да? — Зелиг обернулся ко мне.

— Редко.

— Скажи моей жене, чтобы она не тянула. Теперь или никогда, если она еще хочет выйти замуж. А если она подождет еще несколько лет, то снова станет непорочной, ха-ха-ха!

— Я ухожу, отец.

— Хорошо, хорошо, больше не скажу ни словечка. Подожди, Ареле, у меня есть для тебя подарок.

Из нагрудного кармана Зелиг достал часы с цепочкой. Я залился краской, а Зелиг продолжал:

— Что бы там ни было и что бы ни говорили, а я еще отец Шоше. Если у нее родится ребенок, не могу представить себе, каким образом, разве что сделают кесарево, я стану дедушкой. Я знавал твоего отца, да почиет он в мире. Мы были соседями много лет. Когда у вас в доме совершались свадьбы, меня звали иногда, чтобы составить миньян. Всегда-то он сидел над своей Гемарой. И мать помню. Неплохо она выглядела, хотя слишком уж тоща, на мой вкус. Ты на нее похож. А что нам делать с этим Гитлером? Все в панике, только не я. Если станет слишком скверно, вырою себе могилку, возьму коньячку и пойду спать. Кто видит смерть каждый день, тому она не страшна. Да и что такое жизнь? Сдавить покрепче горло, и конец. Вот тебе мой свадебный подарок. Они серебряные, на семнадцати камнях. Отец Баси дал их мне, чтобы я спал с его дочерью, а теперь я тебе их даю, чтобы ты спал с моей. Если постараешься как следует, то в один прекрасный день сможешь передать их парню, который будет ублажать твою дочь.

— Ох, тателе, ну что с тобой поделаешь?

— Уймись, Тайбеле, ничего ты не сможешь со мной поделать. И для тебя у меня есть подарок, только найди хорошего человека. Бога нет. Я хожу в синагогу на Рош-Гашоно и в Йом-Кипур. Но не слишком уже там молюсь.

— Откуда же тогда все взялось? — спросила Тайбл.

Зелиг подергал себя за бороду.

— Откуда все взялось? Это все есть, да и только. В Праге жили однажды два друга, и вот один заболел. Перед смертью он договорился со вторым, что, если тот свет есть, он вернется и даст знать. Он наказал другу зажечь свечу в ханукальном подсвечнике в последний день траура, а он придет и погасит ее. Друг сделал, как тот сказал: в последний день траура зажег. Но он очень устал и задремал. Проснувшись, увидел, что свеча упала и начался пожар. Запылал лапсердак. Он выбежал из дома и свалился в канаву. Провалялся два месяца в больнице.

— И что из этого всего?

— Ничего. Души нет. Я похоронил больше раввинов и набожных евреев, чем волос на твоей голове. Опускаешь их в могилу, и там они гниют, вот и все.

Мы помолчали. Потом Зелиг спросил:

— Шоша не спит больше так помногу? У нее была сонная болезнь, она проспала тогда почти целый год. Ее будили, кормили, и она опять валилась спать. Как давно это было? Лет пятнадцать уже прошло, верно?

— Тателе, что с тобой сегодня!! — воскликнула Тайбл.

— Я пьян. Ша. Я уже ничего не сказал. Теперь она выздоровела.

ГЛАВА ДЕСЯТАЯ

1

По моим предположениям, Дора должна бы быть в России уже с месяц, но оказалось, что она еще в Варшаве. Лиза, ее сестра, позвонила мне в клуб и рассказала, что Дора пыталась покончить с собой, отравившись йодом. Случилось так, что Вольф Фелендер, ее товарищ по партии, уехавший в Россию полтора года назад, вырвался из советской тюрьмы, нелегально перешел границу и вернулся в Польшу. Он принес страшные вести: лучшая подруга Доры, Ирка, была расстреляна. Большинство товарищей, уехавших в Советский Союз, сидели по тюрьмам или добывали золото в рудниках Крайнего Севера. Когда это стало известно, варшавские сталинисты обвинили Вольфа Фелендера в клевете — говорили всюду, что он фашистский предатель и агент польской разведки. Все же вера в сталинскую справедливость поколебалась. Еще до возвращения Вольфа многие ячейки коммунистов, разочаровавшись, бывало, целиком переходили к троцкистам, в Еврейский Бунд, в Польскую социалистическую партию. Иные стали сионистами или обратились к религии.

После того как Дору откачали, Лиза устроила, чтобы она провела несколько дней в Отвоцке.

Вернувшись домой, Дора позвонила мне, и в этот вечер я шел навестить ее. Еще за дверью я услыхал мужской голос — это был Фелендер. У меня не было никакого желания встречаться с ним. Он всегда угрожал антикоммунистам из Писательского клуба, что, когда произойдет революция, он с радостью увидит, как они болтаются на первом же фонарном столбе. Все же я постучал. Открыла Дора. Даже в полутьме коридорчика было видно, как она измучена. Дора схватила мою руку:

— Я думала, ты уже никогда не захочешь видеть меня.

— Я слышу, у тебя хорошее общество.

— Это Фелендер. Он скоро уйдет.

— Не задерживай его. Я его не переношу.

— Он уж не тот: прошел через ад.

Дора говорила тихо и не отпускала мою руку. Потом провела меня в комнату. За столом сидел Фелендер. Если бы я не знал заранее, кто это, ни за что бы не узнал его. Он похудел, постарел. Поредели волосы. Со мной он всегда был высокомерен — разговаривал так, точно революция уже свершилась и его назначили комиссаром. А сейчас он вскочил, улыбнулся. Я увидел, что все передние зубы у него выбиты. Фелендер протянул мне холодную потную ладонь и проговорил:

— Я звонил вам, но не застал дома.

Даже голос у Фелендера стал мягче. Я не мог злорадствовать. Ему и так здорово досталось. Но я понимал, что, если бы власть была в его руках, со мной случилось бы то же, что произошло с ним. Фелендер продолжал:

— Я вспоминал вас чаще, чем вы можете себе представить. У вас не горели уши?

— Уши горят, когда говорят о человеке, а не тогда, когда о нем думают, — возразила Дора.

— Ты, конечно, права. С недавних пор я стал многое забывать. Тут как-то не мог вспомнить по именам своих родных. Вероятно, вы слыхали, что со мной стряслось. Теперь я заплатил свои долги, как говорится. Но я не только думал о вас, но и разговаривал тоже. Я сидел в одной камере с человеком по имени Менделе Лейтерман, раньше он работал корректором в литературном журнале. В камере, рассчитанной на восемь человек, нас было сорок. Мы сидели прямо на полу и разговаривали. Сидеть на полу и иметь возможность прислониться спиной к стене — это было большой удачей.

Я надеялся, что Фелендер распрощается и уйдет, но он снова уселся. Костюм болтался на нем свободно, как на вешалке. Раньше он всегда был в крахмальном воротничке, при галстуке, а теперь ворот рубашки был распахнут, обнажая тощую жилистую шею. Фелендер продолжал:

— Да, я вспоминал ваши слова. Вы все предсказали до мелочей — вы, наверно, в своем роде пророк, наложивший на меня заклятье. Не в дурном смысле — я пока еще не верю в предрассудки. Но ваши слова не пропали даром. По ночам я лежал на голом полу, больной и угрюмый, голова кружилась от зловония параши — так было, если мне позволяли лежать, а не тащили на допрос. Если слышалось хлопанье дверей, это означало, что кого-то другого потащили на пытки. И вот я думал: что сказал бы Аарон Грейдингер, если бы мог увидеть это? Ни на секунду мне не приходило в голову, что я смогу выжить и снова буду беседовать с вами. Мы все были обречены на смерть или на работу на золотых приисках, а это хуже смерти. Нет, вам не позволят просто и без хлопот умереть. Однажды меня допрашивали двадцать шесть часов подряд. Это физическая пытка особого рода, я не говорю уже о моральных истязаниях, — такого не пожелаю и худшему врагу, даже сталинским приспешникам. Не думаю, что такая жестокость существовала во времена инквизиции или в тюрьмах у Муссолини. Человек способен переносить пытку в руках у врага, но если друг превращается во врага, такие муки выдержать невозможно. Они хотели от меня только одного — признания, что меня прислала польская разведка. Они буквально умоляли меня сделать эту любезность, но я дал себе клятву — все что угодно, только не это.

— Вольф, прекрати рассказывать! Ты заболеваешь от этого, — попросила Дора.

— Плевать! Не стану я от этого еще больше больным, чем теперь. Я им сказал: «Как могу я быть польским шпионом, раз я столько просидел в польской тюрьме за наши идеалы? Как могу я быть фашистом, если я много лет был редактором журнала, нападавшего на сионистов, Бунд, ППС, и открыто воспевал диктатуру пролетариата? Моя семья была беднейшей из бедных, и всю жизнь я страдал от голода и холода. Социализм — вот мой комфорт. Для чего же мне становиться агентом реакционного империалистического режима? К каким военным организациям я мог стоять близко? В чем тут вообще смысл? Даже в безумии должно быть хоть подобие логики», — убеждал я их. Парень, что сидел напротив, поигрывал револьвером, курил папиросы и пил чай, а я стоял на онемевших ногах, и меня била дрожь от голода, холода и бессонницы. Он свирепо смотрел на меня. У него были глаза убийцы. «Слыхал я эти вшивые оправдания, — цедил он сквозь зубы. — Ты фашистская собака, контрреволюционер, предатель, гитлеровский шпион! Подписывай признание, или я вырву язык из твоей свинячьей глотки». Он говорил мне «ты», этот русский. Он зажег свечу, достал иголку, поднес ее к пламени и сказал: «Если не подпишешь, я загоню это под твои поганые ногти». Я-то знаю, какая это боль, ведь польские фашисты проделывали со мной такое, но я все равно не хотел, чтобы на мне стояло клеймо шпиона. Я взглянул на него — одного из тех, кому надо быть в рядах защитников рабочего класса и революции, — и, несмотря на весь ужас, рассмеялся. Это было как в плохом театре, самого низкого пошиба. Даже Новачинский, в самых диких закоулках своего больного воображения, не смог бы выдумать такой фантасмагорический сюжет.

Я протянул ему руку и сказал: «Ну же, давай. Если это нужно для революции, делайте, что требуется». Этого вызвали, и новый мучитель занял его место. Новый, отдохнувший и полный сил. Так они допрашивали меня двадцать шесть часов подряд. Я умолял их: «Пристрелите меня, и пусть уже будет конец!»

— Вольф, я не могу больше этого слышать! — закричала Дора.

— Ты не можешь, не можешь? Ты обязана! Мы в ответе за все. Мы за это агитировали. В двадцать шестом году, когда обвиняли Троцкого, это мы называли его агентом Пилсудского, Муссолини, Рокфеллеров, Макдональда. Мы заткнули уши и отказывались слушать правду.

— Фелендер, не хочется сыпать соль на ваши раны, — возразил я, — но, если бы Троцкий пришел к власти, было бы то же самое — никакой разницы со Сталиным.

Смесью иронии и гнева сверкнули глаза Фелендера.

— Откуда вы знаете, что стал бы делать Троцкий? Как смеете вы судить о событиях, которые не происходили?

— Такое случалось при всех революциях. Когда проливают кровь во имя гуманности, или религии, или во имя чего-нибудь еще, это неизбежно приводит к террору.

— По-вашему, рабочий класс, он должен молчать о том, что происходит в России, должен позволить Гитлеру и Муссолини завоевать мир и допустить, чтобы его растоптали, как муравья. Это вы проповедуете?

— Я ничего не проповедую.

— Нет, проповедуете. Если вы могли сказать, что Троцкий не лучше Сталина, значит, весь человеческий род развращен, надежды нет и нам придется капитулировать перед убийцами, фашистами, теми, кто разжигает погромы и возвращает время вспять, к Средним векам, инквизиции, крестовым походам.

— Фелендер, Англия, Франция и Америка не прибегают к инквизиции и крестовым походам.

— О, это они-то? Америка закрыла двери и никому не позволяет проникнуть внутрь страны. Англия, Франция, Канада, Австралия — все капиталистические страны делают то же самое. В Индии тысячи людей умирают от голода ежедневно. Английские чиновники оставляют их на произвол судьбы. А когда Ганди, со своим непротивлением, скажет хоть слово, они тащат его в тюрьму. Это правда или нет? Ганди лепечет что-то о пассивном сопротивлении. Что за чушь! Как сопротивление может быть пассивным? Это такая же бессмыслица, как горячий снег, как холодный огонь.

— Так вы все еще за революцию?

— Да, Аарон Грейдингер, да! Если вы пришли к дантисту, чтобы вырвать гнилой зуб, а он вместо этого нарочно вырвал три здоровых, это, конечно, трагедия и преступление. Но гнилой зуб вырвать все равно надо. Иначе он заразит другие зубы, может быть, даже вызовет гангрену.

— Правильно! На сто процентов верно! — воскликнула Дора.

— Не хотелось бы разрушать ваши иллюзии, но вот вам еще одно мое пророчество: перманентная революция Троцкого, или любая другая революция, продублирует в точности то, что сталинисты делают теперь.

— Нет, — сказал Фелендер. — Если бы я думал так, то повесился бы этой же ночью.

— Хватит, — сказала Дора. — Пойду соберу чай.

2

Мы пили чай, ели бутерброды с селедкой, и Фелендер продолжал рассказ. Он пересек русскую границу, его встретили делегаты Коминтерна. Его привезли в Москву и поселили в гостинице, в одной комнате с другим делегатом из Польши, товарищем Высоцким из Верхней Силезии. Каждый вечер они ходили то в театр, то в оперу, то на новый советский фильм. Однажды посреди ночи внезапно раздался стук в дверь, и его взяли. Пять недель он сидел за решеткой, не зная, в чем его обвиняют. Он тешил себя мыслью, что его арест был ошибкой — очевидно, его спутали с каким-то другим Фелендером, и все разъяснится на допросе. В одной камере сидели и политические, и уголовные преступники. Воры, убийцы, насильники били политических и отбирали у них еду. Они играли в карты, делая их из обрывков бумаги. Ставкой была порция баланды, одежда, право спать на нарах, а не на полу. Если игроки проигрывались подчистую, выигравший мог избить проигравшего. Многие уголовники занимались гомосексуализмом. Новичка повесили в камере за отказ участвовать в оргии. Красные власти не предпринимают ни малейших усилий, чтобы защитить жертвы. Фелендер говорил без остановки.

— В польских тюрьмах, — продолжал он, — даже в такой суровой, как Вронки, нам давали книги. Я провел там три года. Прочел всю библиотеку. Но в стране социализма мы, борцы за справедливость, сидели неделями, доходя до безумия. Из липкого, сырого хлеба, что нам выдавали, мы лепили шахматные фигурки. Но на полу было слишком мало место — играть невозможно. Никто их политзаключенных не имел ни малейшего представления о преступлениях, которые ему приписывали. Почти каждому обвинение уже было предъявлено. Заключенные возлагали вину на высших чиновников ГПУ, и ни разу никто не обвинил ни Сталина, ни ЦК, ни Политбюро. Но я постепенно начал осознавать, в какую трясину нас затянуло. Некоторые из заключенных по секрету сообщили мне, что их заставили ложно обвинить близких друзей.

Фелендер ушел уже за полночь. Едва за ним закрылась дверь, Дора разразилась рыданиями:

— Что можно сделать? Как жить?

Она взяла меня за руки и притянула к себе. Всхлипывала, прижавшись лбом к моему плечу. Я стоял и глазел на противоположную стену. С тех пор как покинул родительский дом, я жил в состоянии вечного отчаяния. Иногда я подумывал о раскаянии, о возвращении к иудейству. Однако жить, как жили мой отец, моя мать, их родители, все поколения предков, но без их веры — разве это возможно? Приходя в библиотеку, я ощущал проблеск надежды: может быть, в одной из книг я найду ответ на свой вопрос — как жить человеку в моем положении и быть в согласии с внешним миром и в ладу с самим собой? Я не нашел ответа — ни у Толстого, ни у Кропоткина, ни в Писании. Конечно, пророки призывали к строгой жизни, но их обещания обильного урожая, плодородных олив и виноградников, защиты от врагов не привлекали меня. Я знал, что мир всегда был и будет таким, каков он и сейчас. Только моралисты называют злом то, что сплошь да рядом происходит в жизни.

Дора утерла слезы.

— Ареле, мне надо срочно съезжать отсюда. Квартира не моя, и я не смогу платить за нее. И еще я боюсь, что мои бывшие товарищи выдадут меня тайной полиции.

— Тайная полиция сама знает о тебе все, что нужно.

— Но они могут представить доказательства. Ты знаешь, как это у сталинистов — кто не с ними, того надо ликвидировать.

— Ты же сама призывала к этому.

— Да, и мне стыдно.

— У троцкистов те же принципы.

— Что же мне делать? Скажи мне!

— Мне нечего сказать.

— Меня могут арестовать в любую минуту. Когда ты последний раз ночевал здесь, я была полна надежд. Я даже мечтала, что рано или поздно ты приедешь ко мне в Россию. А теперь ничего нет впереди.

— Полчаса назад ты соглашалась с фелендеровским троцкизмом.

— Я ни во что не верю больше. Мне надо было выброситься из окна, а не пить йод.

Этой ночью я лежал рядом с Дорой, но это был конец. Я не мог спать. Каждый раз, когда внизу раздавался звонок, я ожидал, что пришли за нами. Встал я с рассветом и перед уходом дал Доре немного денег из тех, что были с собой. Дора сказала мне:

— Спасибо тебе, но если ты услышишь, что я что-нибудь сделала над собой, не очень-то грусти. У меня ничего не осталось.

— Дора, пока ты жива, не связывайся с троцкистами — перманентная революция так же невозможна, как перманентная хирургия.

— А что ты будешь делать?

— О, жить понемножку.

Мы попрощались. Я опасался, что полицейский агент ждет меня в подворотне, чтобы арестовать, но там никого не было. Я благополучно вернулся к себе в комнату, к своим рукописям.

По дороге я глянул на купол церкви, что в Новолипках. В зданиях, полукругом стоящих на церковном подворье, за ажурной решеткой, жили монахини — Христовы невесты. Я часто наблюдал, как они проходят мимо — в черном одеянии с капюшоном, в мужских полуботинках, с крестом на груди. На Кармелицкой я миновал «Рабочий дом», клуб левого крыла Поалей-Сион. Здесь придерживались теории сионизма и коммунизма одновременно, полагая, что, когда рабочий класс возьмет власть в свои руки, у евреев будет государство в Палестине и они станут социалистической нацией. В доме № 36 по Лешно находилась Большая библиотека еврейского Бунда, а также кооперативный магазин для рабочих и их семей. Бунд целиком отвергал сионизм. Их программой была культурная автономия и всеобщая социалистическая борьба против капитализма. Сами бундовцы делились на две фракции: одна склонялась к демократии, другая — к немедленной диктатуре пролетариата. В соседнем дворе был клуб ревизионистов, последователей Жаботинского, экстремистов. Они призывали евреев учиться обращению с огнестрельным оружием и утверждали, что только акты террора против англичан, у которых в руках мандат, могут вернуть евреям Палестину. Варшавские ревизионисты были полувоенной организацией. Они время от времени устраивали парады и демонстрации, неся фанерные щиты с лозунгами, направленными против тех сионистов, которые, подобно Вейцману, верили в постепенность и компромисс в отношениях с Англией. Почти у всех еврейских организаций были клубы в этом районе. Каждый год прибавлялись еще какая-нибудь отколовшаяся группа или новый клуб.

Я одержал моральную победу над Дорой, Фелендером и их товарищами. Но сам я так запутался, что не мог ни над кем смеяться, ни над какими заблуждениями.

Придя к себе в комнату — а я решил до свадьбы сохранить ее, — я хотел поработать, но так устал, что работать не мог. Вытянувшись на постели, я задремал, но в мозгу моем снова и снова слышались слова Фелендера и Дорины причитания: «Что можно сделать? Как жить?»

ГЛАВА ОДИННАДЦАТАЯ

1

Моя мать и Мойше приехали за день до свадьбы. Поезд прибывал в восемь часов утра на Гданьский вокзал. При встрече я едва узнал их. Мать казалась меньше ростом, согбенной, совсем древняя старуха. Нос стал длиннее и загибался, будто птичий клюв. Глубокие морщины прорезали щеки. Только серые глаза лучились, как в былые дни. Она больше не носила парик — голову покрывал платок. На ней была длинная юбка, почти до полу, а кофту эту я помнил еще с тех времен, когда жил дома. Мойше вытянулся. У него были густая светлая борода и пейсы до плеч. Вытертое меховое пальто, на голове облезлая, в пятнах, равинская шляпа. Из незастегнутого ворота рубахи выступала шея — тонкая, как у мальчика.

Мойше пристально разглядывал меня. В голубых глазах светилось изумление. Он произнес: «Настоящий немец». Мы с матерью расцеловались, и она спросила:

— Ареле, ты не болен, упаси Господь? Ты бледный и худой, как будто только встал с больничной койки, пусть этого никогда не случится.

— Я всю ночь не спал.

— Мы добирались два дня и ночь. Фургон, который вез нас к поезду в Раву Руску, перевернулся. Это просто чудо, что мы целы. Одна женщина сломала руку. Мы опоздали на поезд, и пришлось ждать другого еще двадцать часов. Поляки стали такие злые. Они хотели отрезать пейсы у Мойше. Еврей беспомощен. Если так плохо сейчас, то что же будет, когда придут эти убийцы? Люди дрожат за свою шкуру.

— Мама, Всемогущий поможет нам, — сказал Мойше. — Много бывало Аманов, и все они плохо кончили.

— До того как плохо кончить, они успели перебить множество евреев, — возразила мать.

Для матери и Мойше я снял комнату в кошерном заезжем доме на Навозной улице. Чтобы отвезти их туда, я хотел взять дрожки, но Мойше сказал:

— Не поеду на дрожках.

— Почему нет?

— Может быть, сиденье не кошерное.

После долгого обсуждения было решено, что мать постелет на сиденье свою шаль. В руках у Мойше была корзинка, обмотанная проволокой и закрытая на маленький замочек — прямо как у ешиботника. У матери вещи были в узле. Прохожие останавливались и глазели на нас. Извозчик ехал медленно, так как мостовая была забита — стояли трамваи, такси, грузовые фургоны, автобусы. Кляча наша была — кожа да кости, да еще и хромая. Мойше начал раскачиваться, что-то бормоча себе под нос. Наверно, приступил к утренней молитве или читает псалмы. Мать заговорила:

— Ареле, сынок, вот я и дожила до того, что опять вижу тебя, и ты жених теперь, но почему твой отец не дожил до этого дня? Он читал Тору до последней минуты. Я не понимала, это был святой человек. Вой-ва-авой, я досаждала ему и причитала, зачем он тащит нас в эту дыру, а он принимал все это с ясной душой и не сердился. Какие бы муки ни выпали на мою долю, я их заслужила. Теперь я грызу себя и не могу спать по ночам, когда припоминаю это. Ареле, я не могу больше оставаться в Старом Стыкове. Не хочу ничего плохого говорить про жену Мойше, мою невестку, но жить с ней я не могу. Она из простой семьи, ее отец — арендатор. В Галиции евреям позволяют жить как в собственной стране. Что она делает и говорит — мне не нравится. Я еще хорошо слышу, слава богу, а она кричит мне прямо в ухо, будто я глухая. Ее голова занята всякой ерундой. Это верно, я грешница, но разве можно так много требовать от человека?

— Уже хватит. Ша! Хватит уже. — Мойше приложил палец к губам: знак, что слова матери — злословие, а ему не позволено слушать такое во время молитвы.

— «Ша, хватит» здесь и «Ша, хватит» там! Конечно, слова мои грех, но что́ может вынести человек, имеет свои пределы. Она ненавидит меня за то, что я читаю книги, а она едва знает слова молитвы. Но что мне осталось, кроме книг? Когда я раскрываю «Обязанности сердец», то забываю, где я и что со мной. Ареле, я не хочу умереть в Старом Стыкове. Верно, что отец твой похоронен там. Но те несколько лет или месяцев, что мне суждено таскать ноги на этом свете, я не хочу прожить среди грубых, неотесанных, необразованных людей. И для Мойше там тоже ужасно. Они ему ничего не платят. По четвергам шамес ходит по домам и собирает, кто что даст: где пригоршню пшеницы, где кукурузы, где овса. Совсем как русские платят своим священникам, прости за сравнение. Помещики там русины, и некоторые хвастают, что Гитлер на их стороне. Они и дерутся друг с другом. Один отрубил девушке голову прямо против нашего окна. И это за то, что она пошла гулять с другим парнем. Наша жизнь в опасности. Я молю о смерти. Каждый день я прошу Всемогущего взять меня отсюда, но как раз, когда хочешь умереть, ты живешь.

— Хватит уже. Ша. Хватит.

— Отстань со своими «Ша» и «Хватит». Тебе не придется идти со мной в Геенну. Ареле, я хочу кое-что сказать тебе, но не хочу, чтобы ты сердился на меня. Не хочу я возвращаться в Старый Стыков. Даже если придется спать на улице, я останусь здесь, в Варшаве.

— Мама, ты не будешь спать на улице.

— Имей ко мне жалость. Я слыхала, что давно нет раввина на Крохмальной улице. Может, Мойшеле мог бы здесь получить место? Сама я готова уйти в богадельню или куда-нибудь еще, лишь бы было где приклонить голову. Что за девушка эта Шоша? Как случилось, что ты выбрал ее? Да, все это совершается на небесах.

Дрожки стали у ворот на Навозной. Некоторые дома стоят тут уже по нескольку веков. Здесь были закоулки, куда приезжали на рассвете крестьяне из близких деревень. Яйца продавали прямо в липовых плетенках. В доме № 10 была библиотека Креля. Я ходил сюда читать Гемару, когда уже ушел из хедера. Поблизости находилась ритуальная баня, куда ходила моя мать, молодой женщиной. Здесь продавали вареные бобы, кихелах, картофельные оладьи. Запахи эти я помнил с детства. Мать вздохнула: «Ничего не изменилось».

Перед домом, где мы остановились, стояло несколько подвод. Лошади распряжены. Морды опущены в торбы с овсом и соломой. Голуби и воробьи клевали просыпанное зерно. Мужики в овчинных тулупах и шапках таскали мешки, корзины, ящики. Сквозь покрытые морозным узором окна виднелись горшки, чугуны, склянки. Сохло белье. Из одного окна слышались звуки детских голосов, произносящих нараспев что-то из Пятикнижия, — значит, там был хедер. Грязная лестница вела в заезжий дом на третий этаж. Мать часто останавливалась. «Я уже не могу подниматься по лестнице», — пожаловалась она.

На третьем этаже я отворил дверь, ведущую в темные сени. Пансион состоял из большой комнаты и нескольких маленьких комнатушек. В большой комнате была столовая. Тут уже молился еврей, надев талес и тфилин. Другой укладывал вещи в мешок, третий ел. Две женщины, одна в парике, другая в чепце, сидели на лавке и чинили шубу. Хозяин, с черной как смоль бородой и в ермолке, показал нам комнату, где матери и Мойше предстояло ночевать. Мойше спросил:

— Уже время, я хочу помолиться. Есть тут где-нибудь молельня?

— Прямо во дворе две молельни. Одна — козеницких хасидов, а другая — блендовских. Есть еще синагога, но там все больше литваки*.

— Я пойду в Козеницкую молельню.

— Завтракать будете?

— А у вас строгий кошер?

— Что за вопрос? Раввины тут едят.

— Хорошо бы сейчас стакан чаю.

— И к нему что-нибудь подзакусить?

— Я уже потеряла зубы. Мягкий хлеб у вас есть? — спросила мать.

— Такого нет, чего у меня не было бы.

И он ушел, чтобы принести чаю и хлеба. В углу висел рукомойник. Там же кувшин с водой, ковшик, на крючке — несвежее полотенце.

— По сравнению со Старым Стыковом здесь прямо дворец. А мы живем в халупе с соломенной крышей. Сверху протекает. Печка есть, но дымоход не в порядке, и дым стелется по комнате. Когда я увижу невесту?

— Я приведу ее сюда.

2

Был первый вечер Хануки. Владелец пансиона зажег и благословил первую из восьми ханукальных свечей для постояльцев, но мать и Мойше отказались присоединиться к остальным, сказав, что совершат эту торжественную церемонию у себя в комнате. Ведь хозяин зажег свечу, а не масляный фитиль, как положено. Я пошел и купил для них оловянную ханукийю, бутылоч-

* Литвак — литовский еврей,

ку масла, фитили и специальную свечку для зажигания фитилей, «шамес» ее называют. У себя в комнате Мойше налил масла в первую маленькую чашечку, опустил туда фитиль, зажег «шамес», поднес его к фитильку и запел благословения. Потом псалом «Оплот мой, твердыня моего спасения...». Это были отцовские напевы, даже жесты его. Первый фитилек никак не хотел разгораться. Мойше снова и снова зажигал его. Когда же наконец он разгорелся, то задымил и стал чадить. Мойше поставил лампу, согласно закону, на окно — чтобы весь мир мог увидеть чудо Хануки, хотя окна выходили во двор, на три глухие стены, и во дворе никого не было. Из незаконопаченного окна сильно дуло. Пламя трепетало на ветру, но не гасло. Мойше сказал:

— В точности как еврейский народ. В каждом поколении враги наши восстают на нас, и Святый Боже, да будет благословенно имя Его, спасает нас от их рук.

— Слишком жирно будет для врагов наших, чтобы мы молились о чуде, — возразил я.

Мойшеле в задумчивости почесал бороду:

— Кто мы есть, чтобы указывать Ему, что делать и когда? Только вчера ты рассказывал матери, как астрономы взвешивают и измеряют звезды, многие из которых больше, чем наше Солнце. Как же можем мы, с нашими жалкими мозгами, понять, что Он делает?

Мойше говорил как отец. Лишь несколько лет назад отец убеждал меня: «Ты можешь пролить чернила, но написать сам, без Божьей воли, ты ничего не сможешь. Неверующие — не просто грешники, но еще и глупцы». Наконец, с полчаса посмотрев, как горит ханукальный светильник,

Мойше отправился в синагогу. Оказалось, там есть книги, которые он не мог достать в Старом Стыкове. Хотя денег у него было немного, он смог купить «Рычание льва», «Респонсы рабби Акивы Эйгера» и «Лик Иошуа». Мойше обещал матери скоро вернуться. Она сидела на кровати, откинувшись на подушку, и большие серые глаза ее с такой живостью глядели на огонек, будто она видит подобное в первый раз. Помнится, мать была среднего роста, даже немного выше отца. Но теперь она ссутулилась, стала маленькой и сухонькой старушкой. Она постоянно кивала теперь головой, как бы говоря «да, да, да». Вдруг она сказала:

— Ареле, упаси Господь, я не хочу осуждать тебя, ты уже взрослый и, надеюсь, переживешь меня, но какой в этом смысл?

— О чем это ты?

— Ты знаешь о чем.

— Мама, не все, что человек делает, имеет смысл.

Мать улыбнулась одними глазами.

— Что же это? Любовь?

— Можно и так назвать.

— Есть такое выражение: «слепая любовь». Но даже в любви есть свои резоны. Подмастерье сапожника не влюбится в принцессу и уж конечно не женится на ней.

— И такое может случиться.

— Такое? Только в книгах, но не в жизни. Когда мы жили в Варшаве, я зачитывалась романами, которые публиковали в газете из номера в номер. Отец твой — пусть будет земля ему пухом — не любил газет и тех, кто пишет в газеты: говорил, что они оскверняют святые еврейские буквы. Только во время войны он начал заглядывать в газету, чтобы узнать, что творится в мире. Даже в этих нескладных романах была своя логика. А теперь ты хочешь жениться на Шоше. Верно, она порядочная девушка, несчастная, больная, быть может, жертва распутства своего отца. Но неужели во всей Варшаве не нашлось ничего лучше? Я грешу, знаю, это грех. Не следует говорить такое. Я гублю себя. Погляди-ка, огонь погас.

Мы помолчали. В воздухе пахло горелым маслом, чем-то сладким и давно забытым. Мать продолжала:

— Дитя мое, это все предопределено. Моего отца, твоего дедушку, называли «хахам». Он мог бы стать раввином в большом городе, но он довольствовался тем, что оставался в глухом углу, в Богом забытой деревне, и жил там до самой смерти. Твой дед с отцовской стороны, родом из Томашова, тоже избегал людей. Всю жизнь он писал комментарии к каббале. Перед кончиной он призвал одного из внуков и велел сжечь все рукописи. Лишь одна страница уцелела случайно. Те, кто прочел ее, утверждали, что мысли необычайной глубины были там. Он был человек не от мира сего — даже не знал, чем одна монета отличается от другой. Если бы бабушка твоя, Темерл, не экономила каждый грош, в доме не было бы и куска хлеба. В своем роде она была святая. Она пришла к раввину в Бельцах, и раввин пригласил ее сесть, хотя она всего лишь женщина. Что я в сравнении с ними? Я погрязла в грехе. Конечно, я люблю тебя и желала бы, чтобы у тебя была хорошая жена, но если небеса распорядились иначе, мне следует придержать язык. Я рассказываю тебе все это, чтобы ты не забывал о своем происхождении. Мы приходим в этот мир не для того, чтобы потакать своим прихотям. Посмотри на меня и увидишь, во что превращается плоть и кровь человеческая. А я была красивой девушкой. Когда я проходила вдоль Люблинской улицы, люди останавливались, разинув рты. У меня была самая маленькая ножка во всем городе, а туфли свои я начищала до блеска каждый день, даже если шел дождь. У меня была юбка в складку, каждый день я ее гладила. Отцу постоянно говорили, что я очень заносчива и тщеславна. Сколько мне тогда было? Пятнадцать лет. Через полгода я уже была помолвлена с твоим отцом. А еще через год меня вели под брачный балдахин. Женщине не дозволено учить Тору, но я стояла за дверью и слушала, как твой отец учит детей в ешиботе. Любую ошибку я замечала. Тогда же я начала читать нравоучительные книги по-древнееврейски. А еще я поняла, что у меня горячая кровь и я должна сдерживать себя. Как это пришло ко мне? Надеюсь, дети будут походить на тебя, не на Шошу.

— Мама, у нас не будет детей.

— Почему нет? Небеса хотят, чтобы был мир и были евреи.

— Никто не знает, чего хотят небеса. Если бы Бог хотел, чтобы были евреи, он не создавал бы Гитлеров.

— Вой-ва-авой! Горе мне! Что ты говоришь такое!

— Никто не подымался на небо и не говорил с Богом.

— Не нужно для этого подниматься на небо. Истину можно увидеть прямо здесь, на земле. За три дня до того, как Мейтелева Эстерка выиграла в лотерею, мне привиделась во сне сумка, в которой лежали бумажки с цифрами, и только я хотела взять ее, как появилась живая Мейтель (она уже умерла тогда), с желтым лицом, в белом чепце. Она сказала: «Это не тебе. Это моя Эстер собирается выиграть много денег». И она спрятала сумку в соломе. Мне было десять лет, я не знала, что такое лотерея, и слова такого не слыхивала. Сон этот я рассказывала всем и каждому в нашем доме, и все только плечами пожимали. А через три дня пришла телеграмма, и там сообщалось, что Эстер выиграла главный приз. Когда мне приснился этот сон, призы еще не разыгрывали. Два года спустя был еще случай — дом с привидениями. Много ночей подряд злой дух стучался в оконный переплет в доме Аврума-резника. Присылали даже солдат обыскать дом: комнаты, подвал, чердак. Но не смогли найти ничего такого, чтобы можно было обвинить кого-нибудь в хулиганстве или в шантаже. Дитя мое, на свете так много тайн, что, если даже ученые будут непрерывно заниматься ими миллион лет, они не смогут разгадать и миллионной их части.

— Мама, от этого не легче тем евреям, которых истязают в Дахау или другом таком же аду.

— Утешение в том, что смерти нет. Твоя же Шоша говорила мне, что умершая сестра приходит к ней. У нее не хватило бы ума сочинить такое.

3

Бася хотела пригласить мать и Мойше на обед, но мать откровенно сказала, что она не будет есть в доме у Баси. Ни она, ни Мойше не уверены, что в этом доме соблюдается строгий кошер. Но чтобы не обижать ее, оба согласились прийти на чай. Не знаю, как стало известно, что жена последнего здешнего раввина и его сыновья собираются нанести визит Басе. Часа в три я вместе с матерью и братом открыл Басину дверь и замер на пороге в изумлении: в комнате было полно народу. Пожилые женщины в чепцах, с лентами и рюшами, белобородые старцы с пейсами, равно как молодые девушки и юноши, видимо из тех, что интересуются литературой, — все были здесь. На столе постелена праздничная скатерть, а на ней крыжовенное варенье, субботнее печенье, стаканы с чаем. Женщины принесли узелочки с гостинцами: имбирные пряники, изюм, чернослив, миндаль, разные сладости. Бог мой, нас еще не совсем забыли на Крохмальной! Война, эпидемии, голод вкупе с Ангелом Смерти хорошо потрудились, но все же кое-кто остался в живых. Тряслись ленты и рюши на чепцах, высохшие губы бормотали приветствия и благословения, сожалея о давно прошедших временах; по увядшим щекам скатывались слезинки. Все мужчины были приверженцами последнего радзиминского раввина. Он ушел в мир иной, не оставив наследника, а все его последователи рассорились между собой. Хасиды рассказали, что если бы он согласился на операцию, то мог бы жить и сейчас, но он до последнего дня остался верен убеждению, что нож предназначен для того, чтобы резать хлеб, а не человеческую плоть. Он отдал Богу свою святую душу после долгих страданий. Со всей Польши собрались раввины на его погребение. Его похоронили рядом с могилой его деда, реб Янкеле, прославившегося бесчисленными чудесами и войной с демонами. Всем известно, что мертвецы приходят к нему и признаются в злодеяниях, совершенных при жизни, и что на чердаке у него обитают духи.

С Мойше беседовали хасиды, расспрашивая его о хасидских дворах Галиции — в Бельцах, Синяве, Ропшице, а в это время молодые девушки и юноши подошли ко мне поговорить. Они уже слыхали, что моя пьеса провалилась, и сетовали на положение в еврейском театре. Цивилизация на грани катастрофы, говорили они, а в театре все еще показывают жанровые сценки пятидесятилетней давности. Пришла и Тайбеле. Она привела своего друга, бухгалтера, маленького человечка с большим животом и сверкающим золотым зубом. Несколько девушек окружили Шошу. Я услыхал, как одна из них спросила:

— Каково это — быть невестой писателя?

Шоша ответила:

— Ничего особенного, в точности как просто с человеком.

— Как это вышло, что вы двое встретились? — спросила другая.

— Мы оба жили в доме номер десять по Крохмальной. Ареле жил в квартире с балконом. А наши окна выходили во двор, прямо против коновязи.

Девушки с улыбкой переглянулись. Казалось, они спрашивали друг у друга: «Что он в ней нашел?»

Бася усадила Мойше во главе стола, напротив посадила стариков. Мойше намекнул, что сидеть мужчинам и женщинам за одним столом — не в хасидских традициях, и тогда Бася поставила стулья для женщин посреди комнаты. Хасиды продолжали обсуждать свои проблемы: в чем разница между подворьем в Бельцах и в Бобове? Почему раввины Венгрии против всемирной организации ортодоксальных евреев? Раввин из Рудника — он что, святой? И в каком смысле? Верно ли, что раввин из Розвадова унаследовал чувство юмора от своего прапрадедушки, ропшицкого раввина? Как жаль, сетовали они, что так мало известно про галицийских раввинов в этой части Польши.

— Почему так важно это знать? — спросил Мойше. — Каждый служит Богу на свой собственный лад.

— Что говорят в Галиции о теперешних бедствиях? — спросил один.

Мойше ответил вопросом на вопрос:

— А что тут сказать? Это родовые муки Мессии. Пророк уже предсказал, что в Конце Дней Господь придет с огнем и мечом и Его колесницы понесутся, подобно урагану, огненным пламенем, чтобы все увидели Его гнев, Его ярость и Его отмщение. Когда Сатана понял, что царствие его поколеблено, он создал исступленное безумие и привнес его в мироздание. Даже в высших сферах существуют темные силы. Кто такой Ной? Добро и зло, соединенные вместе. Корни зла простираются к основанию Трона Славы. Богу пришлось создать пустоту, ослабить его свет, чтобы создать мир, чтобы Его лица не было видно. Без уменьшения силы Его лучей не было бы свободы выбора. Искупление не произойдет сразу, а будет совершаться постепенно. Война Бога с Амалеком на последнем этапе. Она принесет нам большие бедствия и много соблазнов. Один из наших мудрецов сказал о Мессии: «Пусть он приходит, но я не хочу дожить до того, чтобы увидеть его лик». Мишна предсказывает: прежде чем Мессия придет, людское высокомерие достигнет немыслимой высоты, и тогда...

— Вой-ва-авой, вода нам уже по самую шею, — вздохнул старый хасид Менделе Вышковер.

— А? Что? Зло обладает невероятной силой, — продолжал Мойше. — В мирные времена грешники пытаются скрыть свои намерения и прикидываются невинными овечками. В роковые минуты они обнаруживают свое истинное лицо. Экклезиаст говорит: «Не скоро свершается суд над дурными делами. От этого не страшится сердце сынов человеческих делать зло». Грешники стремятся к тому, чтобы в мире господствовали разврат, разбой, убийство, воровство. Они хотят беззаконие возвести в ранг добродетели. Их цель — стереть все «не» из Десяти заповедей. Они замышляют заключить в тюрьмы всех честных людей, а судьями над ними поставить воров. Приходят в упадок целые общины. Что есть Содом и его судьи Хиллек и Биллек?* А поколение Потопа?

---

* Содом и Гоморра — города грешников, уничтоженные Божьей карой (Бытие, 19:1—26). Согласно агадическому преданию, в Содоме жили неправедные судьи Шахрай, Шахрурай, Зафай и Маули-Дин (*букв.*: Лжец, Обманщик, Исказитель, Затемняющий справедливость), издававшие законы, предписывавшие смертную казнь всякому, кто совершит доброе дело. *Здесь*: Мойше не хочет называть их нечестивые имена и вместо этого пользуется народным выражением, заимствованным из Талмуда, обозначавшим неизвестных лиц или незнакомые предметы: «Хиллак увивиллак» (в ашкеназском произношении «хиллек увиллек») нечто вроде «г-да», «имярек» и т. п.

А непокорные, что строили Вавилонскую башню? Паршивая овца портит все стадо. От искры возникает пожар в доме. Гитлер — да будет забыто имя его — не единственный злодей. В каждом городе, в каждой общине есть свои Гитлеры. Кто хоть на миг забывает Бога — погружается в скверну.

— О, как трудно, очень трудно, — простонал другой старик.

— Где это написано, что должно быть легко? — возразил Мойше.

— Силы наши иссякают, — пожаловался третий.

— Тому, кто умеет ждать, Господь дает новые силы.

Женщины сидели тихо и внимательно слушали. Подошли даже молодые люди и девушки, те, что пришли поговорить о культуре, идишизме и прогрессе. Вдруг Шоша спросила:

— Мамеле, это взаправду Мойше?

Раздался смех. Даже старухи заулыбались беззубыми ртами, обнажая десны. Бася засмущалась:

— Доченька, что с тобой?

— Ой, мамеле, Мойшеле настоящий раввин, прямо как его отец. — И Шоша залилась слезами, уткнувшись в платок лицом.

4

За два дня до свадьбы пошел снег и шел не переставая двое суток. Когда снегопад прекратился, грянули морозы. Улицы были завалены сугробами сухого сыпучего снега. Даже на санях не проехать. С крыш и балконов свисали толстые сосульки. Провода, покрытые толстым слоем льда и снега, сверкали на солнце. Из-под снега торчали там и сям то птичий клюв, то кошачья морда. Площадь около Крохмальной была пустынна. Только маленькие снежные вихрики закручивались вверх — точно чертенята, которые хотят ухватиться за собственные хвостики. Воры, проститутки, наводчики попрятались по своим углам — по подвалам да чердакам. Обычно на Дворе Яноша чем-нибудь да торговали. Сейчас и там никого не было.

Свадьба была назначена на восемь вечера у раввина на Панской. На деньги, которые дал Зелиг, Бася смогла приготовить для Шоши скромное приданое — несколько платьев, туфли, белье, а я вообще ничего не предпринимал в этом роде. Из денег, полученных за рассказы, и того, что мне заплатили за переводы, я едва-едва наскреб, чтобы оплатить пансион матери и брату. Самому мне почти ничего не осталось.

В день свадьбы я поднялся раньше обычного. Снаружи завывал ветер. Пробили в гостиной старинные часы. Встать с постели, умыться, побриться было делом нескольких минут.

Текла заглянула в комнату:

— Принести завтрак?

— Да, Текла, пожалуйста, будь добра.

Она ушла и тут же вернулась:

— Там вас спрашивает дама с цветами.

Я был уверен, что никто ничего не знает. Лепеча что-то насчет того, чтобы Текла никого не впускала, я увидел Дору, стоящую в дверях. Она была в старом, поношенном пальто, в валенках, а шляпа у нее на голове напоминала перевернутый горшок. В руках букет, завернутый в плотную бумагу. Позади вертела головой и гримасничала Текла. Дора сказала:

— Дорогой мой, секретов не существует. Прими мои поздравления!

На щеках у меня еще была мыльная пена. Я положил бритву и спросил:

— Это еще что за вздор?!

— Что, не понимаешь, что тебе ничего не утаить от меня? Ты не пригласил меня на церемонию, но мы никогда не сможем стать чужими друг для друга. Годы, проведенные вместе, не просто вычеркнуть из памяти.

— И кто же тебе об этом сказал?

— О, у меня есть связи. Кто работает в тайной полиции, тот знает все, что происходит в Варшаве. — Так Дора изображала сталинистов, которые теперь обвиняли ее в принадлежности к польской тайной полиции.

Неохотно принял я цветы и сунул их в кувшин с водой рядом с умывальником. Дора сказала:

— Да, я знаю все. Даже имела честь встретиться с твоей нареченной.

— Как это тебе удалось?

— О, я постучала в дверь и притворилась, что собираю на бедных. Я заговорила с ней по-еврейски, но она ничего не поняла из того, что я сказала. Тогда я подумала, что она лучше поймет польский, но быстро сообразила, что и польский она понимает не лучше. Не хочу поддразнивать тебя или язвить. Раз ты любишь ее, какая разница? Влюбляются в слепых, глухих, горбатых. Можно я сяду?

— Конечно, Дора, садись. Не нужно было тебе тратиться на цветы.

— Хотелось принести что-нибудь. У меня свои резоны. Я тоже собираюсь замуж, и раз делаю тебе свадебный подарок, то вправе ждать и от тебя того же. Я все делаю с тайными целями, — подмигнула мне Дора и села на краешек кровати. Снег на ее валенках начал таять, и по полу растекались ручейки. Дора достала папиросу и закурила.

— Фелендер? — спросил я.

— Да, мой дражайший. Оба мы ренегаты, фашисты, предатели и провокаторы. Найдется ли более подходящая парочка? Будем вместе стоять по другую сторону баррикад и стрелять в рабочих и крестьян. В том случае, конечно, если не окажемся в тюрьме. Знают ли реакционеры, что мы их друзья? Кстати, что случилось с пьесой, которой уже пора бы быть готовой? Ты уходишь от меня, но я помню каждый час, что мы провели вместе. Когда появляется что-нибудь твое, я прочитываю не раз и не два, а уж по крайней мере три раза. Говорят, Файтельзон затевает издавать журнал.

— Уж сколько лет он все собирается его издавать!

Текла тихонько открыла дверь и внесла поднос с завтраком. Я спросил:

— Позавтракаешь со мной, Дора?

— Я уже завтракала. Спасибо. Но кофе я, пожалуй, выпью.

Текла ушла, чтобы принести кофе. Дора оглянулась вокруг.

— Ты собираешься после свадьбы жить здесь или переедешь к ней? Я такая же любопытная, как и раньше.

— Пока еще не знаю.

— Не понимаю — почему тебя смущают мои вопросы? Как бы там ни было, ответа ты сам не знаешь. Что до меня, я не люблю Вольфа. Мы слишком схожи. В любом случае наша совместная жизнь весьма призрачна — либо его арестуют, либо меня. Полиция с нами играет, как кошка с мышью. Но пока мы по эту сторону решетки, вместе нам не так одиноко. Стоит Вольфу уйти из дома, я начинаю разглядывать потолок — ищу, куда бы вбить крюк. Если спускаюсь вниз и выхожу на улицу, должна переходить на другую сторону, чтобы избежать встречи с прежними товарищами по партии. Встречаясь со мной, они плюются и показывают кулак. Однажды ты говорил со мною о вещах, смысла которых я не уловила, а теперь, припоминая, начинаю что-то понимать.

— О чем это ты?

— О, ты говорил, что нельзя помочь всему человечеству и тот, кто слишком много заботится о человечестве, рано или поздно становится жестоким. Как ты это понял? Едва смею признаться, но я лежу по ночам рядом с ним, а думаю о тебе. Он ироничен и угрюм одновременно. А усмехается он так, будто ему одному известна истина в последней инстанции. Не выношу этой его ухмылки — он улыбается в точности так, как и в те времена, когда был сталинистом. Все равно, я не могу больше оставаться одна.

— Он уже переехал к тебе?

— Я не в состоянии одна платить за квартиру. Он получил какую-то работу в профсоюзе.

Дверь отворилась, и вошла Текла с чашкой кофе. Глаза ее смеялись.

— Здесь мисс Бетти с цветами, — возвестила она.

Не успел я открыть рот, как в дверях появилась Бетти — в светлой меховой шубке, такой же шапочке, в отороченных мехом ботах. Она принесла огромный букет. Увидев Дору, Бетти отступила. Меня одолевал смех.

— И ты тоже?

— Можно мне войти?

— Конечно, входи, Бетти.

— Ну и метель сегодня. Должно быть, семь ведьм повесились этой ночью.

— Бетти, это Дора. Я тебе о ней рассказывал. Дора, это Бетти Слоним.

— Да-да. Знаю. Актриса из Америки. Я узнала вас по фотографии в газете.

— Что мне делать с этими цветами?

— Текла, не принесешь ли вазу?

— Все вазы заняты. Хозяйка держит в них крупу.

— Ну, принеси еще что-нибудь. Возьми цветы.

Текла протянула руку. Казалось, про себя она посмеивается над всем. Бетти начала притопывать ботиками.

— Жуткий мороз. Улицу перейти невозможно. В Москве такое бывает. Или еще в Канаде. В Нью-Йорке снег чистят — по крайней мере, на главных улицах. Помоги же снять пальто. Уж хоть теперь, когда жениться собрался, будь джентльменом.

Я помог Бетти раздеться. На ней было красное платье. Оно не шло к ее рыжим волосам, и она казалась в нем бледной и худой.

— Ты, верно, удивляешься, зачем я пришла? — продолжала Бетти. — Пришла, потому что жениху принято приносить цветы и усопшему тоже. А когда жених заодно и труп, он заслуживает двойного букета. — Было очевидно, что фразу эту она заготовила заранее.

Дора улыбнулась:

— Неплохо сказано. Я пойду. Не хочу вам мешать.

— А вы никому и не мешаете, — возразила Бетти. — То, что я собираюсь сказать, можно слышать каждому.

— Принести еще кофе? — спросила Текла.

— Только не мне, — ответила Бетти. — Я с утра уже выпила, наверно, чашек десять. Можно закурить?

Бетти достала папироску, закурила, потом предложила Доре. Казалось, женщины моментально отгородились друг от друга кончиками папирос. Это было похоже на языческий обряд.

5

Дора осталась сидеть на кровати. Я подал Бетти стул, а сам сел на лавку около рукомойника. Бетти завела разговор про Юджина О'Нила, одного из драматургов, чьи пьесы переведены на идиш. Бетти собиралась появиться в этой пьесе еще в Варшаве. Она сказала:

— Знаю, что провалюсь. Юджина О'Нила не понимают даже в Америке. Как понять его варшавским евреям? Да и перевод не слишком хорош. Но Сэм настаивает, говорит, я должна выступить в Варшаве до приезда в Америку. Ох, как же я завидую писателям! Им не приходится постоянно иметь дело с публикой. Писатель сидит себе за столом, перед ним чистый лист, и он пишет что хочет. Актер от других зависит. Иногда со мной такое бывает — возникает неудержимое желание писать. Я уже пробовала написать пьесу, рассказ тоже, потом перечитала, — мне не понравилось, и порвала все на мелкие клочки. Цуцик, — могу я еще называть тебя Цуциком? — здесь, в Польше, ситуация резко ухудшается. Иногда я беспокоюсь, что сама могу застрять.

— Ну, с американским-то паспортом, — возразила Дора, — вам нечего беспокоиться. Даже Гитлер не доберется до Америки.

— Что такое паспорт? Клочок бумаги. А пьеса? Тоже бумага. И что такое рецензия? Опять бумага. Чеки, банкноты — тоже лишь бумажки. Как-то ночью мне не спалось и я размышляла: был каменный век, а теперь мы живем в бумажном. От каменного века сохранились какие-то орудия — от бумажного века не останется ничего. По ночам приходят в голову странные мысли. Другой раз, проснувшись посреди ночи, я стала размышлять о своей родословной. Я очень мало знаю про своих дедушек и бабушек и ничего — о прадедушках и прабабушках. А о прапрадедах? Я представила себе, что, если вернуться на несколько поколений назад, у каждого из нас найдется тысяча предков, и ото всех них человек что-нибудь да наследует! Днем это соображение может возникнуть мимолетно, но ночью оно представляется ужасно значительным, даже пугающим. Цуцик, вы пишете про диббуков. Наши диббуки —

предыдущие поколения. Они притаились внутри нас и хранят молчание. Но вдруг один из них начинает вопить. Бабушки не столь страшны, но деды мои ужасают меня. Человек — это буквально кладбище, где похоронены живые трупы. Цуцик, вам такое приходило в голову?

— Всякое приходит на ум.

— Среди предков, наверно, были и сумасшедшие. Должно быть, я слышу их голоса, — продолжала Бетти. — Я не только кладбище, но и дом для умалишенных, — в голове у меня звучат дикие крики и безумный смех. Они пытаются выломать решетку и убежать. Наследственные клетки не исчезают. Если человек произошел от обезьяны, то в нем гены обезьяны, а если от рыбы, то в нем есть что-нибудь рыбье. Ну не любопытно ли это? И не страшно ли одновременно?

Дора загасила папироску.

— Простите, мисс Слоним, но нет ли в таких мыслях социального подтекста? Если у вас есть эти бумажные прямоугольнички — паспорт, чеки, банкноты, билет в Америку, — вы можете позволить себе роскошь предаваться всяким причудам и капризам. Если же вам надо платить за квартиру, а у вас нет ни гроша, если вы можете в мороз оказаться выкинутой на улицу, если вас могут потащить в тюрьму за преступление, которого вы не совершали, если вам к тому же нечего есть, — вы поневоле сосредоточиваетесь на повседневных заботах. Девяносто процентов людей, нет, даже девяносто девять ничего не знают о своем завтрашнем дне, а часто и о сегодняшнем. Им нужно думать о хлебе насущном. Когда писатели, подобно Герберту Уэллсу, или Гансу

Гейнцу Эверсу, или даже нашему милейшему Аарону Грейдингеру, выступают с фантазиями о межпланетных войнах или о девушке с двумя диббуками, которая хочет замуж, — простите меня за откровенность, они говорят лишь друг с другом. Никогда не читала этого писателя, Юджина О'Нила, но у меня такое впечатление, что он из той же компании. Он тоже лишь грезит во сне. Мисс Слоним, вам нужно появиться в чем-то, что заденет всех. Тогда вас поймут и публика придет. Простите за прямоту.

Бетти ощетинилась:

— Где же я должна играть? В пропагандистской пьесе, восхваляющей коммунизм? Во-первых, меня арестуют и закроют театр. Во-вторых, я приехала из России и видела собственными глазами, что такое этот ваш коммунизм. В-третьих...

— Я не предлагаю вам играть в прокоммунистической пьесе, — перебила Дора. — Как я могу? Никто больше не знает, где кончается сталинизм и начинается фашизм. Или как еще его назвать. Но ведь массы все равно страдают, и страдания их растут непомерно. Если нацисты захватят Польшу, их первыми жертвами будут бедняки. Все богатые упорхнут за границу. Если у вас на счету в банке сто тысяч долларов и вы путешествуете лишь для собственного удовольствия, весь мир открыт перед вами. Можете даже в Палестину ехать, если у вас есть тысяча фунтов стерлингов. Так или нет, Аарон?

— Ни пьеса, ни рассказ на эту тему ничего не изменят, — возразил я. — Массы и так знают, как обстоят дела. Кроме того, прежде ты говорила иначе.

— Я не говорила иначе. У меня были сомнения, но массы остаются дороги мне. Их нужно учить, как противостоять эксплуатации.

— Дора, ты говоришь так, будто эти твои массы — невинные овечки и лишь несколько злодеев виновны в мировой трагедии. На самом же деле бóльшая часть этих твоих масс сама готова убивать, грабить, мародерствовать, вешать и делать то же, что делают тираны, подобные Гитлеру, Сталину, Муссолини. Казаки Хмельницкого не были капиталистами, и петлюровские бандиты тоже. Петлюра сам был люмпеном. Пока Шварцбард не ухлопал его. В Париже он голодал*.

— Кто послал солдат умирать под Верденом? Вильгельм и Фош.

— Ни Вильгельм, ни Фош не смогли бы послать их, во всяком случае бóльшую их часть, если бы солдаты сами не захотели. Жестокая правда состоит в том, что большинство людей, в частности молодых людей, обладают страстью к убийству. Им нужны только причина или хотя бы повод. Один раз это во имя религии, другой раз — за фашизм или в защиту демократии. Их стремление убивать так велико, что даже превосходит страх быть убитыми. Эту истину не позволено произносить вслух, но все же это так. Те наци, что готовы убивать и умирать за Гитлера,

---

* Петлюра Симон Васильевич (1879–1926) — один из лидеров украинского буржуазного государства 1917–1919 гг. Период, когда он находился во главе т. н. Директории, вошел в историю кровавыми еврейскими погромами, учиненными отрядами сечеваков. В 1920 г. Петлюра эмигрировал. В 1926 г. был убит в Париже еврейским беженцем Шварцбардом, мстившим ему за гибель своих близких.

при других обстоятельствах так же были бы готовы умереть за Сталина. Не существует такой наиглупейшей амбиции или такой несуразицы, из-за которой люди не пошли бы умирать. Если бы евреи получили независимость, началась бы война между литваками и галицинерами*.

— Если это так, то нет и надежды.

— А кто сказал, что она есть?

— Ханжа! — бросила Бетти вслед Доре, после ее ухода. — Я таких навидалась в России. На них кожаные куртки, у бедра револьвер. Их зовут чекистами. Как раз теперь их ликвидируют. И они заслужили это. Цуцик, поцелуй меня. В последний раз!

---

* Галицинер — еврей из Галиции.

ГЛАВА ДВЕНАДЦАТАЯ

1

К полудню снегопад усилился. Стало темно, как в сумерках. Серое небо висело над землей сплошной массой. Было ни облачно, ни ясно. Все выглядело так, будто благодаря каким-то переменам в мироздании на Земле менялся климат. Кто сказал, что ледниковый период не может внезапно вернуться? Кто может предотвратить стремление Земли вырваться из гравитационного поля Солнца и, поблуждав по Млечному Пути, умчаться в направлении другой галактики?

Бетти и Дора ушли, и в квартире стало совсем тихо. Телефон не звонил. Даже Текла не заходила, чтобы унести поднос и прибрать в комнате.

Около половины восьмого мне надо было взять дрожки, или санки, или такси и поехать в заезжий дом на Навозной улице, за матерью и братом. В ожидании мать, конечно, сидела на стуле, а то и на кровати, углубившись в «Обязанности сердец», — книгу эту она всегда брала с собой. Мой брак с Шошей отнимал у нее последнюю надежду вернуться в Варшаву. Мойше, вероятно, был в синагоге и рылся там в книгах. Он ни слова не сказал против Шоши, но в глазах его появилась усмешка, когда он в первый раз услышал это имя. Вместе с мальчишками из хедера он тоже когда-то смеялся над Шошей. Уверен, про себя он думает: тот, кто хоть на йоту отступил от праведной жизни, так же отступается и в мирских делах. А Файтельзон? Селия? Геймл? Что уж о них говорить? Даже Тайбл не могла скрыть какого-то легкого презрения, когда узнала, что я женюсь на ее сестре. И уж наверняка я никогда не возьму Шошу в Писательский клуб. Там просто высмеют ее — и меня заодно.

Вечер настал как-то вдруг. В комнате сделалось темно. На небе появились лиловые тона. Я встал с кровати и подошел к окну. Редкие прохожие не шли по улице, а сражались с метелью. Иногда казалось, что они просто танцуют в такт с вихрями снега. Пушистые сугробы превратили улицы в горы и долины. Что-то подслывают бедные воробушки? По Спинозе, мороз, воробьи, я сам — все это проявления одной и той же субстанции. И вот одно проявление субстанции завывает, ревет и гонит волны холода с Северного полюса, другое — забилось в щель, дрожа от голода и холода, а третье — собирается жениться на Шоше.

Еще не было и семи часов, когда я вышел из дому. На мне был выходной костюм и чистая рубашка. Геймл и Селия заказали для нас гостиничный номер в Отвоцке: там мы проведем целую неделю. Это их свадебный подарок, а для нас — медовый месяц. Уложил дорожную сумку — рукописи, кое-что из одежды, зубную щетку. Меня не покидало чувство, что брак этот никогда и не был моим решением, а какие-то неведомые силы все решают за меня. Видимость свободного выбора исчезла совершенно. Может, все так женятся? Может, это так же, как убивать, красть, совершать самоубийство? Идти на войну? Внутри меня что-то неудержимо смеялось. В общем, фаталисты правы. Никого нельзя ни за что винить. Я стоял у ворот минут пятнадцать. Все проезжавшие мимо такси, санки, дрожки были заняты. Не было даже троллейбуса в сторону Навозной. Я пошел пешком. Колючий снег бил по лицу, глаза слезились. Уличные фонари все залеплены снегом. Я плелся среди этого студеного хаоса, спотыкаясь на каждом шагу, как слепой. На мне были калоши, однако ноги промокли совершенно. Я пересек Сольную и Электоральную, потом по Зимней вышел на Навозную. Как в такую метель мне доставить мать и брата на Панскую? Мать едва ходит и в хорошую погоду. Я посмотрел на часы, но разобрать ничего не смог.

Вот и Навозная. По мокрым и обледенелым ступеням я поднялся на третий этаж. Мать сидела в гостиной — в бархатном платье, с шелковым платком на голове, с вытянувшимся и бледным лицом. В глазах ее читались одновременно и религиозная покорность Божьей воле, и мирская ирония. На Мойше уже раввинское меховое пальто с побитым молью воротником и шляпа с широкими полями. Были там и другие постояльцы, которые оставались на ночь. Видимо, их задержала в Варшаве непогода. Они, конечно, знали, что происходит и кого ждут, потому что, когда я появился, все зашумели и захлопали в ладоши. Кто-то воскликнул: «Мазлтов! Жених уже здесь!»

Снежные хлопья залепили лицо, и несколько секунд я ничего не мог разглядеть. Только слышал гомон мужских и женских голосов.

Какой-то паренек — наверно, он прислуживал в доме — вызвался спуститься вниз и помочь нам найти санки или дрожки. Мать не могла даже сама взобраться на сиденье, и мне пришлось поднять ее и усадить. Мойше не мог расстаться со своими подозрениями, что сиденье может быть трефным, и покрыл его носовым платком. Мы уже тронулись с места, и тут я вспомнил, что забыл наверху свою сумку. Я закричал: «Стой! Стой!», но тут выскочил этот парнишка — мать назвала его ангелом небесным, — догнал нас и сзади забросил сумку в дрожки. Я собрался было отблагодарить его, но мелочи не было, а мои слова благодарности ветер унес прочь. Верх был поднят. Внутри тьма непроглядная. Мойше сказал:

— Благодарение Богу, ты пришел. Мы уже боялись, не случилось ли чего. Ты знаешь, какая мать беспокойная.

— Я не мог достать дрожки. Всю дорогу шел пешком.

— Не простудиться бы тебе, упаси Господь, — проговорила мать. — Попроси Басю дать тебе аспирину.

— Все вершится на небесах, да, на небесах, — вмешался Мойше. — Что бы человек ни делал, ему приходится преодолевать препятствия, и в этом тоже можно распознать волю Провидения. Если все пойдет гладко, человек скажет: «Моя сила и сила моих рук совершили это». Когда грешники достигают успеха, то думают, что достигли этого собственными силами, но не всегда путь зла приводит к успеху. Этот Гитлер — да будет имя его забыто — понесет свою кару. И Сталин, это чудовище, тоже пройдет свой путь.

— Пока они понесут свою кару, — возразила мать, — кто знает, сколько будет замучено невинных.

— А? Что? Счет идет на небесах. Рабби Шолом Бельцер однажды сказал: «Ни понюшки табаку не будет забыто на Высшем Суде». Он, который знал истину, во всем полагался на Бога.

Дрожки тащились, покачиваясь полегоньку. То и дело лошади останавливались, поворачивали голову и оглядывались назад, как бы любопытствуя, зачем людям надо куда-то ехать в такую погоду. Кучер сказал по-еврейски:

— В такую погоду плохо на дрожках. И в санях не лучше. В такую погоду только сидеть у печки да есть бульон с кнедлями.

— Дай ему несколько лишних грошей, — прошептала мать.

— Хорошо, мама, конечно.

Когда мы наконец прибыли к раввину, все уже были в сборе: Шоша, Бася, Зелиг, Тайбл, Файтельзон, Геймл, Селия. Меня встретили улыбочками и подмигиваниями. Взгляд Селии, казалось, спрашивал: «Или он в самом деле ослеп? Или видит то, чего не видят другие?» Наверно подозревали, что в последнюю минуту я переменю решение. Старомодное платье матери удостоилось одобрения со стороны раввинши, дородной женщины в завитом парике, с широким лицом и необъятной грудью. В ее суровом взгляде не было и следа доброжелательности. Считая раввина и его сына, чернявого подростка с пробивающимися пейсами, с высоким крахмальным воротничком полухасида-полуденди, — было всего семь мужчин, и раввин послал сына привести с улицы или со двора еще троих, чтобы был минин, иначе церемония не состоится.

На Шоше было новое платье. С волосами, уложенными в прическу «помпадур», на высоких каблуках, она казалась выше ростом. Только мы вошли, Шоша протянула вперед руки, будто собралась бежать к нам, но Бася удержала ее, и Шоша успокоилась. Бася принесла бутылку вина, бутылку водки и корзиночку с печеньем. Раввин, высокий, стройный, с остроконечной черной бородкой, не походил на благочестивого еврея, как отец или Мойше. Он выглядел как светский человек, даже делец. В квартире был телефон. Мать с братом изумленно переглянулись: отцу в голову бы не пришло держать такую штуку у себя в доме. Зелиг уже передал адвокату тысячу злотых, чтобы заплатить Басе за развод, и бывшие муж и жена сторонились друг друга. Зелиг, в черном костюме, крахмальном воротничке и галстуке с перламутровой булавкой, расхаживал взад-вперед по комнате. Ботинки его скрипели. Он курил сигару. Как и подобает служащему погребального братства, он был уже порядочно пьян. Мать он называл «мехутенесте», сватьюшка, и принялся вспоминать те времена, когда мы были соседями. Файтельзон беседовал с Мойше, обнаруживая свои блестящие познания в Мидрашах и Гемаре. Я услыхал, как Мойше сказал ему:

— Вы много читали, но вам нужна практика.

— Для этого необходима вера, — возразил Файтельзон, — а ее-то у меня и нет.

— Бывает, вера приходит потом.

Файтельзон уже видел Шошу у Селии. Он похвалил мне ее детскую прелесть, сказав, что она напоминает ему одну английскую девочку — подружку из его детства, даже настойчиво предлагал, чтобы мы вместе с Шошей приняли участие в его «странствованиях душ». Он добавил:

— Цуцик, она в миллион раз милее, чем эта американская актриса, как там ее зовут? Если бы вы женились на той, я бы рассматривал это как падение.

Сев за стол, раввин стал заполнять брачный контракт. Вытер кончик пера о свою ермолку. Потом спросил, девственница ли невеста. Зелиг ответил:

— Еще бы!

Наконец вернулся сын раввина, ведя за собой троих мужчин в поддевках, смазных сапогах и меховых шапках. Один был подпоясан веревкой. Они не хотели ждать конца церемонии и потребовали по стакану водки немедленно. Лица их, мокрые от снега, потемнели и были в морщинах — и от возраста, и от тяжелой работы. Всем своим видом они выражали пренебрежение юношеским мечтаниям. Их слезящиеся глаза под кустистыми бровями, казалось, говорили: «Подождите-ка еще несколько лет, и вы узнаете то же, что и мы». Из-за печки сын раввина достал балдахин и четыре шеста. Раввин скороговоркой прочел кетубу — брачный контракт, написанный по-арамейски. Я обещал Шоше двести злотых, если разведусь с ней, и такую же сумму от моих наследников, если она овдовеет.

Обручальных колец я не покупал: Бася сказала, что ни один ювелир не в состоянии подобрать

Шоше кольцо — пальцы у нее тоненькие, как у ребенка. А мне Бася дала кольцо, которое получила от Зелига тридцать лет назад при венчании. Когда раввин запел святые слова, она разрыдалась. Тайбеле вытирала слезы платочком. Губы у Шоши шевелились, будто она хотела спросить что-то или сказать, но Бася предостерегающе замотала головой, и Шоша ничего не сказала.

Мать моя еле стояла на ногах. То и дело она опиралась на плечо Мойше. Брат раскачивался — видимо, бормотал про себя молитву.

Геймл и Селия собирались устроить для нас прием в ресторане. Но пришлось это отменить. Мать и брат боялись, что ресторанная еда в большом городе не может быть строго кошерной. Кроме того, последний поезд на Отвоцк уходил слишком рано, так что не осталось времени для ужина. На дорогу Бася собрала нам еду. Мать и брат хотели вернуться в Старый Стыков первым же утренним поездом. Селия и Геймл вызвались отвезти их на станцию. Вернувшись из Отвоцка, мы с Шошей должны будем переехать к Ченчинерам. Я понимал, что все присутствующие — пожалуй, даже Бася и сама Шоша — в глубине души, где еще остались крупицы здравого смысла, чувствовали, что я совершаю чудовищную глупость, но общее настроение было радостным и торжественным. Файтельзон, который мог отпускать шуточки даже на похоронах, чтобы показать всем и каждому, насколько он циничен, здесь вел себя совершенно по-отечески. Он пожал мне руку и пожелал счастья. Потом, наклонившись к Шоше, галантно поцеловал ее маленькую ручку. Геймл и Селия плакали.

Зелиг сказал:

— Двух вещей нельзя избежать на этом свете — свадьбы и похорон, — и вручил мне пачку денег, завернутых в плотную бумагу.

Мать не плакала. Я крепко обнял ее и поцеловал. Но она не поцеловала меня в ответ. Только сказала:

— Раз уж ты сделал это, видно, так суждено.

2

По расписанию поезд отправляется в 23.40, но была уже полночь, а мы не трогались с места. Наш вагон был пуст. Одинокая газовая лампа скорее слепила, чем освещала его. Проводив нас на поезд, давно ушли домой Бася и Тайбеле. В вагоне было почти так же холодно, как снаружи. Я достал из саквояжа два свитера и оба надел на себя, а Шоша закуталась в горжетку и муфту, сохранившиеся, скорее всего, с довоенного времени и принадлежавшие еще ее матери. У горжетки была лисья мордочка и стеклянные глаза. Шоша прижалась ко мне и дрожала, как маленькая зверушка.

Может, мы ошиблись и сели не в тот поезд? Или поезд всю ночь простоит на станции? Я решил пройтись по другим вагонам, но Шоша вцепилась в меня и не отпускала — она боялась остаться одна. Внезапно раздался гудок, и поезд потихоньку пошел по обледенелым рельсам.

Шоша раскрыла сверток, который положила нам Бася, и мы перекусили. Все, что Шоша делала, занимало массу времени: развязав пакет, Шоша долго решала, какой кусок взять себе, а какой — отдать мне. Даже в мелочах она не могла принять решение. Я обещал Селии и Геймлу, нашим щедрым благодетелям, что Шоша будет помогать Селии по хозяйству, когда мы к ним переедем, потому что служанка Селии, Марианна, уволилась. Она собиралась замуж. Но эта нерешительность каждый раз, когда надо было сделать малейший выбор, убеждала меня, что от Шоши не будет никакого проку. Она брала кусочек маринованного огурца, и он выскальзывал из ее рук, отщипывала кусочек булки, чтобы положить в рот, и клала ее на стол. На тонких ее пальчиках почти не было ногтей. И я не знал — грызет она их или в один прекрасный день они просто перестали расти. Она начинала жевать и тут же забывала, что у нее во рту еда.

Мы проезжали Пражское кладбище — город могильных камней, закутанных в снежные саваны, и Шоша вдруг сказала:

— Здесь Ипе лежит.

— Да, я знаю.

— Ой, Ареле, я боюсь.

— Чего же?

Шоша не ответила, — верно, уже забыла, о чем я спросил. Потом опять заговорила:

— Поезд может заблудиться.

— Как? Он же по рельсам идет.

Шоша подумала над моим ответом.

— Ареле, я не смогу иметь детей. Один раз доктор сказал, что я слишком узкая. Ты сам знаешь где.

— Не хочу я детей. Ты мое дитя.

— Ареле, ты уже мой муж?

— Да, Шошеле.

— А я взаправду твоя жена?

— Согласно закону.

— Ареле, я боюсь.

— А теперь чего?

— Ой, я не знаю. Бога. Гитлера.

— Пока еще Гитлер в Германии, а мы с тобой тут. Что же до Бога…

— Ареле, я забыла взять с собой маленькую подушечку, думочку.

— Через неделю мы вернемся, и у тебя опять будет твоя думочка.

— Я без нее не засну.

— Заснешь. Мы ведь будем лежать в одной постели.

— Ой, Ареле, я сейчас заплачу. — И она громко зарыдала, как маленькая девочка. Ее била дрожь, и было слышно, как бьется ее сердечко. Сквозь платье можно было пересчитать ребра.

Пришел проводник компостировать билеты. Он спросил:

— Почему она так горько плачет?

— Забыла думочку.

— Это ваша дочка?

— Нет. То есть да.

— Не плачь, девонька. У тебя будет другая подушечка.

И он послал ей воздушный поцелуй, затем ушел.

— Он подумал, что ты мой тателе?

— Так оно и есть.

— Как это? Ты надо мной смеешься?

Шоша прижалась щекой к моей щеке и затихла. Ее била дрожь, но щека была горячей. Я тоже закоченел, и одновременно мною овладело желание, совершенно отличное от всего, что я испытывал прежде, — страсть без ассоциаций, без мыслей, как будто тело действовало само по себе. Я прислушивался к себе, и если можно сказать, что металл может чувствовать, то я бы сказал, что меня притягивает, как иголку к магниту.

Шоша, наверно, прочла мои мысли, потому что она сказала: «Ой, твоя борода колется, как иголки». Я открыл было рот, чтобы ответить, но тут колеса заскрежетали и поезд остановился. Мы стояли где-то между Вавером и Миджешином. Белая снежная пустыня простиралась за окном. Снегопад прекратился, и снежинки ярко сверкали при свете звезд. Такой жуткий мороз. Даже трудно представить себе, что где-нибудь сейчас может быть лето. Вошел проводник и объявил, что рельсы впереди покрыты льдом.

— Ареле, я боюсь.

— Что теперь?

— Твоя мать такая старая. Она скоро умрет.

— Не такая уж она старая.

— Ареле, я хочу домой.

— Ты не хочешь побыть со мной?

— Хочу с тобой и с мамеле.

— Через неделю, не раньше.

— А я хочу сейчас.

Я не ответил. Она положила голову мне на плечо. Чувство отчаяния овладело мной, утешало лишь сознание, что вся эта бессмыслица происходит не по моей воле. В темноте я подмигнул себе, своему сумасшедшему властелину, и поздравил его с дурацкой победой. Я прикрыл глаза, ощутил на своем лице тепло Шошиного дыхания. Что мне терять? Уж не больше, чем теряет каждый.

3

В Отвоцке сошли с поезда только мы. Не у кого было спросить дорогу к гостинице, и мы блуждали среди деревьев. Я попытался обратиться к кому-то. Оказалось, это дерево. Я, должно быть, еще не проснулся как следует. А Шоша вдруг стала необычно молчаливой. Внезапно, как из-под земли, материализовался некто и повел нас в гостиницу. Это был служащий гостиницы. Его послали к поезду встретить нас, но мы с ним разминулись. Он промямлил что-то, объясняя, кто он такой, а потом всю дорогу молчал как убитый. Он шел так быстро, что Шоша едва поспевала за ним. Каждую минуту то пропадал среди деревьев, то возникал снова, будто в сумасшедшей полуночной игре в кошки-мышки.

Комната наша, оказавшаяся огромной и холодной, находилась наверху, в мансарде. Там стояла широкая кровать и узенькая детская кроватка. На каждой — высокие подушки и толстые одеяла. Пахло сосной и лавандой. Окна замерзли, но сквозь незамерзший кусочек стекла виднелись молоденькие сосенки, а на них сосульки и шишки, покрытые льдом и снегом. Все вместе напоминало рождественскую елку. Шоша стеснялась раздеться при мне, поэтому я стоял отвернувшись к окну, пока она раздевалась. Я думал, наши блуждания по ночному морозному лесу приведут Шошу в панику, но, как оказалось, настоящая опасность оставила ее равнодушной. Я смотрел на отражение в окне, еще не покрытом изморозью. Видел, как она сняла лифчик, надела ночную сорочку. После долгой борьбы с пуговицами и крючками Шоша наконец улеглась.

— Ареле, здесь холодно, как будто лед! — воскликнула она.

Шоша потребовала, чтобы я лег на узкую кровать, но я лег вместе с ней. Ее тело было теплым, а я совсем закоченел. В моих замерзших руках она трепыхалась, как жертвенный цыпленок. Не считая грудей, которые у нее были как у девочки, только начинающей взрослеть, вся она была кожа да кости. Мы тихонько лежали и ждали, пока постель согреется. Сквозь окно дуло, тряслись и звенели рамы. Завывал ветер, а иногда раздавался такой звук, будто стонет женщина в родовых муках. Слышались и другие звуки — видимо, в отвоцкских лесах водились волки.

— Ареле, мне больно.

— Что там у тебя?

— Ты меня коленками проткнул.

Я убрал колени.

— У меня в животе урчит.

— Это не у тебя, а у меня. Слышишь? Будто плачет ребенок.

Я дотронулся до ее живота. Она вздрогнула.

— Какие холодные руки!

— Я от тебя погреюсь.

— Ой, Ареле, не дозволено делать такое с женщиной.

— Теперь ты моя жена, Шошеле.

— Ареле, я стесняюсь. Ой, мне щекотно! — Шоша засмеялась, но смех неожиданно перешел в рыдание.

— Отчего ты плачешь, Шошеле?

— Все так чудно́. Когда Лейзер-часовщик пришел и прочитал, что ты написал в газете, я подумала: как это может быть? Достала твои детские рисунки, которые ты рисовал красками, а потом они сохли. Мы пошли искать тебя, а там старик, который чай разносит, как закричит: «Вон отсюда!» Один раз вечером я играла с тенью на стене, а она как подпрыгнет и шлепнула меня. Ой, у тебя волосы на груди. Я лежала больная целый год, и доктор Кнастер сказал, что я умру.

— Когда это было?

Она не ответила. Она заснула прямо во время разговора. Дыхание ее было частым и легким. Я придвинулся ближе, и во сне она вдруг прижалась ко мне с такою силой, будто пыталась просверлить меня насквозь. Как такое слабое создание может обладать таким пылом? Хотел бы я знать. Физиологические ли этому причины? Или тут действует разум?

Я закрыл глаза. Непомерное тяготение к Шоше, охватившее меня в поезде, совершенно исчезло. Пожалуй, я стал импотентом? Я заснул, и мне приснился сон. Кто-то дико завывал. Свирепые звери с длинными сосцами волокли меня неизвестно куда, когтями и клыками они рвали мое тело на части. Я брел по подвалу, который был одновременно и резницкой, и кладбищем, полным непогребенных трупов. В возбуждении я проснулся. Обнял Шошу и, прежде чем она успела проснуться, навалился на нее. Она билась и не давалась. Волна горячей крови прилила к бедрам. Я пытался утихомирить Шошу, а она громко кричала и плакала. Нет сомнения, она всех уже перебудила в гостинице. Может, я как-то покалечил ее? Я встал, попытался зажечь свет. Шаря вокруг в поисках выключателя, ударился о печку. Удрученный, я просил Бога помочь Шоше.

— Шошеле, не плачь. Это все любовь.

— Где ты?

Наконец я нашел выключатель и зажег свет. На секунду свет ослепил меня. Потом я увидел рукомойник, на лавке кувшин с водой, в стороне висели два полотенца. Шоша сидела на постели, но плакать перестала.

— Ареле, я уже твоя жена?

4

На третий день пребывания в Отвоцке, когда мы с Шошей сидели в столовой и обедали, меня подозвали к телефону. Звонили из Варшавы. Я был уверен, что это Селия. Но это был Файтельзон:

— Цуцик, для вас хорошие новости.

— Для меня? В первый раз такое слышу.

— Правда хорошие. Но сначала расскажите, как вы проводите медовый месяц.

— Спасибо, прекрасно.

— Без особых приключений?

— Да, но...

— Ваша Шоша не умерла со страху?

— Почти. Но теперь она совершенно счастлива.

— Мне она понравилась. С ней ваш талант окрепнет.

— Из ваших бы уст да в Господни уши.

— Цуцик, я говорил с Шапиро, издателем вечерней газеты — как бишь она называется? — сказал, что вы пишете роман о Якобе Франке. Он хочет, чтобы вы написали для него биографию Якоба Франка. Он станет печатать ее в газете шесть раз в неделю и готов платить триста злотых в месяц. Я сказал, что этого слишком мало, и он обещал, пожалуй, накинуть еще.

— Три сотни злотых слишком мало? Это же состояние!

— Какое там состояние! Цуцик, вы ненормальный. Он сказал еще, что может печатать это целый год или так долго, насколько у вас хватит вообраажения.

— Вот это действительно удача!

— Вы по-прежнему собираетесь поселиться у Ченчинеров?

— Нет, теперь я не хочу этого делать. Шоша зачахнет без матери.

— Не делайте этого, Цуцик. Вы знаете, я не ревнив. Напротив. Но жить там — не слишком хорошая мысль. Цуцик, я разорюсь после этого разговора. Отпразднуем, когда вы вернетесь. Привет Шоше. Пока.

Я собирался сказать Файтельзону, что я ему благодарен и что я оплачу разговор, но он уже повесил трубку. Я вернулся к столу:

— Шошеле, ты принесла мне удачу! У меня есть работа в газете. Мы не станем переезжать к Селии.

— О, Ареле, Господь помог мне. Я не хотела там жить. Я молилась. Она хотела забрать тебя у меня. А что ты будешь делать в газете?

— Писать о жизни ненастоящего Мессии. Он проповедовал, будто Бог хочет, чтобы люди грешили. Этот лжемессия спал с собственными дочерьми и с женами своих учеников.

— У него была такая широкая кровать?
— Не со всеми сразу. А может быть, и со всеми сразу тоже. Он был достаточно богат, чтобы иметь кровать такой ширины, какой захочет, хотя бы с весь этот Отвоцк.
— Ты был знаком с ним?
— Он умер примерно сто пятьдесят лет назад.
— Ареле, я молюсь Богу, и все, что я прошу, Он дает. Когда ты уходил на почту, пришел слепой нищий, и я дала ему десять грошей. Поэтому Бог делает все это. Ареле, я так ужасно люблю тебя. Я хотела бы быть с тобой каждую минуту, каждую секунду. Когда ты уходишь в уборную, я боюсь, что ты заблудишься или потеряешься. По мамеле я тоже скучаю. Я никогда не уезжала от нее так надолго. Я бы хотела быть с ней и с тобой миллион лет.
— Шошеле, твоя мать скоро разведется и еще может выйти замуж. Да и для меня невозможно быть с тобой каждую минуту. В Варшаве мне придется ходить в редакцию, в библиотеку. Иногда встречаться с Файтельзоном. Ведь это он нашел мне работу.
— У него нет жены?
— У него много женщин, но жены нет.
— Он тоже фальшивый Мессия?
— В некотором смысле так, Шошеле. Неплохое сравнение.
— Ареле, я хочу что-то сказать тебе, но стесняюсь.
— Тебе нечего стесняться меня. Я тебя уже видел голой.
— Я хочу еще.
— Еще что?

— Хочу лечь в постель. Ты знаешь зачем.

— Когда? Прямо сейчас?

— Да.

— Подожди, пока кельнерша принесет чай.

— Я не хочу пить.

Подошла кельнерша, принесла чай и два куска бисквита на подносе. Мы были единственными постояльцами в гостинице. Ожидали еще одну пару, но только назавтра.

Снегопад прекратился. Выглянуло солнце. Я собирался прогуляться вместе с Шошей, пожалуй, даже на Швидер. Хотелось узнать, замерзла ли река, посмотреть, как выглядит каскад зимой, полюбоваться сверкающими на солнце толстыми сосульками. Но слова Шоши все переменили. Кельнерша, низкорослая женщина с широким лицом, высокими скулами и водянистыми темными глазами, ушла не сразу. Она обратилась ко мне:

— Пане Грейдингер, вы съедаете все, а у вашей жены все остается на тарелке. Вот почему она такая худенькая. Она едва притрагивается к закуске, к супу, мясу, овощам. Не годится есть так мало. Люди приезжают сюда, чтобы набрать вес, а не потерять.

Шоша скорчила гримаску:

— Я не могу съесть так много. У меня маленький желудок.

— Это не желудок, пани Грейдингер. Моя бабушка говорила: «Кишки не застегнуты на пуговицы». Это аппетит. Моя хозяйка потеряла аппетит и пошла к доктору Шмальцбауму. Он прописал ей рецепт на железо, и она вернула свои десять фунтов.

— Железо? — спросила Шоша — Разве можно есть железо?

Кельнерша рассмеялась, обнажив сплошной ряд золотых зубов. Глаза у нее стали как две вишни.

— Железо — это лекарство. Никто не заставляет есть гвозди.

Она ушла наконец, шаркая ногами. Дойдя до кухни, обернулась и еще раз с любопытством оглядела нас.

Шоша сказала:

— Не нравится она мне. Я люблю только тебя и мамеле. Тайбеле я тоже люблю, но не так сильно, как вас. Я хотела бы быть с вами тысячу лет.

5

Ночь оказалась долгой. Когда мы ложились спать, не было и девяти, а в двенадцать уже проснулись. Шоша спросила:

— Ареле, ты уже не спишь?

— Нет, Шошеле.

— И я нет. Каждый раз, как просыпаюсь, думаю, что это все сказка: ты, свадьба — в общем, все. Но дотрагиваюсь до тебя и понимаю, что ты здесь.

— Жил однажды философ. Он полагал, что все — сон. Бог грезит, и весь мир — Его сон.

— Это написано в книгах?

— Да, в книгах.

— Вчера, нет, позавчера мне приснилось, что я дома и ты вошел. Потом дверь закрылась, и ты опять пришел. Там был не один Ареле, а два, три, четыре, десять, целая толпа таких Ареле. Что это значит?

— Никто не знает.

— А что говорят книги?

— Книги тоже не знают.

— Как это может быть? Ареле, Лейзер-часовщик сказал, что ты неверующий. Это правда?

— Нет, Шошеле. Я верю в Бога. Только я не верю, что Он являл себя и приказал раввинам соблюдать все те мелкие законы, которые добавились на протяжении поколений.

— Где Бог? На небе?

— Он, должно быть, везде.

— Почему Он не покарает Гитлера?

— О, Он не карает никого. Он создал кошку и мышь. Кошка не может есть траву, она должна есть мясо. Это не ее вина, что она убивает мышей. И мышка не виновата. Он создал волков и овец, резников и цыплят, ноги и червяков, на которых они наступают.

— Бог не добрый?

— Не так, как мы это понимаем.

— У Него нет жалости?

— Не так, как нам это представляется.

— Ареле, я боюсь.

— Я тоже боюсь. Но Гитлер еще не сегодня придет. Придвинься ко мне. Вот так.

— Ареле, я хочу, чтобы у нас с тобой был ребенок. Малыш с голубыми глазками, с рыжими волосиками. Доктор сказал, что если разрезать мне живот, то ребенок останется жив.

— И ты этого хочешь?

— Да, Ареле. Твоего ребеночка. Если будет мальчик, он будет читать те же книги, что и ты.

— Не стоит резать живот ради того, чтобы читать книги.

— Стоит. Я буду кормить его, и мои груди станут больше.

— Для меня они и так достаточно велики.

— Что еще написано в книгах?

— О, много всякого. Например, что звезды убегают от нас. По многу километров каждый день.

— Куда они бегут?

— Прочь от нас. В пустоту.

— И никогда не вернутся?

— Они расширяются и охлаждаются, а потом они снова несутся с такой скоростью, что опять становятся горячими, и вся эта дурацкая канитель начинается сначала.

— А где Ипе? Что про нее говорят книги?

— Если душа существует, то она где-то есть. А если нет, то...

— Ареле, она здесь. Она знает про нас. Она приходила сказать мне «мазлтов».

— Когда? Где?

— Здесь. Вчера. Нет, позавчера. Откуда она знает, что мы в Отвоцке? Она стояла у двери, рядом с мезузой, и улыбалась. На ней было белое платье, а не саван. Когда она была живая, у нее не было двух передних зубов. А теперь у нее все зубы.

— Должно быть, у них там хорошие дантисты.

— Ареле, ты смеешься надо мной?

— Нет, нет.

— Она приходила ко мне и в Варшаве. Это было до того, как ты в первый раз пришел к нам. Я сидела на табуретке, и она вошла. Мать ушла и велела запереть дверь. От хулиганов. И вдруг Ипе появилась. Как она могла это сделать? Мы разговаривали с ней как две сестры. Я была непричесана, и она заплела мне косички. Она играла со мной в переснималки, только без веревочки. А в канун Йом-Кипура я увидала ее в курином бульоне. На голове у нее был венок из цветов, как у девушки-христианки перед свадьбой, и я поняла — что-то должно произойти. Ты тоже был, но я не хотела ничего говорить. Если я начинаю говорить про Ипе, мать ругается. Она говорит, что я не в своем уме.

— Ты в своем уме.

— Тогда что же я такое?

— Чистая душа.

— Что это могло быть?

— Тебе пригрезилось.

— Прямо днем?

— Иногда можно грезить и днем.

— Ареле, я боюсь.

— Что тебя пугает сейчас?

— Небо, звезды, книги. Расскажи мне сказку про великана. Забыла, как его звали.

— Ог, царь Башана.

— Да, про него. Правда, что он не мог найти жену, потому что был такой большой?

— Это сказка. Когда был потоп, Ной, его сыновья, все животные и птицы вошли в ковчег, и только он не смог войти, потому что был такой огромный. Он сидел на крыше. Сорок дней и сорок ночей лил дождь, но он не утонул.

— Он был голый?

— Какой портной смог бы сшить для него штаны?

— Ох, Ареле, как хорошо быть с тобою. А что мы будем делать, когда придут нацисты?

— Мы умрем.
— Вместе?
— Да, Шошеле.
— А Мессия не придет?
— Не так скоро.
— Ареле, я вспомнила песню.
— Какую песню?
И тоненьким голоском Шоша запела:

> Его звали Горох,
> А ее Лапша.
> Венчались они в пятницу,
> Никто к ним не пришел.

Она прижалась ко мне и сказала:
— Ой, Ареле, как славно лежать с тобой, даже если мы умрем.

ГЛАВА ТРИНАДЦАТАЯ

1

В вечерней газете уже несколько месяцев печаталась романизированная биография Якоба Франка — в сущности, смесь фактов и вымысла. Газеты приносили вести одна хуже другой. Гитлер и Муссолини встретились в Бреннере и, без сомнения, договорились о захвате Польши и уничтожении евреев. Но бо́льшая часть польской прессы нападала на евреев — на них смотрели как на величайшую опасность для польского народа. Представители Гитлера побывали в Польше и были приняты диктатором, генералом Рыдз-Смиглым, и его министрами. В Советском Союзе продолжались чистки, участились аресты троцкистов, старых большевиков, правых и левых уклонистов, сионистов и гебраистов. Процветал перманентный террор. В Польше росла безработица. В деревнях, особенно украинских и белорусских, крестьяне голодали. Многие фольксдойчи, как назывались теперь немцы в Польше, объявили себя нацистами. Коминтерн распустил Польскую компартию. Обвинения Бухарина, Рыкова, Каменева и Зиновьева в саботаже и шпионаже, а также в том, что они — фашистские лакеи и агенты Гитлера, вызвали протесты даже среди убежденных сталинистов. Но тираж еврейских газет не падал, в том числе и той газеты, где я работал. Напротив, газеты теперь читались больше, чем прежде. История лжемессии Якоба Франка приближалась к концу, но у меня был наготове перечень других лжемессий — Реубейни, Шломо Молхо, Саббатая Цви.

Сначала мне приходилось выдумывать предлоги, почему я пришел домой позже или не пришел вовсе. Но постепенно Шоша и Бася привыкли к этому и не задавали вопросов. Что они знают о профессии писателя? Я сказал Лейзеру-часовщику, что работаю ночным выпускающим два раза в неделю, и Лейзер объяснил это Басе и Шоше. Лейзер приходил к ним каждый день и читал последний выпуск биографии Франка. Каждый на Крохмальной улице читал про него: воры, проститутки, старые сталинисты, новоявленные троцкисты. Иногда, проходя по базарной площади, я слышал, как люди толкуют о Якобе Франке — его чудесах, оргиях, видениях. Левые газеты сетовали, что такого рода писанина — опиум для масс. Но после того, как массы прочтут международные новости на первой странице и местные — на пятой, опиум просто необходим.

Перед моим переездом Бася побелила каморку, покрасила стены, поставила железную печку-времянку и вытащила оттуда все узлы, мешки и корзины, скопившиеся за двадцать с лишним лет. Шоша ни на час не могла остаться одна. Оставшись одна, она впадала в меланхолию. Но не мог же я быть с ней все время. Я так и не отказался от своей комнаты на Лешно и не сказал хозяевам, что женился. Я редко ночевал там, но даже Текла уже примирилась с тем, что писатели —

капризные и импульсивные создания. Она перестала спрашивать, что я делаю, с кем провожу время и где меня носит по ночам. Я платил за квартиру и раз в неделю давал ей злотый. На Рождество и на Пасху приносил ей подарки. Когда я что-нибудь дарил, она каждый раз краснела, протестовала, говоря, что ей ничего не нужно и что в этом не было необходимости. Она хватала мою руку и целовала ее, как это делали простые крестьяне во все времена. Мне не удавалось проводить с Шошей и Басей много времени, и потому я всегда любил приходить домой. Перед сном Шоша с Басей кормили меня — подавали молочный рис, чай с субботним печеньем, печеное яблоко. Перед тем как лечь в постель, Шоша каждый вечер мылась, часто мыла и голову. Обычно она обсуждала со мной последний выпуск биографии Франка. Как может мужчина иметь так много женщин? Может, это черная магия? Или он продал душу дьяволу? Как мог отец делать такое с собственными дочерьми? Иногда она сама же и отвечала: были другие времена. Разве у царя Соломона не было тысячи жен? И она вспоминала мои детские рассказы о царе Соломоне и царице Савской.

В сущности, Шоша осталась той же — то же детское личико, та же детская фигурка. Но кое-что все же переменилось. Раньше только Бася готовила еду. Шошу она и близко не подпускала к кухне и никогда не посылала на рынок. Только иногда она могла послать Шошу в ближайшую лавочку — купить фунт сахару, полфунта масла, кусочек сыру, буханку хлеба, — лишь то, что можно взять в кредит. Я сомневался даже, знает ли Шоша, как выглядят монеты разного достоинства.

Но однажды я заметил, что она возится на кухне. Теперь она ходила вместе с матерью на базар Яноша. Как-то я услыхал ее разговор с Басей: они обсуждали, не испортит ли вегетарианская кухня мое пищеварение. Они следили за моей диетой, и это меня удивляло. Я не привык, чтобы обо мне заботились. Но для Шоши я был теперь мужем, а для Баси зятем. Никогда не подумал бы, что Шоша умеет шить и штопать. И вдруг увидал, как она штопает мой носок, напялив его на чайный стакан. Она стала заботиться о моих рубашках, носовых платках, воротничках, относить в починку мою обувь. Я не мог или не хотел быть ей мужем в общепринятом смысле. Но Шоша постепенно принималась за обязанности жены.

Приходя вечером домой, я все еще заставал ее сидящей на табуретке, но ее больше не окружали игрушки. И учебники свои она забросила. Меня постоянно ожидали какие-нибудь сюрпризы. Шоша начала носить туфли на высоких каблуках. Тонкие чулки телесного цвета она теперь надевала не только в гости, но и дома. Мать купила ей новое платье и несколько ночных сорочек с кружевами. То и дело она меняла прическу.

Шоша проявляла все больше интереса к моим делам. Роман о Якобе Франке подходил к концу. В новом романе, о Саббатае Цви, в подробностях изображалась эпоха, так похожая на нашу собственную: та же еврейская тоска по искуплению, что владела умами и теперь. То, что собирался совершить Гитлер, уже совершил Богдан Хмельницкий тремя столетиями раньше. С самого дня изгнания из своей страны евреи жили в ожидании смерти или прихода Мессии. А сейчас в

Польше, на Украине, в Святой земле — везде каббалисты стремились приблизить Конец Дней: молитвами, постом, произнесением Святого имени Божьего. Они исследовали тайны книги Даниила. Никогда не забывали они тот текст из Гемары, где возвещалось, что Мессия придет либо к тому поколению, где все будут невинны, либо к тому, где все будут грешить. Ежедневно Лейзер читал Шоше последний отрывок и пояснял ей все, что касается еврейской истории или еврейских законов. Я услыхал, как она говорит матери: «Ох, мамеле, все в точности как сегодня!»

Тайбл еще не нашла себе мужа. Она очень уж переборчива, жаловалась Бася, так можно остаться старой девой. Вместо мужа она завела любовника — женатого бухгалтера с пятью детьми. Каждый день он говорит, что разведется с женой, но уже два года прошло, а про развод и не слыхать. Вместо радости Тайбл доставляла матери одни огорчения.

Тайбеле теперь стала чаще приходить сюда, к сестре и матери. Ей тоже было интересно поговорить со мной о Якобе Франке, Саббатае Цви и их учениках. Она приносила маленькие подарочки матери и Шоше, а иногда и мне приносила что-нибудь: то книгу, то журнал, то просто блокнот. Ее бухгалтер все чаще оставался по вечерам дома, с женой и детьми. По рассказам Тайбеле, он становился ипохондриком, убедил себя, что у него больное сердце. Когда Бася напоминала Тайбеле, что уже поздний час и идти домой страшно, Тайбл отшучивалась: «Лягу с ними» — и показывала на меня и Шошу. Или: «Какая разница, что будет? Все равно все погибнем!»

По ночам, в постели, Шоша больше не говорила о своих куклах, игрушках, детишках или соседях, которых она знала двадцать лет назад. Очень часто она теперь говорила о том, что занимало меня. Верно ли, что есть Бог на небесах? Как Он узнаёт, о чем думает каждый человек? Верно ли, что Он любит евреев больше, чем другие народы? Он создал только евреев или гоев тоже? Иногда она расспрашивала о романе. Откуда я знаю, что было сотни лет назад? Прочитал об этом в книге или придумал сам? Она просила рассказать ей, что будет в газете завтра, что будет через несколько дней. Начав рассказывать ей то, что еще не написано, я проводил что-то вроде литературного эксперимента — позволял языку свободно болтать и говорил все, что взбредет в голову. Я слыхал раньше от Марка Эльбингера, а потом прочел в журнале, что такая литература называется «поток сознания». Теперь я мог потренироваться на Шоше. Она все слушала с неослабевающим интересом: были ли это истории моего детства, слышанные от матери, когда мне было пять-шесть лет, или сексуальные фантазии одного неидишистского писателя, которые он позволил себе опубликовать, мои ли собственные гипотезы о Боге, о сотворении мира, бессмертии души, будущем человечества, собственные ли мои мечты о том, как справиться с Гитлером или Сталиным. Будто бы я уже построил аэроплан из вещества, атомы которого так плотно спрессованы, что один кубический сантиметр весит тысячу тонн. А летает он со скоростью тысячи километров в минуту. Он может пройти сквозь гору, вырваться из сферы земного притяжения, достичь далеких планет. Еще там был телефон, который сам сообщал мне все о планах и мыслях любого человека на Земле. Я стал таким могущественным, что отменил все войны. Прослышав о моем могуществе, большевики, нацисты, антисемиты, грабители, насильники сразу сдались. Я установил мировой порядок, основанный на файтельзоновской философии игры. В аэроплане я держал гарем из восемнадцати жен, но царицей и повелительницей была, конечно, Шоша.

— А где будет мамеле?

— Ей я дам двадцать миллионов злотых и поселю во дворце.

— А Тайбеле?

— Тайбеле станет принцессой.

— Я буду скучать по мамеле.

— Мы будем навещать ее каждую субботу.

Шоша помолчала немного. Потом сказала:

— Ареле, я скучаю по Ипе.

— Ипе я бы вернул к живым.

— Как это может быть?

И вот я развиваю перед Шошей теорию, что мировая история — это книга, которую можно читать, только переворачивая страницы вперед. Никому не дано перевернуть страницы этой книги назад, к началу. Но все, что уже было и прошло, продолжает жить на других страницах. Ипе живет где-то. Куры, гуси и утки, которых ежедневно убивают в резницкой на Дворе Яноша, живут на предыдущих страницах этой книги — кудахтают, гогочут, крякают на правой стороне книги, потому что книга эта написана по-еврейски, справа налево.

— И мы еще живем в доме номер десять по Крохмальной? — вздохнула Шоша.

— Да, Шошеле, на другой странице книги мы там еще живем.

— Но туда уже поселились другие.

— Они живут на открытых страницах, а не на закрытых.

— Мамеле говорила, что до нас там жил портной.

— И он там тоже живет.

— Все вместе?

— Нет, каждый на своей странице.

Постепенно я перестал стыдиться Шоши. Она стала иначе одеваться и от этого казалась выше ростом. Я брал ее в гости к Селии. Оба, Селия и Геймл, были очарованы ее простотой, искренностью и наивностью. Я старался научить ее, как правильно держать нож и вилку. Рассуждала она по-детски, но не глупо.

При одном из посещений Селия заметила сходство между Шошей и своей умершей дочерью. Она достала старые, пожелтевшие фотографии. Некоторое сходство действительно было, и это поразило меня. Геймл теперь увлекался оккультизмом и мистикой. Его осенила идея, что душа их маленькой дочурки могла переселиться в Шошу и теперь я — их зять. Души не исчезают. Душа возвращается и проникает в тело, которое само открывается ей навстречу, потому что оно почувствовало к душе симпатию. Такого понятия, как случайность, не существует. Силы, правящие человеком и его судьбой, всегда в союзе с теми, кого ему суждено встретить на своем пути.

Эльбингеру случилось быть в этот же вечер у Ченчинеров, и он повторил то же, что говорил о Шоше и раньше, — он полагает, что она обладает всеми свойствами медиума. Все хорошие медиумы, которых ему доводилось встретить, тоже обладали простотой, искренностью и прямотой. Он попробовал загипнотизировать Шошу. Как только он приказал ей, она тотчас же уснула. Разбудить ее стоило Эльбингеру большого труда. Уходя, он поцеловал Шошу в лоб.

После его ухода Шоша сказал:

— Он не человек.

— А кто же он? — спросили в унисон Селия и Геймл.

— Не знаю.

— Ангел? Демон? — допытывалась Селия.

— Наверно, он с неба, — ответила Шоша.

Геймл хлопнул себя по лбу:

— Цуцик, это знаменательный вечер. Его я не забуду, сколько бы ни прожил на свете.

2

В пятницу вечером, как обычно, я пришел домой, к Шоше. Сам я не соблюдал еврейских законов. Шоша не ходила в микву. Но, уступая Басе, я произносил благословение над вином в пятницу вечером и в субботу утром. Бася приготовила для меня вегетарианскую субботнюю трапезу: запеканку из крупы с фасолью и рисовый кугель с корицей. В пятницу вечером перед наступлением сумерек Шоша благословила свечи. Она поставила их в серебряные подсвечники, подарок Ченчинеров. На столе была нарядная скатерть — тридцать лет назад Бася вышивала ее для Зелига. На ней — две халы. Семейная реликвия — нож с перламутровой ручкой, с надписью на ручке «Святая Суббота», тоже лежал на столе. В пятницу вечером Бася и Шоша ели фаршированную рыбу и курицу, а мне подали лапшу с сыром и тушеную морковку. Обе были в субботних платьях и нарядных туфлях. Через раскрытое окно были видны субботние свечи в других квартирах и слышалось пение. Простые евреи поют: «Мир и свет евреям в день отдохновения, день радости». Хасиды поют каббалистические поэмы праведного Исаака Лурии, написанные по-арамейски: о небесных слугах — все это в чрезвычайно эротических выражениях, которые могли бы шокировать и критиков, и читателей даже в наши дни. Шоша и Бася беседовали о житейских делах: о том, что еда вздорожала, что на чердаке не хватает места, чтобы вешать белье. Бася вспоминала, как в прежнее время на субботу посыпали полы желтым песком. Крестьяне из ближних деревень привозили песок в деревянных кадушках и торговали им прямо с подводы. Теперь другая мода. Теперь хозяйкам нравится мыть полы щелоком. А еще благочестивые еврейки ходили в прежние времена по домам в пятницу и собирали халы, рыбу, всякую еду и даже куски сахара — в общем, кто что даст — для бедных. Нынешнее поколение не верит в такую благотворительность. Приходили тут коммунисты и просили денег для евреев в Биробиджане. Это где-то далеко в России, на краю света. Они сказали, что теперь там еврейская страна. Один Бог знает, правда ли это.

— Мамеле, а что там, на краю света? Там темно?

Бася покачала головой:

— Скажи ты, Ареле.

— Не существует края света. Земля круглая, как яблоко.

— А где живут черные люди?

— В Африке.

— А Гитлер где?

— В Германии.

— Ох, нам в школе говорили, но я никогда не могла ничего запомнить, — сказала Шоша. — Правда, что в Америке есть такой еврей, который ставит свою подпись на каждый доллар, иначе деньги ничего не стоят? Лейзер-часовщик говорил про это.

— Правда, Шошеле. Только он не расписывается. Его подпись печатают.

— На субботу не следует говорить о деньгах, — сказала Бася. — У нас был такой благочестивый маленький раввин, реб Фивке. По субботам он говорил только на святом языке. Жил он на Смочей, но по пятницам приходил на базар Яноша с мешком — собирать еду для бедняков. После полудня в пятницу он молчал, потому что полдень пятницы так же свят, как суббота. Когда ему подавали, он только кивал в ответ или бормотал несколько слов на святом языке. Однажды в пятницу он не появился. Прошел слух, что он болен. Несколько недель минуло, и вот он опять ходит с мешком, но теперь уже не произносит ни слова. Люди говорили, что ему сделали операцию на горле. Однажды в пятницу он приходит к мяснику и тот дает ему несколько куриных ножек и шейку. Человек из погребального братства, тот, который роет могилы, был там тоже. Когда он увидел реб Фивке, то издал дикий вопль и грохнулся в обморок. Реб Фивке сразу исчез. Его приводили в чувство, терли виски уксусом, лили на него холодную воду, и когда он пришел в себя, то поклялся страшной клятвой, что реб Фивке умер и он сам хоронил его. Люди не могли в это поверить, говорили, что он ошибся. Но реб Фивке больше не приходил. Какой-то любопытный взялся все разузнать и разыскал его вдову. Реб Фивке, оказывается, умер за несколько месяцев до этого случая. Я знаю все это, потому что Зелиг тогда еще приходил домой, а этот могильщик был его закадычный дружок.

— Мне думается, ваш бывший муж не верит в такое.

— Теперь он ни во что не верит. А тогда он еще был приличный человек.

— Ох, я боюсь идти спать, — сказала Шоша.

— Нечего тебе бояться, — возразила Бася. — Добрые люди не станут никому досаждать после смерти. Иногда трупы не знают, что они мертвы, выходят из могил и гуляют среди живых. Я слыхала о человеке, который раз пришел домой, когда его семья справляла по нем траур. Он открыл дверь, увидал, что жена и дочь сидят на полу без обуви, зеркало занавешено черным, а сыновья разрывают полы одежды, и спросил: «Что здесь происходит? Кто умер?» А его жена ответила: «Ты», и он исчез.

— Ох, мне приснится страшный сон.

— Надо сказать: «В Твои руки, Господи, отдаю свою душу» — и спать будешь спокойно, — посоветовала Бася.

После обеда Бася подала чай с домашним субботним печеньем. Потом мы с Шошей пошли прогуляться: от дома № 7 по Крохмальной улице до № 25. Тут можно гулять даже ночью. Дальше ходить опасно — могут пристать пьяницы или хулиганы. Есть улицы, на которых еврейские магазины открыты в субботу, но не на Крохмальной. Лишь одна чайная держала дверь полуоткрытой, и то посетители пили здесь чай в кредит. Даже коммунистам не позволяли платить в кассу. Бася помнила, как в давнее время всякая шпана могла прицепиться к молодой парочке и потребовать несколько грошей за то, что они отвяжутся и не будут больше приставать. Но так было раньше, сказала она. Во время первой русской революции в 1905 году социалисты объявили войну ворам, карманникам, взломщикам, и все они попрятались по своим углам. Многие бордели ликвидировали. Исчезли проститутки. Бордели вернулись, карманные воришки тоже, но грабители исчезли навсегда.

Мы с Шошей не спеша шли вдоль улицы. Пересекли почти пустую площадь. У дома № 13, напротив дома № 10, Шоша остановилась.

— Тут мы раньше жили.

— Да. Ты говоришь это каждый раз, когда мы проходим мимо.

— Ты стоял на балкончике и ловил мух.

— Не напоминай мне об этом.

— Почему?

— Потому что мы делали с Божьими созданиями то же, что наци сделают с нами.

— Мухи кусаются.

— Мухам положено кусаться. Такими их создал Бог.

— А почему Бог создал их такими?

— Шошеле, на это нет ответа.

— Ареле, я хочу зайти в наш двор.

— Ты это уже делала тысячу раз.

— Ну позволь мне.

Мы пересекли улицу и заглянули в темную подворотню. Все осталось таким же, как двадцать лет назад, только умерли многие из тех, что жили здесь когда-то. Шоша спросила:

— Тут еще есть лошадь в конюшне? Когда мы здесь жили, лошадь была каурая, со звездой на лбу. Лошади долго живут?

— Примерно лет двадцать.

— Так мало? Лошади такие сильные.

— Иногда они доживают до тридцати.

— Почему не до ста?

— Не знаю.

— Когда мы здесь жили, по ночам приходил домовой, заплетал лошадиный хвост в мелкие косички. И гриву тоже. Домовой взбирался на лошадь и скакал на ней от стены к стене всю ночь. Утром лошадь была вся в мыле. И пена стекала с лошадиной морды. Она была еле живая. Зачем домовые такое делают?

— Я не уверен, что это правда.

— Я видела эту лошадь утром. Она была вся в мыле. Ареле, мне хочется заглянуть в конюшню. Хочу посмотреть, та же там лошадь или другая.

— В конюшне темно.

— А я там свет вижу.

— Ничего ты не видишь. Пошли.

Мы пошли дальше и дошли до дома № 6. Шоша опять остановилась. Это означало, что она хочет что-то сказать. Шоша не могла разговаривать на ходу.

— Что тебе, Шошеле?

— Ареле, я хочу, чтобы у нас с тобой был ребенок.

— Прямо сейчас?

— Я хочу быть матерью. Пойдем домой. Я хочу, чтобы ты сделал со мною — ты сам знаешь что.

— Шошеле, я уже говорил тебе, я не хочу иметь детей.

— А я хочу быть матерью.

Мы повернули назад, и Шоша опять заговорила:

— Ты уходишь в газету, и я остаюсь одна. Я сижу, и чудны́е мысли приходят мне в голову. Я вижу странных человечков.

— Что это за человечки?

— Не знаю. Они кривляются и говорят такое, чего я не понимаю. Это не люди. Иногда они смеются. Потом начинают причитать, как на похоронах. Кто они?

— Не знаю. Это ты мне скажи.

— Их много. Некоторые из них солдаты. Они скачут на лошадях. Поют грустную песню. Тихую песню. Я испугалась.

— Шошеле, это твое воображение. Или ты дремлешь и видишь это во сне.

— Нет, Ареле. Я хочу ребенка, чтобы было кому читать по мне кадиш, когда я умру.

— Ты будешь жить.

— Нет. Они звали меня с собой.

Мы опять прошли мимо дома № 10, и опять Шоша сказала:

— Позволь мне заглянуть во двор.

— Опять?!

— Ну позволь мне!

ГЛАВА ЧЕТЫРНАДЦАТАЯ

1

У Геймла умер отец, оставив ему состояние в несколько миллионов злотых и доходные дома в Лодзи. Родственники и друзья советовали Геймлу переселиться в Лодзь, чтобы распоряжаться своими капиталами и присматривать за доходными домами. Но Геймл сказал мне:

— Цуцик, человек подобен дереву. Нельзя обрубить корни у дерева и пересадить его на другую почву. Здесь у меня вы, Морис, друзья из Поалей Сион. На кладбище покоится прах моей дочки. А в Лодзи я каждый день буду вынужден встречаться с мачехой. А главное, там будет несчастлива Селия. С кем она там будет общаться? Пусть только будет мир на белом свете, а уж мы как-нибудь проживем и здесь.

Файтельзон одно время собирался уехать в Америку, но потом отступился от этого плана. Друзья звали его и в Палестину, обещая, что он сможет получить хорошее место в Еврейском университете Иерусалима. Но Файтельзон отказался.

— Туда теперь ринутся немецкие евреи, — сказал он. — В них больше прусского, чем в настоящих пруссаках. К ним пришлось бы приспосабливаться так же, как и к жизни среди эскимосов. Проживу как-нибудь без университетов.

Все мы жили настоящим — все евреи Польши. Файтельзон сравнивал нашу эпоху с началом второго тысячелетия, когда все христиане Европы ожидали Второго Пришествия и конца света. Пока не вторгся в Польшу Гитлер, пока нет революции, не разразился погром — каждый такой день мы считали подарком от Бога. Файтельзон часто вспоминал своего любимого философа Ханса Файхингера с его философией «как будто». Настанет день, когда все истины будут восприниматься как произвольные определения, а все ценности — как правила игры. Файтельзон тешил себя мыслью построить замок идей, моделей различия в культурах, систем поведения, религий без откровения — что-то вроде театра, куда люди могли бы приходить, чтобы действовать без мыслей и эмоций. В представлении должны будут участвовать и зрители. Тем, кто еще не решил, какую игру они предпочитают, предлагалось принять участие в «странствованиях душ», чтобы понять, чего же они хотят в самом деле.

Файтельзон продолжал:

— Цуцик, я хорошо понимаю, что все это вздор. Гитлер не примет никакой игры, кроме своей собственной. И Сталин тоже. И наши фанатики. Ночью, лежа в постели, я представляю себе мир-спектакль: вещи, нации, браки, науки — только элементы хорошо поставленной пьесы. Что произошло с математикой после Римана и Лобачевского? Что такое Канторово «алеф-множество», или «множество всех множеств»? Или эйнштейновская теория относительности? Не что иное, как игра. А все эти атомные частицы? Они возникают как грибы после дождя. А расширяющаяся Вселенная? Цуцик, мир движется в одном направлении — все становится фикцией. Что вы там гримасничаете, Геймл? Вы еще больший гедонист, чем я.

— Гедонист-шмедонист, — отозвался Геймл. — Если уж нам суждено умереть, давайте умрем вместе. У меня идея! В Сохачевской синагоге на второй день праздника всегда царило бурное веселье. Давайте постановим, что каждый день в нашем доме будет считаться вторым днем праздника. Кто может нам запретить создать свой календарь, установить свои праздники? Если жизнь — только наше воображение, давайте вообразим, что каждый день — второй день праздника. Селия приготовит праздничную трапезу, мы произнесем киддуш, споем застольную песню и станем толковать о хасидских проблемах. Вы, Морис, будете моим ребе. Каждое ваше слово исполнено мудрости и любви к Богу. У еретиков тоже существует такое понятие, как богобоязненность. Страх Божий. Можно грешить и все-таки оставаться богобоязненным. Саббатай Цви — не лжец, он все понимал. Настоящий хасид не боится греха. Миснагида* можно запугать ложем из гвоздей или Геенной огненной. Но не нас. Раз все от Бога, Геенна ничем не отличается от рая. Я тоже ищу удовольствий, но теперешним людям

---

* Миснагид — правоверный еврей, не хасид.

для веселья нужны громкая музыка, вульгарные шансонетки, женщины в шиншилловых манто, и кто их знает, что им еще надо, — их даже тогда одолевает тоска. Пойду ли я к Лурсу или в Зимянскую — там сидят и листают журналы с портретами проституток и диктаторов. Там нет и следа того блаженства, которое мы имели в Сохачевской синагоге — среди обтрепанных книг, с керосиновой лампой под потолком, в толпе бородатых евреев с пейсами и в драных атласных лапсердаках. Морис, вы это понимаете, и вы, Цуцик, тоже. Если Богу нужны Гитлер и Сталин, студеные ветры и бешеные собаки, пусть Его. А мне нужны вы, Морис, и вы, Цуцик, и если правда жизнь так горька, пусть ложь даст мне немного тепла и радости.

— Наступит день когда все мы переедем к вам, — сказал Файтельзон.

— Когда же? Когда Гитлер будет стоять у ворот Варшавы?

Геймл предложил Файтельзону издавать журнал, который тот все собирался основать на протяжении многих лет, предложил ему написать книгу о возобновлении и модернизации игры и назвать ее «Хасиды». Геймл готов был финансировать и журнал, и книгу, и перевод на другие языки. Все грандиозные и революционные эксперименты происходили при чрезвычайных обстоятельствах, утверждал Геймл. Он предлагал построить первый храм игры в Иерусалиме или по меньшей мере в Тель-Авиве. Евреи, говорил Геймл, не похожи на гоев, они не проливали кровь уже две тысячи лет. Это, пожалуй, единственная категория людей, которая играет словами и идеями вместо того, чтобы играть оружием. Согласно Агаде, когда Мессия придет, евреи должны будут попасть в Израиль не по железному мосту, а по мосту, сделанному из бумаги. Может, не случайно евреи преобладают в Голливуде, в мировой прессе, в издательствах? Еврей принесет миру избавление с помощью игры, и Файтельзон станет Мессией.

— А пока я не стал Мессией, — обратился ко мне Файтельзон, — может, одолжите мне пять злотых?

2

Я остался ночевать у Ченчинеров. Наши отношения с Селией перешли в платонические. Было время, когда я высмеивал это слово и то, что оно означает, но теперь ни Селия, ни я больше не интересовались сексуальными экспериментами. Селия с Геймлом старались убедить Файтельзона и меня переехать к ним и жить одной семьей. С недавних пор Селия стала седеть. Геймл как-то упомянул в разговоре, что Селию наблюдает врач и при нормальном положении вещей ей следовало бы поехать в Карлсбад, во Франценбад или на другой курорт. Но что с ней, он не сказал.

Как бывало и раньше, этим вечером разговор свели к вопросу, почему все мы сидим в Варшаве, и у всех был примерно один ответ. Я не мог оставить Шошу. Геймл не мог уйти без Селии. Да и какой смысл бежать, когда три миллиона евреев остаются? Некоторые богатые промышленники из Лодзи в 1914 году бежали в Россию и три года спустя были расстреляны большевиками. Я видел, что Геймл больше боится путешествия, чем нацистского плена. Селия сказала:

— Если я увижу, что насилие уже непереносимо, я не стану ждать завтрашнего дня. Моя мать, моя бабушка да и отец — все они умерли в моем возрасте, в сущности, даже моложе. Я живу только по инерции, или называйте это как угодно. Не хочу ехать в чужую страну и лежать там больная в гостинице или попасть в больницу. Хочу умереть в своей постели. Не хочу лежать на чужом кладбище. Не помню, кто это сказал: мертвые всемогущи, им нечего бояться. Все живущее стремится достичь того, что уже есть у мертвого, — полный покой, абсолютная независимость. Было время, когда я панически боялась смерти. Нельзя было даже произнести это слово в моем присутствии. Купив газету, я быстренько проскакивала некрологи. Мысль о том, что я могу есть, дышать, думать, в то время когда кто-то умер, казалась мне столь непереносимой, что ничто в жизни меня уже не привлекало. Постепенно я примирилась с мыслью о смерти — смерть стала решением многих проблем, даже идеалом, к которому надо стремиться. Теперь, когда приходит газета, я читаю все некрологи. Я завидую каждому, кто уже умер. Почему я не совершила самоубийство? Во-первых, Геймл. Хочу уйти вместе с ним. Во-вторых, смерть сама по себе слишком важна, чтобы совершить все одним махом. Она как хорошее вино — его надо пить маленькими глотками. Самоубийца хочет покончить со смертью раз и навсегда. Но тот, кто понимает, хочет насладиться ее вкусом.

Спать легли поздно. Геймл захрапел сразу. Было слышно, как ворочается в своей постели Селия, вздыхает, шепчет. Она то включала ночник, то выключала. Пошла в кухню, приготовила себе чай, возможно, приняла пилюлю. Если все — только игра, по словам Файтельзона, то наша любовная игра уже окончена или, по крайней мере, отложена на неопределенный срок. В сущности, это была больше его игра, чем наша. Я всегда ощущал его присутствие, когда был с Селией. В разговоре со мной Селия часто почти буквально повторяла все, что уже говорил мне Морис. Она усвоила его сексуальный жаргон, его капризы, маneризмы. Она называла меня Морисом и другими его именами. Когда бы ни происходила наша любовная игра, Файтельзон всегда незримо присутствовал. Мне казалось даже, что я ощущаю запах его сигары.

Я заснул уже на рассвете. Утром было пасмурно и сыро — наверно, ночью прошел дождь. Но по всему было видно, что день обещает быть ясным.

После завтрака я пошел к Шоше и остался там до обеда. Потом отправился на Лешно. Хотя ближе было бы пройти по Желязной, я выбрал путь по Навозной, Зимней и Орлей. На Желязной могли привязаться польские фашисты. Я уже спроектировал в уме собственное гетто. Некоторые улицы были опасны в любое время. Оставались пока еще другие, более или менее безопасные. На углу Лешно и Желязной опасность была наибольшей.

Несмотря на то что я свернул с пути еврейства, диаспора жила во мне.

Почти подойдя к воротам, я побежал. Во дворе было безопасно, и я перевел дыхание. Медленно поднялся по лестнице. И сегодня, и в последующие дни мне предстояло много работы. С газетным романом было уже покончено. Теперь я обещал рассказ для литературной антологии. Был начат и другой роман — про саббатианское движение в Польше. Это уже серьезная работа, а не то что серия выпусков для ежедневной газеты. Я позвонил, и Текла открыла мне. Она натирала паркет в коридоре. Платье было подоткнуто, обнажая икры и колени. Она улыбнулась:

— Ну-ка, угадайте, кто вам звонил вчера вечером три раза?

— Кто же?

— Угадайте!

Я назвал несколько имен, но не угадал.

— Сдаетесь?

— Сдаюсь.

— Мисс Бетти!

— Из Америки?

— Она здесь, в Варшаве.

Я промолчал. От Файтельзона я знал, что Сэм Дрейман умер и оставил Бетти значительную часть своего состояния, но его жена и дети опротестовали завещание. А теперь Бетти здесь, в Варшаве. И когда? В такое время, когда все польские евреи мечтают уехать. Пока я так стоял, удивляясь, зазвонил телефон.

— Это она, — сказала Текла. — Она обещала позвонить утром.

3

Не прошло и года, как Бетти уехала в Америку, но я едва узнал ее, когда в тот же день мы с ней увиделись в «Бристоле». Жидкими стали волосы. Они не лежали уже, как прежде, на голове рыжей шапкой, а были какой-то безобразной смесью желтого с рыжим. Под слоем румян и пудры лицо выглядело более плоским и широким. Появились морщины, волоски над верхней губой и на подбородке. Где ее носило все это время? Горевала ли она о смерти Сэма? Что-то случилось с зубами, и на шее я заметил пятно, которого не было прежде. На ней были домашние туфли без задников и кимоно. Бетти смерила меня взглядом с головы до ног и сказала:

— Уже совершенно облысел? И кто так одевается? Мне казалось, ты выше ростом. Ну можно ли так опускаться? Ладно, не принимай близко к сердцу. Просто я слишком впечатлительна. Мне не хватает здравого смысла, чтобы разобраться, как говорят, в объективной реальности. Варшаву не узнать. Даже «Бристоль», пожалуй, уже не тот. Когда мы уезжали из Польши, я набрала с собой кучу фотографий — твои и других прочих, но все они где-то затерялись среди бумаг. Садись, мы должны поговорить. Что ты будешь? Чай? Кофе?.. Ничего? Что значит — ничего? Я закажу кофе.

Бетти сделала заказ по микрофону. Говорила она на смеси польского с английским.

Усевшись поудобнее на стуле, Бетти продолжала:

— Ты, вероятно, не можешь понять, зачем я приехала, да еще в такое время. Я и сама удивляюсь. Точнее сказать, я уже перестала удивляться не только тому, что делают другие, но и тому, что делаю я сама. Ты, конечно, знаешь, что Сэм умер. Мы вернулись в Америку, и я была уверена, что с ним все в порядке. Он занялся делами так же энергично, как и прежде. Внезапно он упал и умер. Только что был жив, а в следующую секунду — уже мертв. Для меня это большое горе, но я завидую ему. Для таких как я смерть — долгое дело. Мы начинаем умирать с того момента, как начинаем взрослеть.

Голос у Бетти тоже изменился — стал более хриплым, немного дрожал. Кельнер позвонил и внес завтрак на серебряном подносе: кофе, сливки, горячее молоко. Бетти дала ему доллар. Мы пили кофе, и Бетти говорила:

— На корабле каждый спрашивает: «Зачем вы едете в Польшу?» Они все собираются в Париж. Я всем говорю правду: что у меня старая тетка в Слониме — том городе, чье имя я ношу, — и я хочу повидать ее перед смертью. Считают, что не сегодня-завтра Гитлер начнет войну, но я не уверена. Что хорошего для него в войне? Он же хочет, чтобы ему все приносили на серебряном блюдечке. Американцы и весь демократический мир потеряли главное свое достояние — характер. Эта их терпимость хуже, чем сифилис, убийство, хуже, чем безумие. Не смотри на меня так. Я все та же. И в то же время, пока мы были врозь, я прожила целую вечность. Я страдала настоящими нервными припадками. Раньше я знала это слово, но не понимала, что оно означает. У меня это выражалось в общей апатии. Однажды вечером я легла в постель здоровой, а когда утром проснулась, не хотела ни есть, ни пить, не испытывала ни малейшей потребности встать. Я не хотела даже дойти до ванной. Так я лежала целыми днями, с пустой головой и помутненным сознанием. После смерти Сэма я стала курить по-настоящему. И много пить. Хотя раньше не питала любви к алкоголю. Эта его Ксантиппа и его алчные дети потащили меня в суд из-за завещания, а их адвокат, дьявол его возьми, собирался что-то предпринять против меня. А лицо у него: только посмотришь — от одного взгляда заболеешь. Когда актеры узнали, что Сэм оставил мне состояние, то стали обращаться со мной ну прямо как с хрустальной вазой. Даже предложили мне вступить в Ассоциацию еврейских актеров. Мне предлагали ведущие роли и всякое такое. Но мои амбиции насчет сцены уже позади. Сэм — пусть будет земля ему пухом — никогда ничего не читал, и мы часто ссорились из-за этого, потому что я — пожирательница книг с самого детства. Только теперь я начинаю понимать его. Почему ты не отвечал на письма?

— Какие письма? Я получил от тебя только одно письмо, и то без обратного адреса.

— Как же так? Я написала несколько писем. Даже телеграфировала.

— Клянусь всем святым, я получил только одно письмо.

— Всем святым? Я сначала написала на Лешно, а когда ты не ответил, стала писать на адрес Писательского клуба.

— В клубе я не был давно.

— Но ведь это был твой второй дом.

— Я решил больше туда не ходить.

— Разве ты способен на решения? Может, мои письма еще лежат там?

— А о чем была телеграмма?

— Ничего существенного. Да, жизнь полна сюрпризов. Только если закрыть глаза и не желать ничего видеть, ничего и не будет происходить. А что у тебя? Ты еще не порвал с этой дурочкой, своей Шошей?

— Порвал? Почему ты так думаешь?

— А почему же ты сохранил комнату на Лешно? Я позвонила, не надеясь найти тебя там, — думала просто, что ты переменил адрес и я здесь его узнаю.

— Там я работаю. Это мой кабинет.

— А с ней ты живешь в другой квартире?

— Мы живем с ее матерью.

В глазах у Бетти промелькнула насмешка:

— На этой жуткой улице? В окружении воровских притонов и публичных домов?

— Да, там.

— Как вы с ней проводите время, можно мне спросить?

— Обыкновенно.

— Бываете вы где-нибудь вдвоем?

— Редко.

— Ты никогда не уходишь из дома?

— Случается. Мы выходим пройтись мимо мусорного ящика — подышать свежим воздухом.

— Да, ты все тот же. Каждый сходит с ума посвоему. На улице в Нью-Йорке меня как-то окликнул один актер. Он был на гастролях в Польше.

Рассказывал, что ты достиг успеха. Что публикуешь роман, который читают все. Это правда?

— Мой роман печатался в газете, а зарабатываю я лишь столько, чтобы нас прокормить.

— Наверное, ты бегаешь еще и за десятком других?

— Вот уж неправда.

— А что правда?

— А у тебя как? — спросил я. — Конечно, уже были связи?

— О, ты ревнуешь? Могли бы быть. Мужчины еще приударяют за мной. Но когда ты смертельно больна и у тебя не один криз в день, а тысяча, тут уж не до связей. Этот фокус-покус Эльбингер еще в Варшаве?

— Он влюбился в христианку, подругу знаменитого медиума Клуского.

— Полагаю, что еще услышу о нем. Чем он занят теперь?

— Мертвецы приходят к нему по ночам и оставляют отпечатки пальцев на ванночке с парафином.

— Издеваешься, да? А я верю, что мертвые где-то тут, рядом с нами. Что случилось с этим коротышкой, богачом? Забыла, как его звали, его жена была твоей любовницей.

— Геймл и Селия. Они здесь.

— Да-да. Они. Как это они до сих пор сидят в Варшаве? Я слыхала, многие богатые евреи удрали за границу.

— Они хотят умереть.

— Ну ладно, у тебя *такое* настроение сегодня. А я по тебе скучала. Вот это правда.

4

Я не верил своим ушам: после всех недобрых слов о театре вообще и о еврейском театре в частности оказалось, что Бетти Слоним приехала в Варшаву с пьесой и ищет режиссера. Мне не следовало бы удивляться. Многие мои коллеги-писатели вели себя точно так же. Они объявляли во всеуслышание, что бросили писать, и вскоре появлялись с романом, длинной поэмой, даже трилогией. Они поносили критику, кричали, что не критикам судить о литературе, а на следующий день умоляли кого-нибудь из критиков написать несколько добрых слов. Пьеса, которую привезла Бетти, была ее собственная. Чтобы прочесть ее, я остался на ночь. Это была драма о молодой женщине (Бетти сделала ее художницей), которая не может найти родственную душу в своем окружении: не может найти ни мужа, ни возлюбленного, ни даже подруги. В пьесе выведен психоаналитик. Он убеждает героиню, что она ненавидит отца и ревнует мать, хотя на самом деле женщина эта боготворит своих родителей. Там была сцена, в которой героиня, пытаясь избавиться от одиночества, становится лесбиянкой и терпит крах. Сюжет представлял возможности для юмористических мизансцен, но Бетти все изобразила в трагических тонах. Длинные монологи были сделаны по обычному клише. В рукописи было триста страниц. И много наблюдений о рисовании, наблюдений человека, который ничего о нем не знает.

Уже светало, когда я покончил с четвертым актом. Я сказал ей:

— Пьеса, в общем, хорошая, но не для Варшавы. Моя же никуда не годилась вообще.

— А почему не для Варшавы?

— Боюсь, Варшаве ничего уже не нужно.

— А мне кажется, что пьеса моя прямо для польских евреев. Они, в точности как моя героиня, не могут ужиться ни с коммунистами, ни с капиталистами. И уж конечно не с фашистами. Иногда мне кажется, что им осталось только покончить с собой.

— Так это или нет, но варшавские евреи не хотят слышать об этом. И уж конечно не с театральных подмостков.

Я так устал, читая пьесу, что прилег на кровать и заснул не раздеваясь. Хотел было сказать Бетти, что она сама — яркое доказательство того, как человек или совокупность людей не имеет силы полностью покориться обстоятельствам, но был слишком утомлен, чтобы произнести хоть слово. Во сне я снова перечитывал пьесу, давал советы, даже переписывал некоторые сцены. Бетти не погасила свет, и время от времени, приоткрыв глаза, я наблюдал за Бетти: вот она пошла в ванную, надела роскошную ночную сорочку. Подошла к кровати, сняла с меня ботинки и стянула рубашку. Сквозь сон я посмеивался над ней и над ее потребностью хватать все удовольствия сразу. «Вот что такое самоубийство, — подумал я. — Гедонист — это тот, кто стремится получить от жизни больше наслаждений, чем он способен». Возможно, это ответ и на мою загадку.

Когда я открыл глаза, было уже светло. Бетти сидела у стола в ночной сорочке, домашних туфлях, с папиросой во рту и что-то писала.

На моих часах было без пяти восемь. Я сел на постели.

— Что ты делаешь? Переписываешь пьесу?

Она повернула голову: пепельно-серое лицо, глаза смотрят строго и требовательно.

— Ты спал, а я не могла сомкнуть глаз. Нет, это не пьеса. Пьеса уже умерла. Для меня. Но я могу тебя спасти.

— О чем это ты?

— Всех евреев уничтожат. Ты досидишься тут со своей Шошей, пока Гитлер придет. Я тут уже полночи читаю газеты. В чем смысл? Стоит ли умирать из-за этой слабоумной?

— Что же ты предлагаешь мне сделать?

— Цуцик, после того как я повидаюсь с теткой, мне незачем будет здесь оставаться, но мне хотелось бы помочь тебе. На пароходе я познакомилась с чиновником из американского консульства, и мы болтали о всякой всячине. Он даже начал приударять за мной, но он герой не моего романа. Военный, пьяница. Они всё топят в водке — это их решение всех проблем. Я спросила его, можно ли взять кого-нибудь в Америку, но он сказал, что сверх квоты это невозможно. Зато можно получить туристскую визу, если назвать определенный адрес места назначения и доказать, что вам не понадобится социальная помощь. А если турист женится на американке, он уже вне квоты и может оставаться в стране сколько угодно. И еще я хочу сказать. Наперед знаю, что из всех моих планов ничего не получится. Но все же, если можно помочь человеку, который мне дорог, прежде чем я умру, хочу сделать это. Этой ночью ты весьма хладнокровно заявил мне, что у меня не должно оставаться никаких надежд, но я все равно считаю тебя близким человеком. В сущности, ты самый близкий мне человек после Сэма — мир праху его. Мои братья и сестры затерялись где-то в красном аду — не знаю даже, жив ли кто-нибудь. Цуцик, ты уверен, что пьеса моя ничего не стоит, протянула ножки, как говорят литваки. Но мне нечего больше делать здесь, и в Америку возвратиться одна я не могу. Между твоим «да» и «нет» я могу устроить тебе туристскую визу, и ты поедешь со мной в Америку. У тебя есть официальный документ о браке с Шошей? Вы записывались в мэрии?

— Только у раввина.

— У тебя в паспорте записано, что ты женат?

— В паспорте ничего не записано.

— Ты сможешь получить туристскую визу немедленно, если я дам тебе аффидавит*. Скажу, что ты написал пьесу и мы хотим ставить ее в Америке. Скажу, что собираюсь играть в ней. Ведь есть шанс, что так на самом деле и будет. Могу показать им чековую книжку, или что там они еще потребуют. Для меня смерть не трагедия. Смерть — избавление от всех бед. Но ходить по краешку, быть на грани жизни и смерти каждый день — это слишком даже для такой мазохистки, как я.

— А как мне быть с Шошей?

— Шоше не дадут туристскую визу. Только взглянут на нее и не дадут. И тебе тоже не дадут.

— Бетти, я не могу ее оставить.

---

* Аффидавит — заверенное у нотариуса приглашение в гости, в другую страну.

— Не можешь, да? Значит, ты готов умереть из-за любви к ней?

— Если придется умереть, я умру.

— Не знала, что ты так безумно любишь ее.

— Это не только любовь.

— А что же еще?

— Не могу убить ребенка. И не могу нарушить обещание.

— Если уедешь, может, будет шанс прислать ей туристскую визу. По крайней мере, сможешь прислать ей денег. А так вы оба погибнете.

— Бетти, я не могу сделать этого.

— Ладно, не можешь так не можешь. Судя по твоим рассказам, ты никогда так не относился к женщинам. Если уставал от одной, находил другую.

— То были взрослые женщины. У них были семьи, друзья. А Шоша...

— Хорошо, хорошо. Только не надо себя уговаривать. Если человек готов отдать жизнь за другого, наверно, он знает, что делает. Никогда бы не подумала, что ты способен на такую жертву. Но никогда не знаешь, на что люди способны. Те, кто жертвует собой, вовсе не всегда святые. Люди жертвовали жизнью ради Сталина, Петлюры, Махно. Ради любого погромщика. Миллионы дураков сложат свои пустые головы за Гитлера. Иногда кажется, что люди только и делают, что ищут, за кого бы им отдать жизнь.

Мы помолчали. Потом Бетти сказала:

— Я уезжаю к тетке, и мы, скорее всего, никогда не увидимся. Скажи мне, зачем ты это сделал? Даже если ты солжешь мне, я хочу услышать, что ты скажешь.

— Ты имеешь в виду, почему я женился на Шоше?

— Да.

— Я действительно не знаю. Но я скажу тебе вот что. Она единственная женщина, в которой я уверен, — сказал я, пораженный собственными словами.

Бетти улыбнулась одними глазами. На мгновение она снова помолодела.

— Господи Боже, и это вся правда? Как же это просто!

— Пожалуй!

— Все вы: и распутники, и безбожники, и фанатичные евреи — с теми же предрассудками, что и ваши прапрадедушки. Как это получается?

— Мы уходим прочь, а гора Синайская идет за нами. Эта погоня превратила нас в неврастеников и безумцев.

— Не исключая и меня. Я тоже больна и безумна, но горе Синайской нечего со мной делать. На самом же деле ты лжешь. Не больше моего ты боишься горы Синайской. Это все жалкая гордость, глупый страх потерять паршивую мужскую честь. Ты привел мне как-то слова своего друга: «Невозможно предавать и ожидать, что тебя не предадут». Кто это сказал? Файтельзон?

— Или он, или Геймл.

— Геймл не сумел бы так сказать. Впрочем, не имеет значения. Ты сумасшедший. Но большинство таких идиотов, вроде тебя, как раз идут на смерть из-за какой-нибудь шлюхи. Нет, Шоша не предаст тебя. Если только ее не изнасилуют наци.

— Прощай, Бетти.

— Прощай навсегда.

5

Я ушел из отеля без завтрака, потому что не хотел, чтобы меня увидела горничная. Уже второй раз я упускал шанс спастись. Шел я без определенной цели. Ноги сами вели меня по Трембацкой к Театральной площади. У меня не было сомнений, что оставаться в Польше означает попасть в лапы к нацистам. Но страха я не чувствовал. Я был совершенно разбит из-за того, что мало спал, читал пьесу, разговаривал с Бетти. Дав ей возможность поссориться со мной, я сделал наше расставание менее драматичным. Только сейчас мне пришло в голову, что раньше она и не вспоминала ни про какую тетку в Польше. Конечно, она приехала в Польшу вовсе не из-за тетки. Подобно мне, Бетти была готова к преследованиям. Отрывок из Пятикнижия припомнился мне: «Вот я умираю, и что проку мне в моем первородстве?» Я ушел далеко прочь от четырехтысячелетнего еврейства и сменил его на бессодержательную литературу, на идишизм, файтельзонизм. Все, что у меня осталось от этого, — членский билет Писательского клуба и несколько нестоящих рукописей. Я остановился перед витриной универсального магазина и стал разглядывать ее. В любой день могло начаться уничтожение, а здесь были выставлены пианино, машины, драгоценности, красивые ночные сорочки, новые книги на польском, переводы с немецкого, английского, русского, французского. Одна из книг называлась «Сумерки Израиля». А небо голубело, шумели листвой зеленые деревья по обеим сторонам улицы, шли женщины, одетые по последней моде, мужчины оценивающе смотрели им вслед. Нóги женщин в шелковых чулках, казалось, сулили небывалые наслаждения. Хотя я и был обречен, однако тоже рассматривал бедра, колени, груди. Поколения, которые придут после нас, размышлял я, будут считать, что мы шли на смерть, сожалея о жизни. Они увидят в нас святых мучеников. Они будут читать по нам кадиш и «Господи, милосерден Ты». На самом же деле каждый из нас пойдет на смерть с теми же чувствами, с какими и жил. В оперном театре еще давали «Кармен», «Аиду», «Фауста», «Севильского цирюльника». Как раз передо мной выгружали из фургона причудливые декорации, которые сегодня вечером будут создавать видимость того, что на сцене горы, реки, сады, дворцы. На пути мне попалась кофейня. Запах кофе и свежих булочек пробудил аппетит. Вместе с кофе кельнер принес и свежие газеты. Маршал Рыдз-Смиглы уверял нацию, что польские войска способны отразить любую опасность как справа, так и слева. Министр иностранных дел Бек получил новые гарантии от Англии и Франции. Закоренелый антисемит Навачинский нападал на евреев, которые вкупе с масонами, коммунистами, нацистами и американскими банкирами замышляли расправу над католической церковью и жаждали заменить ее своим поганым материализмом. Он и «Протоколы сионских мудрецов» цитировал. Если у меня еще оставались крохи веры в свободу воли, то в это утро я почувствовал, что у человека столько же свободы, сколько у механизма в моих наручных часах или у мухи, сидящей на краю моего блюдечка. Одни и те же силы вели Гитлера и Сталина, папу римского и рабби из Гура, молекулу в центре Земли и галактику, которая находится на расстоянии миллиона световых лет от Млечного Пути. Слепые силы? Всевидящие силы? Это уже не важно. Всем нам предстоит сыграть свои маленькие роли и быть раздавленными.

6

Если я не проводил ночь с Шошей, то обычно появлялся дома после обеда. Но сегодня я решил прийти пораньше. Я слишком устал, чтобы работать на Лешно. Расплатившись, я отправился по Сенаторской к Банковской площади, а оттуда на Навозную и Крохмальную. На еврейских улицах, как и всегда, была толкотня, спешка и суета. В меняльных лавках на Пшеходной были вывешены цифры — курс доллара на злотые. На черном рынке платили за доллар еще больше. В иешивах изучали Талмуд. В хасидских молельнях толковали о своих хасидских делах. Я проходил мимо и разглядывал все вокруг так, будто вижу это в последний раз. Пытался запечатлеть в памяти каждый закоулок, каждый дом, лавку, каждое лицо. Я подумал: это похоже на то, как приговоренный к казни по дороге на эшафот в последний раз смотрит на мир. Я прощался с каждым разносчиком, дворником, каждой торговкой на рынке — даже с лошадьми, запряженными в дрожки. Понимание и сочувствие видел я в их огромных влажных глазах с темными зрачками.

На Навозной я задержался возле большой молельни в доме № 5. Почернелые стены, замусолены и обтрепаны книги, но юноши с длинными пейсами все так же раскачиваются над древними фолиантами и распевают святые слова на тот же печальный мотив. На возвышении у скинии кантор славил Бога за Его обещание воскрешения из мертвых. Маленький человечек с желтой бородкой и восковым лицом торговал вареным горохом и бобами, складывая плату в деревянную плошку. Был ли это Вечный Жид? Или то был один из сионских мудрецов, заключивший тайный союз о наступлении царства Сатаны с Геббельсом, Рузвельтом и Леоном Блюмом? Я дошел до Крохмальной. У ворот нашего дома дочь булочника торговала горячими бубликами. Должно быть, это одна из моих читательниц, потому что она улыбнулась и подмигнула мне. Казалось, девушка хочет сказать: «Как и вы, я вынуждена играть свою роль до последней минуты». Я пересек двор, открыл дверь и остолбенел: за столом сидела Текла и пила из большой кружки то ли чай, то ли кофе с цикорием. Шоша сидела с краешку. Наверное, что-то случилось с матерью, подумал я сразу. Скорее всего, пришла телеграмма, что она умерла. Текла увидела меня и вскочила. Шоша тоже встала. Она всплеснула руками:

— Ареле, сам Бог прислал тебя!

— Что здесь происходит? Или это мерещится мне?

— Что ты сказал? Входи же. Ареле, пришла эта польская девушка и сказала, что тебя ищет. Назвала тебя по имени. Принесла корзинку со своими вещами. Вот она. Она говорила что-то про жениха. Я не поняла, о чем она говорит. Хорошо, что мамеле ушла в магазин, а то бы она подумала кто его знает что. Я сказала, что ты придешь не раньше обеда, но она говорит, что подождет.

Текла порывалась заговорить, но терпеливо ждала, не перебивая Шошу. Она была бледна и, казалось, не спала ночь. Наконец она сказала:

— Пшепрашам пана, но вот как получилось. Вчера вечером постучали с черного хода. Я отперла — думала, соседка пришла вернуть стакан соли или кто-нибудь из девушек с нашего двора. Я отпираю и вижу: стоит деревенский парень, один из наших. Одет по-городскому. И говорит мне: «Текла, не узнаешь меня?» Это был Болек, мой жених. Он вернулся из Франции, с угольных копей, и теперь, говорит, хочет жениться на мне. Я перепугалась до смерти. Говорю ему: «Что же ты не писал столько времени? Уехал и как сквозь землю провалился». А он: «Не умею я писать, и никто из рабочих там не умеет». Слово за слово, он садится на мою кровать и ведет себя как ни в чем не бывало, словно вчера ушел. И подарок привез — так, побрякушку. Это Божье чудо, что я не умерла на месте. Говорю ему: «Болек, раз ты не писал так долго, все между нами кончено, и мы больше не жених и невеста». А он как начал орать: «Это еще что? Дружка себе завела? Или втюрилась в того жидка, что письма мне писал?» Он был пьян и выхватил нож. Хозяйка услыхала шум, прибежала, а он как начал проклинать евреев и грозился, что всех нас убьет. Хозяйка и говорит: «Пока еще Гитлер не пришел сюда. Вон из моего дома». Владек пошел за полицией, но поли цейский пришел только через три часа. Болек грозился вернуться сегодня и клялся, если не пойду с ним к ксендзу, убьет. Он ушел, а хозяйка и говорит: «Текла, ты работала на совесть, но я старая и слабая и не сумею выносить такое. Забирай вещи и уходи». Еле уговорила ее, чтобы разрешила переночевать. Утром она заплатила мне, что причитается, и еще пять злотых дала, и я ушла. Вы один раз дали этот адрес, вот я и пришла. Эта молодая паненка сказала, что она ваша жена и что вы придете только к обеду. Но куда мне идти? Я никого не знаю в Варшаве. Думается, вы не прогоните меня?

— Прогнать тебя? Текла, ты мой друг до гроба!

— Ох, вот спасибо. И домой, в деревню, не могу поехать. У него целая банда таких головорезов. Они вместе служили в армии, а оттуда вернулись с пистолетами да штыками. Болек грозился, что и в деревне меня найдет. Он скопил тысячу злотых, и еще у него есть французские деньги, да у меня уже сердце к нему не лежит. На свете много девушек, Болек может себе другую завести. Он хлещет водку и сквернословит, а я уже от такого отвыкла.

— Ареле, если мамеле вернется и услышит такое, она разволнуется, — сказала Шоша. — Если там хулиган угрожает и с ножом, тебе не надо ходить в такое место. Но что она тут будет делать? Нам самим еле хватает места, куда приклонить голову. Мамеле всегда говорит, чтобы я никого не впускала. Она говорила так и тогда, помнишь, когда...

— Да, Шошеле, помню. Но Текла — хорошая, порядочная девушка, и она никому не причинит хлопот. А сейчас я ее уведу.

На идиш же я сказал: «Шошеле, мы уйдем сию минуту. А матери ничего не говори».

— Ой, она все равно узнает. Все смотрят в окна, и стоит кому-нибудь чужому прийти, начинается: «Что ей здесь надо? Чего она хочет?» Молодые еще заняты с детьми, а старухам надо все знать.

— Ну ладно, пусть. К обеду я вернусь. Текла, идем со мной.

— Взять мне корзинку?

— Да, бери.

— Ареле, только не опаздывай. А то мать начинает тревожиться, что, может, ты нас не хочешь и всякое такое. Я тоже начинаю разное думать. Последнюю ночь я глаз не сомкнула. Если она голодная, можно дать ей хлеба и селедку с собой.

— Она потом поест. Идем, Текла.

Мы прошли как сквозь строй под пристальными взглядами всех жильцов. Всем своим видом они, казалось, спрашивали: «Куда это он отправился в такую рань с этой деревенской? И что у нее в корзинке?» А я мысленно отвечал им: «Вы умеете разгадывать кроссворды в газетах, но никогда не постичь вам тайн жизни. Семь дней и семь ночей можете потирать свои лбы, как хелмские мудрецы*, но ответа вам не найти».

Перед воротами я постоял немного. Что же теперь делать? Попытаться найти для нее комнату? Или пойти в кофейню и просмотреть объявления о найме в сегодняшних газетах? Все-таки

---

* Хелмские мудрецы — персонажи еврейского фольклора, жители сказочного города Хелм, делавшие все наоборот и воспринимавшие буквально все советы, которые им давали мудрые люди.

надо было оставить ее с Шошей. Но я никогда не говорил ни Шоше, ни Басе про комнату на Лешно. Они думают, что я ночую в редакции. Бася сразу придумает тысячу вопросов. И вдруг я понял, что надо сделать. Решение такое простое! И как только сразу мне это не пришло в голову? Мы с Теклой дошли до гастронома в доме № 12. Я попросил ее подождать у дверей, а сам вошел внутрь и позвонил Селии. Несколько дней назад она как раз жаловалась, что после ухода Марианны не справляется с хозяйством, а хорошую прислугу найти так трудно. В трубке раздался протяжный голос Селии:

— Кто бы это мог быть, я никого не жду.

— Селия, это Цуцик.

— Цуцик? Что стряслось? Уже пришел Мессия?

— Нет, Мессия еще не пришел. Зато я нашел для вас хорошую служанку.

— Для меня? Служанку?

— Да, Селия. И квартиранта.

— Накажи меня Бог, если я что-нибудь понимаю. Какого квартиранта?

— Квартирант — это я.

— Вы смеетесь надо мной?

И я рассказал Селии, что произошло.

— Я больше не смогу оставаться в своей комнате на Лешно. Этот буян угрожает и Текле, и мне, — закончил я.

Селия не перебивала меня, пока я излагал события. Было даже слышно ее дыхание на том конце провода. Время от времени я посматривал через стеклянную дверь, там ли Текла. Текла ждала покорно и терпеливо. Даже не поставила на землю свою тяжелую корзинку. Наоборот, держала ее двумя руками, прижав к животу. Там, на Лешно, она выглядела по-городскому. А за последнюю ночь она, кажется, снова превратилась в девушку из деревни.

— И Шошу тоже возьмете с собой?

— Если она сможет расстаться с матерью.

Селия, видимо, обдумывала мои слова. Потом сказала:

— Приводите ее с собой, когда захотите. Где вы бываете, там и она должна бывать.

— Селия, вы спасаете мне жизнь! — воскликнул я.

Снова Селия помолчала. Потом добавила:

— Цуцик, берите такси и приезжайте сейчас же. Если я проживу еще немного, может, и со мной случится что-нибудь хорошее. Только не было бы слишком поздно.

ЭПИЛОГ

1

Прошло тринадцать лет. Я работал в одной из нью-йоркских газет. Мне удалось скопить две тысячи долларов. Получил аванс пятьсот долларов — за перевод на английский одного романа. И с этими деньгами предпринял поездку в Лондон, Париж и Израиль. Лондон еще лежал в руинах после немецких бомбежек. В Париже процветал черный рынок. Из Марселя я сел на пароход, идущий в Хайфу с заходом в Геную. Молодежь пела ночи напролет — старые, знакомые песни и новые, — они появились уже во время войны с арабами с 1948 года по 1951-й. Через шесть дней пароход прибыл в Хайфу. Поразительно было увидеть еврейские буквы на вывесках магазинов, в названиях улиц, носящих имена писателей, раввинов, героев, общественных деятелей. Удивительно слышать на улицах древнееврейскую речь с сефардическим акцентом, встречать еврейских парней и девушек в военной форме. В Тель-Авиве я остановился в отеле на Яркон-стрит. Тель-Авив — новый город, но дома там уже выглядели старыми и обшарпанными. Телефон, как правило, не работал. Редко шла горячая вода в ванной. По ночам отключали электричество. Кормили плохо.

В газете появилась заметка о моем приезде, и потянулись с визитами писатели и журналисты, старые друзья и дальние родственники. У многих на руке была татуировка — номер из Освенцима. Другие потеряли сыновей в боях за Иерусалим или Сафад. Пошли жуткие истории о нацистских зверствах, об ужасах НКВД. Я уже наслышался об этом в Нью-Йорке, Лондоне, Париже, да и на борту корабля.

Однажды утром, когда я завтракал в ресторане отеля, возник худенький человечек с белой как снег бородой. На нем была рубашка с распахнутым воротом, сандалии на босу ногу. Конечно, я знал его раньше, но кто же это, вспомнить не мог. Как у такого маленького человечка может быть такая борода? Он подошел ко мне быстрыми шагами. На меня смотрели молодые черные, как маслины, глаза. Человечек вытянул палец вперед и сказал на певучем варшавском диалекте: «Вот он! Шолом, Цуцик!» Это был Геймл Ченчинер. Я поднялся. Мы обнялись и расцеловались. Я предложил ему позавтракать со мной, но он не стал, и я заказал ему только кофе. Я уже слыхал, что он и Селия погибли в Варшавском гетто, но невероятные встречи с теми, кто давно умер, перестали удивлять меня. Файтельзона не было в живых, это я знал. В газетах было сообщение о его смерти несколько лет назад.

Мы сидели и пили кофе.

— Простите, что называю вас Цуциком, — сказал Геймл. — Это потому, что я вас люблю.

— Ничего. Только теперь я уже просто старый пес.

— Для меня вы всегда будете Цуцик. Будь Селия жива, она сказала бы то же самое. Вам сколько?

— Сорок три.

— Не так уж стар. А мне уже под шестьдесят. Чувствую себя старым, как Мафусаил. Через такое пришлось пройти. Как будто прожил несколько жизней, а не одну.

— Где вы были, Геймл?

— Где был? Спросите лучше, где я не был. Вильно, Ковно, Киев, Москва, Казахстан, калмыки, хунхузы, или как их там. Тысячу раз я стоял лицом к лицу с Ангелом Смерти, но если тебе суждено остаться в живых, происходят чудеса. Пока теплится хоть искорка жизни, ползаешь, как червяк, стараясь не попасть под ноги тем, кто давит червей. И вот я добрался до еврейской страны. Здесь мы опять страдали и мучились. Война, голод, постоянная опасность. Пули жужжали рядом со мной. Бомбы рвались в двух шагах. Но здесь никого не поведешь, как овечку, к резнику. Наши мальчики из Варшавы, из Лодзи, Минска, из Равы-Русской вдруг стали героями, как во времена Масады. Пиф-паф! Величайшие оптимисты не поверили бы, что такое возможно. Вы, конечно, знаете, что случилось с Селией?

— Нет. Совсем не знаю.

— Как же это? Пойдемте сядем на террасе.

Мы вышли на террасу и выбрали столик в тени. Подошел официант, я заказал еще кофе и бисквиты. Мы оба долго любовались морем. Оно постоянно меняло цвет — от голубого до зеленого. На горизонте виднелось парусное судно. Берег кишел людьми. Одни потягивались, разминались, другие играли в мяч, загорали, иные лежали в тени, под тентом. Кто плескался у самого берега, кто заплывал далеко. Какой-то мужчина уговаривал собаку войти в воду, но она не желала купаться. Геймл снова заговорил:

— Да, еврейская страна, еврейское море. Кто мог это вообразить лет десять назад? Такая мысль в голову не пришла бы. Все наши мечты были о корке хлеба, тарелке овсянки, о чистой рубашке. Я часто повторяю себе фразу, которую однажды сказал Файтельзон: «У человека недостаточно воображения, будь он пессимист или оптимист». Кто мог предполагать, что вотируют еврейскую нацию? Но родовые муки еще продолжаются. Арабы не хотят жить в мире. Здесь тяжело. Тысячи эмигрантов живут в жестяных лачугах. Я сам в такой жил. Солнце печет весь день, а по ночам дрожишь от холода. Женщины готовы выцарапать глаза друг другу. Эмигранты из Африки — буквально из времен Авраама. Не знают, что такое носовой платок. Кто знает, может, они потомки Кетуры*? Я слыхал, вы стали знаменитостью в Америке?

— Вовсе нет.

— Да-да. Вас знают. Ваши книги ходили уже в немецком лагере. Об этом писали газеты. Как увижу вашу фамилию, так и кричу: «Цуцик!» Люди думали, я сумасшедший. Сегодня увидал в «Гайом»** заметку, что вы здесь, аж подпрыгнул. Жена спрашивает: «Что случилось? Ты спятил?» Я ведь снова женился.

---

* Кетура — третья жена Авраама.

** «Гайом» («Сегодня») — газета в Израиле (*иврит*).

— Здесь?

— Нет, в Ландсберге. Она потеряла мужа, а детей у нее забрали прямо в газовую камеру. А я скитался один. И не было никого, кто дал бы мне стакан чаю. Вспоминал ваши слова: «Мир — это резницкая и публичный дом одновременно». Это казалось мне прежде преувеличением. Вас считают мистиком, а на самом деле вы — сверхреалист. Все, что мы делали, нас принуждали делать, даже надеяться мы были «должны». Так сказал вождь всех времен и народов, великий Сталин: «Вы должны надеяться». А раз он сказал «должны», мы и надеялись. А на что мне было надеяться? Оставалась только одна надежда — надежда умереть. Где сахар?

— Справа.

— Этот кофе как помои. Сколько я вас не видал? Тринадцать лет? Да, в сентябре будет ровно тринадцать. Шоши больше нет, верно?

— Шоша умерла на следующий день, как мы с ней ушли из Варшавы.

— Умерла? По дороге?

— Да. Как праматерь Рахиль.

— Ничего мы про вас не знали. Ничего. От других приходили весточки. В Белостоке и Вильне некоторые евреи сделались письмоносцами, посыльными. Они переправляли через границу письма от мужа к жене, от жены к мужу. Но вы как в воду канули. Что с вами случилось? В первый раз я услыхал, что вы живы, в сорок шестом. Я приехал в Мюнхен с группой беженцев, и кто-то дал мне местную газету. Открыл — и сразу увидел вашу фамилию. Там было написано, что вы в Нью-Йорке. Как вам удалось попасть в Нью-Йорк?

— Через Шанхай.

— И кто прислал аффидавит?

— Помните Бетти?

— Что за вопрос? Я помню всех.

— Бетти вышла замуж за американца, военного, и он прислал мне аффидавит.

— У вас был ее адрес?

— Случайно узнал.

— Вот я не религиозен. Не молюсь, не соблюдаю Субботу, не верю в Бога, но должен признать, что чья-то рука ведет нас — этого никто не сможет отрицать. Жестокая рука, кровавая, а подчас и милосердная. А где Бетти живет? В Нью-Йорке?

— Бетти покончила с собой год назад.

— Почему?

— Неизвестно.

— А что случилось с Шошей? Если вам тяжело говорить, не рассказывайте.

— Да нет, я расскажу. Она умерла в точности, как мне однажды приснилось. Мы шли по дороге на Белосток. Близился вечер. Люди торопились, и Шоша не поспевала за ними. Она начала останавливаться каждые несколько минут. Вдруг она села прямо на землю. А через минуту уже умерла. Я рассказывал этот сон Селии. А может, вам.

— Только не мне. Я бы запомнил. Что за прелестная девочка была. В своем роде святая. Что это было? Сердечный приступ?

— Не знаю. Думаю, она просто не захотела больше жить. И умерла.

— А что с ее сестрой? Как ее звали? Тайбл, кажется? — спросил Геймл. — И что случилось с матерью?

— Бася погибла. Это точно. А про Тайбеле ничего не знаю. Она могла перебраться в Россию. У нее был друг — бухгалтер. Может, она здесь. Но это маловероятно. Если б так, я что-нибудь услыхал бы про нее.

— Боюсь спросить, но что сталось с вашей матерью и братом?

— В сорок первом их спасли русские. Лишь для того, чтобы в теплушках отправить в Казахстан. Они тащились две недели. Мне случайно встретился человек, который был в этом поезде. Он все рассказал мне, до малейших подробностей. Оба они умерли. Как мать могла протянуть еще несколько месяцев после такого путешествия, не возьму в толк. Их привели в лес. Была настоящая русская зима. И приказали строить самим себе бараки. Брат умер сразу по приезде на место.

— А что с вашей подругой-коммунисткой? Как ее звали?

— С Дорой? Не знаю. Где-нибудь за что-нибудь убили. Друзья ли. Враги ли.

— Цуцик, я вернусь сию минуту. Пожалуйста, не уходите.

— Что вы такое говорите?!

— Всякое бывает.

Геймл ушел. Я снова обернулся и стал смотреть на море. Две женщины плескались у берега, смеялись. И вдруг, не удержавшись на ногах от смеха, упали. Мальчик играл в мяч с отцом. Еврей-сефард в белом одеянии, босой, с пейсами до плеч и всклокоченной черной бородой, просил милостыню. Никто не подавал ему. Кто просит подаяние на пляже? Пожалуй, он не в своем уме. И тут меня позвали к телефону.

2

Когда я вернулся, Геймл сидел за столиком и с ребяческим нетерпением смотрел на дверь. Я вошел, он сделал движение, будто собираясь встать, но остался на стуле.

— Куда это вы уходили?

— Меня позвали к телефону.

— Раз уж вы сюда приехали, вам не дадут покоя. Ну хорошо, про вас была заметка в газете. Но откуда им стало известно про меня? Звонят люди, которых я давно похоронил. Это как воскрешение из мертвых. Кто знает? Если уж мы дожили до такого чуда, как еврейское государство, пожалуй, в конце концов увидим, как придет Мессия? Может быть, мертвые воскреснут? Цуцик, вы знаете, я вольнодумец. Но где-то внутри у меня такое чувство, что Селия здесь, и Морис здесь, и отец мой — да почиет он в мире — тоже здесь. И ваша Шоша здесь. Да и как это возможно — просто исчезнуть? Как может тот, кто жил, любил, надеялся и спорил с Богом, вот так взять и просто-напросто стать ничем. Не знаю, как и в каком смысле, но они здесь. Я помню, как вы говорили — возможно, цитировали кого-то, — что время — это книга, в которой страницы можно переворачивать только вперед, а назад нельзя. А если только *мы* не можем, а какие-то другие силы могут? Разве возможно, чтобы Селия перестала быть Селией? А Морис — Морисом? Они живут со мной. Я говорю с ними. Иногда я слышу, как Селия разговаривает со мной. Вы не поверите, это Селия велела мне жениться на моей теперешней жене. Я валялся в лагере под Ландсбергом, больной, голодный, одинокий и несчастный. Вдруг — голос Селии: «Геймл, женись на Жене!» Так зовут мою жену. Женя. Знаю, все можно объяснить с точки зрения психологии. Знаю, знаю. И однако я *слышал* ее голос. А вы что скажете?

— Не знаю.

— До сих пор не знаете? Сколько можно не знать? Цуцик, я могу примириться с чем угодно, только не со смертью. Как это может быть, что все наши предки умерли, а мы, шлемили, как будто бы живем? Вы переворачиваете страницу и не можете перевернуть ее обратно, но на странице такой-то все они благоденствуют в своем хранилище душ.

— Что они там поделывают?

— На это я не могу ответить. Может быть, все мы спим и каждый видит сон. Либо все мертво, либо все живет. Хочу рассказать вам: после вашего ухода Морис стал поистине велик — никогда не был он таким, как в эти месяцы. Он жил с нами на Злотой, пока в октябре сорокового года евреев не собрали в гетто — только через год после начала немецкой оккупации. Помните, перед войной он мог уехать в Англию или в Америку. Американский консул умолял его уехать. Америка вступила в войну только в сорок первом. Он мог бы проехать через Румынию, Венгрию, даже через Германию. С американской визой можно ехать куда хочешь. А он остался с нами. Я как-то сказал Селии: «К смерти я готов, но хочу, чтобы Всемогущий сделал мне одолжение — не хочу видеть нацистов». Селия ответила: «Обещаю тебе, Геймл, что ты не увидишь их лиц». Как могла она обещать такое? Наше положение и переезд Мориса подняли ее на такую высоту — не передать словами. Она была прекрасна.

— Вы не ревновали к нему?

— Не говорите чепуху. Я слишком стар для таких мелочей. Ангел Смерти размахивал передо мною своим мечом, но я натянул ему нос. Снаружи это было как разрушение храма, но внутри, у нас дома, была Симхас-Тойре и Йом-Кипур одновременно. Рядом с ними и я ожил и повеселел. Я говорю это не для виду — как можно говорить такие вещи просто так? В октябре умер мой дядя. Попасть в Лодзь было невозможно — еврею нигде нельзя было показаться. Однако я отважился. Я прошел весь путь пешком. Туда и обратно. Это была истинная Одиссея.

Вы ведь знаете, Селия заранее приготовила комнату — мы называли ее «пещера Махпела»*. Она начала это, еще когда вы были в Варшаве. В тот день, когда по радио объявили, что все мужчины должны собраться у Пражского моста и вы с Шошей решили уходить, — с этого дня комната стала моим и Файтельзона убежищем. Там мы и ели, и спали. Там же Морис писал. Из Лодзи я привез деньги — не бумажные деньги. Настоящие золотые дукаты. Дяде их оставил для меня отец. Дукаты хранились еще со времен Царства Польского. Как я вернулся из Лодзи с такими сокровищами и меня не ограбили, не убили — просто чудо. Но я вернулся. У Селии тоже были драгоценности. За деньги можно было все купить. А черный рынок появился почти сразу.

---

* Махпела — пещера, в которой находятся гробницы праотцев: Авраама, Сары.

После моей одиссеи я был так разбит, что последние остатки храбрости пропали. Как и Морис, я не выходил на улицу. Селия была единственной связью с внешним миром. Она уходила — и мы не знали, увидим ли ее снова. Эта ваша Текла тоже постоянно ходила с поручениями. Она рисковала жизнью. Но у нее умер отец, и ей пришлось вернуться в деревню.

Однообразно и печально проходили дни. Настоящая жизнь начиналась ночью. Еды было мало. Но мы пили чай, и Морис говорил. В эти ночи он говорил так, как никогда прежде. Наследие предков пробудилось в нем. Он швырял каменьями во Всемогущего, и в то же время слова его пылали религиозным пламенем. Он бичевал Бога за все Его грехи с самого дня Творения. Он утверждал еще, что вся Вселенная — игра, и он принимал эту игру, пока она не стала непонятной. Наверно, так говорили Зеер из Люблина, рабби Буним и рабби Коцкер. Суть его речей состояла в том, что с тех пор, как Бог безмолвствует, мы Ему ничего не должны. Кажется, я слыхал нечто подобное от вас, а может, вы повторяли слова Мориса. Истинная религиозность, утверждал Морис, вовсе не в том, чтобы служить Богу, а в том, чтобы досаждать Ему, делать Ему назло. Если Он хочет, чтобы были войны, инквизиция, распятие на кресте, Гитлер, — мы должны желать, чтобы на земле был мир, хасидизм, благодать, в нашем понимании этого слова. Десять заповедей — не Его. Они наши. Бог хочет, чтобы евреи захватили страну Израиля, отняли ее у хананитов, чтобы они вели войны с филистимлянами. Но истинный еврей, каким он стал в изгнании, не хочет этого. Он хочет читать Гемару с комментариями, «Зогар», «Древо жизни», «Начало мудростей». Не гои гонят евреев в гетто, говорил Морис, они идут туда сами, потому что устали от жизни, где надо вести войну, поставлять воинов и героев на поле битвы. Каждую ночь Морис воздвигал новые построения.

Мы могли спастись и тогда, когда евреев заперли в гетто. Некоторые возвращались оттуда и бежали в Россию. В Белостоке был варшавский еврей, наполовину писатель, наполовину сумасшедший, Ионткель Пентзак его звали. Он ходил из Белостока в Варшаву и обратно — что-то среднее между святым вестником и контрабандистом. Он переправлял письма от жен к мужьям, от мужей — к женам. Можно себе представить, как он рисковал во время таких путешествий. Нацисты в конце концов схватили его, но до тех пор он был прямо как святой! Мне он тоже принес несколько писем. Кое-кто из моих друзей оказался в Белостоке, и они умоляли, чтобы мы присоединились к ним. Но Селия не хотела, и Морис не хотел, а я — не мог же я их оставить! Да и что мне этот чужой, непонятный мир? Эти писатели и партийные деятели, что посылали нам приветы, уже переменили курс и стали верными коммунистами. Разоблачить своего бывшего товарища — это стало им теперь раз плюнуть. Их писания славословили Сталина, а наградой им была война и тарелка овсянки. Позднее — тюрьма, ссылка, ликвидация. Я теперь так думаю: то, что люди называют жизнью, есть смерть, а то, что называют смертью, — жизнь. Не задавайте вопросов. Где это записано, что солнце мертво, а клоп живой? Может быть, это просто другой способ существовать? Любовь? Просто любви не бывает? Цуцик, есть у вас спички? Я привык тут курить, в этой еврейской стране.

Я пошел за спичками для Геймла и заодно купил для него две пачки американских сигарет.

Он отрицательно покачал головой:

— Это вы для меня? Да вы просто мот.

— Я получил от вас больше, чем эти сигареты.

— Э, мы не забывали вас. Селия постоянно про вас расспрашивала: может, кто-нибудь что-то слышал, может, что-нибудь ваше напечатали. Когда вы ушли из Варшавы, куда вы направились? В Белосток?

— В Друскеники.

— А как вы там оказались?

— Перебрался через границу.

— А что вы делали в Друскениках?

— Работал в гостинице.

— Да, это было правильно — держаться подальше от братьев-писателей. Вы не смогли бы стать коммунистом, а всех антикоммунистов сразу же сослали в Сибирь. Но потом то же самое было и с искренними сталинистами. А что вы делали в сорок первом?

— Шел и шел.

— Куда?

— Дотащился до Ковно, а оттуда уже добирался до Шанхая.

— Чтобы получить визу, да? А что вы делали в Шанхае?

— Работал наборщиком.

— Что же вы набирали?

— «Шита Мекуббецет»*.

— Ну и безумный же народ эти евреи! Я слыхал, там была иешива, которая издавала книги! Вы не писали?

— Да. И это тоже было.

— Когда вы очутились в Америке?

— В начале сорок восьмого.

— Я ушел из Варшавы в мае сорок первого. В марте умер Морис.

— Почему вы не взяли с собой Селию?

— Некого было брать.

— Она была больна?

— Она умерла ровно через месяц после Мориса. Что называется, естественной смертью.

3

Мы с трудом втиснулись в автобус, идущий в Хадар-Йосеф, на окраину Тель-Авива, заселенную новыми эмигрантами. Пассажиры проклинали друг друга по-еврейски, по-польски, по-немецки, на ломаном иврите. Женщины ссорились из-за мест, мужчины их разнимали. Какая-то женщина везла корзинку с живыми цыплятами. Они проделали дырку в корзинке и теперь летали у пассажиров над головами. Водитель кричал, что высадит каждого, кто создает беспорядок. Наконец стало тихо, и я услышал, как Геймл говорит: «Да, еврейский народ. Новоприбывшие, все до одного, — не в своем уме. Жертвы Гитле-

---

* «Шита Мекуббецет» — сочинение рабби Бецалеля Ашкенази — специальный комментарий к трактату «Бейца» («О яйце»), четвертому трактату Вавилонского Талмуда.

ра. Каждый — комок нервов. Они всегда подозревают, что их притесняют. Сначала они проклинали Гитлера, теперь осыпают проклятиями Бен-Гуриона. Дети их, или даже внуки, уже будут нормальными людьми, если только Всемогущий не снизошлет на нас новую катастрофу. Вы не знаете, да и не можете знать, через что мы прошли. Вот вы не спрашиваете, а вам, наверно, хочется знать, как я мог жениться на Жене после Селии. Сначала и Женя, и я были просто два червяка, ползающие сами по себе. Потом получили эту квартиру, где сейчас живем. Да и сколько может терпеть плоть? Она не Селия, но она хорошая. Ее муж был учителем еврейской школы в Петрокове. Бундовцем. Женя сначала верила в Сталина. Потом ей пришлось кое-что попробовать на вкус. Забавно, она знала Файтельзона. Однажды пришла на его лекцию о Шпенглере, и он оставил ей на книге автограф. Она дежурит в госпитале. Туда привозят раненых на «скорой помощи». «Моген Довид Адом»*. Случайно у нее как раз сегодня выходной. Она все знает про вас. Я давал ей читать ваши книги.

Наконец мы приехали в Хадар-Йосеф. Между крышами были протянуты веревки с бельем. Полуголые дети возились в песке. Бетонные ступени вели прямо в кухню в квартире у Геймла. Снаружи — ящик для мусора, асфальт, запах чего-то пряного и сладкого, который я не мог определить. В кухне пахло щавелем и чесноком. У газовой плиты стояла женщина — низкорослая, с коротко остриженными полуседыми волосами.

---

* Общество Красного Щита Давида, аналог общества Красного Креста.

На ней было ситцевое платье, на босых ногах — драные шлепанцы. По-видимому, она подверглась операции, так как кожа на левой щеке была стянута, на лице много шрамов, рот искривлен. Когда мы вошли, она поливала цветы.

Геймл закричал:

— Женя! Догадайся, кто это?

— Цуцик.

Геймл сразу смутился.

— У него есть имя.

— Ничего, так даже лучше, — запротестовал я.

— Простите, что так называю вас, — продолжала Женя, — но четыре года день и ночь одно и то же: «Цуцик» да «Цуцик». Когда мой муж кого-нибудь любит, он говорит о нем не переставая. Мне доводилось видеть Файтельзона, но вас я знаю только по портрету в газете. Наконец-то я вас вижу. Почему ты не сказал мне, что приведешь гостя? — Женя повернулась к Геймлу. — Я бы навела порядок. Мы тут постоянно сражаемся с мухами, осами, даже с мышами. Много лет назад я не могла смотреть на мышей и на насекомых как на Божьи создания. А после того, как со мной обращались, будто я — какая-то козявка, я на многое смотрю иначе. Проходите в комнату, пожалуйста. Такой неожиданный гость. Такая честь!

— Видали ее щеку? — показал Геймл. — Это нацисты били ее куском трубы.

— О чем это вы говорите? Проходите же! — повторила Женя. — Простите за беспорядок.

Мы прошли в комнату. Здесь стояла большая софа — из тех, что служат софой днем и кроватью ночью. Ванной в квартире не было. Только раковина и туалет. Комната эта, видимо, служила и спальней, и столовой. В книжном шкафу я заметил файтельзоновские «Духовные гормоны» и несколько моих книг.

Геймл заговорил опять:

— Это наша страна. Наш дом. Здесь, возможно, нам позволят умереть, если до тех пор нас не потопят в море.

Вскоре вошла Женя и начала наводить порядок. Она подмела пол. Постелила скатерть на стол. Беспрерывно извинялась. Уже настал вечер, когда она накрыла на стол: немного мяса для себя и Геймла, а для меня — овощи. Меня удивило, что они смешивают мясную еду с молочной. Мне казалось: вопреки тому, что Геймл рассуждает как еретик, он должен бы соблюдать еврейство здесь, на земле Израиля. Я спросил:

— Если вы не религиозны, почему тогда отрастили бороду?

Женя положила ложку на стол.

— Вот это же самое и я хочу знать.

— О, еврей должен быть с бородой, — ответил Геймл. — Надо же чем-то отличаться от гоев.

— Как ты живешь, ты все равно что гой, — сказала Женя.

— Никогда в жизни я никого не убил и ни на кого не поднимал руки и потому могу называть себя евреем.

— Где-то написано, что тот, кто нарушает одну из Десяти заповедей, нарушает и остальные, — возразила Женя.

— Женя, Десять заповедей были написаны человеком, а не Богом. Пока ты никому не причиняешь зла, можешь жить, как тебе хочется. Я любил Файтельзона. Если бы мне сказали, что можно отдать жизнь за то, чтобы он мог жить снова, я бы не колебался. Если Бог есть, пусть Он будет свидетелем правдивости моих слов. И Цуцика я люблю. Время собственности скоро пройдет. Придет человек с новыми инстинктами — он будет всем делиться с другими. Это слова Мориса.

— Тогда почему же ты был таким ярым антикоммунистом в России? — спросила Женя.

— Они не хотят делиться. Они хотят только хапать.

Наступило молчание. Стало слышно, как поет сверчок. Те же звуки, что и у нас на кухне, когда я был маленьким. Сгустились сумерки. Геймл сказал:

— Я религиозен. Только на свой собственный лад. Я верю в бессмертие души. Если скала может существовать биллионы лет, то почему же душа человеческая, или как там это назвать, должна исчезнуть? Я с теми, кто умер. Живу с ними. Когда я закрываю глаза, они здесь, со мной. Если солнечный луч может блуждать и светить миллионы лет, почему же это не может дух? Новая наука найдет этому объяснение, и оно будет неожиданным.

— Когда будет последний автобус на Тель-Авив? — спросил я.

— Цуцик, оставайтесь ночевать.

— Спасибо, Геймл, но ко мне должны прийти завтра с утра.

Женя собрала посуду и ушла в кухню. Слышно было, как она запирает двери. Геймл не зажигал огня. Только бледный вечерний свет из окна освещал комнату.

Геймл снова заговорил, обращаясь не то к себе, не то ко мне и ни к кому в частности:

— Куда ушли все эти годы? Кто будет помнить их после того, как уйдем и мы? Писатели будут писать, но они все перевернут вверх ногами. Должно же быть место, где все останется, до мельчайших подробностей. Пускай нам говорят, что мухи попадают в паутину и паук их высасывает досуха. Во Вселенной существует такое, что не может быть забыто. Если все можно забыть, Вселенную не стоило и создавать. Вы понимаете меня или нет?

— Да, Геймл.

— Цуцик, это ваши слова!

— Не помню, чтобы я это говорил.

— Вы не помните, а я помню. Я помню все, что сказал Морис, сказали вы, сказала Селия. Временами вы говорили забавные глупости, и их я помню тоже. Если Бог есть мудрость, то как может существовать глупость? А если Бог есть жизнь, то как может существовать смерть? Я лежу ночью, маленький человечек, полураздавленное насекомое, и говорю со смертью, с живыми, с Богом, если Он есть, и с Сатаной, который уж определенно существует. Я спрашиваю у них: «Зачем нужно, чтобы все это существовало?» — и жду ответа. Как вы думаете, Цуцик, есть где-нибудь ответ или нет?

— Нет. Нет ответа.

— Почему же нет?

— Не может быть оправданий для страданий — и для страдальцев его тоже нет.

— Тогда чего же я жду?

Женя отворила дверь:

— Что вы сидите в темноте, хотела бы я знать?

Геймл улыбнулся:

— Мы ждем ответа.

ОТ ПЕРЕВОДЧИКА

Я испытывала неизбывное чувство вины перед автором Исааком Башевисом Зингером все время, пока переводила этот роман. Дело в том, что перевод сделан с английского, а не с языка оригинала. Однако же роман написан со столь пронзительной силой, что голос автора слышен даже сквозь английский перевод. Мне только оставалось слушать и расслышать как можно более точно. Или рукою моею водил диббук?

Герои романа — люди со своими достоинствами, своими слабостями и недостатками. Можно было бы по-разному к ним относиться. Но судьбы их трагичны. Потому испытываешь только жалость, любовь и боль.

Относительно недавно я узнала: оказывается, сам автор предпочитал, чтобы его переводили на европейские языки, используя авторизированные переводы на английский. Он считал, что идиш — это язык, с которого его произведения не могут быть переведены адекватно. Кроме того, как я узнала потом, этот роман издавался отдельной книгой сразу на английском. Оригинальный текст печатался только в нью-йоркском еженедельнике

дельнике «Jewish Forward» из номера в номер как роман с продолжением.

Хочу также добавить, что я бесконечно благодарна моему покойному отцу за горячее сочувствие к моей работе и неоценимую помощь при редактировании.

Я благодарю также М. А. Членова за квалифицированную помощь при редактировании и составлении примечаний.

Н. Брумберг

Декабрь 1999 г.

ОГЛАВЛЕНИЕ

ЧАСТЬ ПЕРВАЯ

ГЛАВА ПЕРВАЯ 5
ГЛАВА ВТОРАЯ 23
ГЛАВА ТРЕТЬЯ 65
ГЛАВА ЧЕТВЕРТАЯ 86
ГЛАВА ПЯТАЯ 118
ГЛАВА ШЕСТАЯ 144
ГЛАВА СЕДЬМАЯ 153

ЧАСТЬ ВТОРАЯ

ГЛАВА ВОСЬМАЯ 177
ГЛАВА ДЕВЯТАЯ 208
ГЛАВА ДЕСЯТАЯ 223
ГЛАВА ОДИННАДЦАТАЯ 235
ГЛАВА ДВЕНАДЦАТАЯ 262
ГЛАВА ТРИНАДЦАТАЯ 286
ГЛАВА ЧЕТЫРНАДЦАТАЯ 301

Эпилог 329

От переводчика 348

Литературно-художественное издание

Исаак Башевис
Зингер

ШОША

Ответственный редактор *Антонина Балакина*
Художественный редактор *Юлия Двоеглазова*
Технический редактор *Елена Траскевич*
Корректор *Людмила Виноградова*
Верстка *Любови Копченовой*

Подписано в печать 03.10.2007.
Формат издания 84×108 1/32. Печать офсетная.
Усл. печ. л. 18,48. Тираж 3000 экз.
Изд. № 70335. Заказ № 655.

Издательство «Амфора».
Торгово-издательский дом «Амфора».
197110, Санкт-Петербург,
наб. Адмирала Лазарева, д. 20, литера А.
E-mail: info@amphora.ru

Отпечатано с диапозитивов в ОАО «Лениздат».
191023, Санкт-Петербург, наб. р. Фонтанки, 59.

По вопросам поставок обращайтесь:

ЗАО Торговый дом «Амфора»

123060, Москва,
ул. Берзарина, д. 36, строение 2
(рядом со ст. метро «Октябрьское поле»)
Тел./факс: (499) 192-83-81, 192-86-84;
(495) 944-96-76, 946-95-00
E-mail: secret@amphtd.ru

ЗАО Торговый дом «Амфора»

198096, Санкт-Петербург, Кронштадтская ул., д. 11
Тел./факс: (812) 335-34-72, 783-50-13
E-mail: amphora_torg@ptmail.ru

INTERNATIONAL BOOKS
7513 Santa Monica Blvd.
West Hollywood, CA 90046